АНДРЕЙ ИЛЬИН

ФЕДЕРАЛЬНОЕ ДЕЛО

ЭКСМО-ПРЕСС

Москва, 2002

УДК 882
ББК 84(2Рос-Рус)6-4
И 46

*Ранее книга «Федеральное дело» выходила
под названием «Диверсия»*

Ильин А. А.

И 46   Федеральное дело: Роман. — М.: Изд-во ЭКСМО-
Пресс, 2002.— 448 с.

ISBN 5-04-010335-2

Агенты влияния не оставляют следов. Разоблачить их почти невозможно. И только компьютерное расследование позволяет резиденту
могущественной «Конторы» проникнуть в тайну заговора, чреватого
подрывом российской экономики. Однако высокопоставленные заговорщики недосягаемы даже для спецслужб. Резидент ищет выход...

УДК 882
ББК 84(2Рос-Рус)6-4

Федеральное ДЕЛО

РОМАН

ПРЕДИСЛОВИЕ

*Распечатка магнитофонной записи
диспетчерской службы 02 города Москвы.*

ВЫДЕРЖКА

— Милиция! Але! Милиция! Вы меня слышите?

— Говорите, вас слушают.

— Это милиция?

— Говорите.

— У нас в подъезде лежит человек! Весь в крови...

— Назовите адрес.

— Тупиковый проезд, дом двенадцать. Второй подъезд.

— Потерпевший жив?

— Кажется, нет. Я не знаю. Он весь в крови. И не дышит.

— Кто обнаружил тело?

— Мы. То есть я.

— Ваши фамилия, имя, отчество.

— Заикина Алевтина Петровна.

— Адрес?

— Тупиковый проезд, двенадцать, квартира 24.

— Кто передал сообщение?

— Я. Заикина Алевтина Петровна.

— Ждите. К вам выезжает наряд милиции...

*Приняла: дежурный диспетчер СМИРНОВА В. П.
Время приема: 17 мая, 22 часа 17 минут.*

*Конец распечатки.
Из доклада старшего оперативной
группы 78-го отдела Министерства
внутренних дел города Москвы
капитана ФЕДОРОВА С. Т.*

ВЫДЕРЖКИ

Тело было обнаружено по адресу: Тупиковый проезд, двенадцать, на лестничной площадке между третьим и четвертым этажами. Тело обнаружила Заикина Алевтина Петровна, проживающая в том же доме, в квартире 24.

В результате предварительного осмотра места происшествия было установлено, что пострадавший был убит пятью выстрелами в упор в область головы и груди из пистолета калибра 9 миллиметров. (Найденные гильзы отправлены на экспертизу.)

В руке потерпевшего был найден газовый пистолет иностранного производства, из которого было сделано четыре выстрела.

На площадке второго и первого этажей, на полу и перилах, а также на выходе из подъезда на асфальте были обнаружены многочисленные следы крови, обрывающиеся на проезжей части улицы.

Старший группы капитан ФЕДОРОВ.
17 мая, 23 часа 55 минут.

Из заключения
патологоанатомического вскрытия.

ВЫДЕРЖКИ

Смерть потерпевшего наступила в промежутке между двадцатью двумя — двадцатью тремя часами в результате трех смертельных огнестрельных ранений в область головы и сердца...

Смерть потерпевшего наступила мгновенно...

На правой руке с тыльной стороны ладони найдены следы порохового нагара.

На пальцах левой руки на дистальных фалангах первого и второго пальцев установлено присутствие мышечной ткани и крови, не соответствующей группе крови потерпевшего. Под ногтями указательного и безымянного пальцев найдены клетки белковой оболочки глаза и ткани мозгового вещества...

Вскрытие проводил ПЕТРОВ С. М.

*Из телепередачи «Городская
криминальная хроника».
Эфир 20 мая, 19 часов 30 минут.*

ЦИТАТА

— Непонятны мотивы совершенного убийства. Судя по всему, погибший не имел отношения ни к криминальному миру, ни к серьезному бизнесу. Тем не менее почерк преступления совершенно соответствует стилю заказного убийства, которые мы теперь имеем возможность наблюдать чуть не каждый день...

Свидетели видели трех окровавленных мужчин в масках, втаскивавших в стоящую возле подъезда автомашину импортного производства находящегося без сознания сообщника. Машина на большой скорости скрылась в сторону центра. Операция «Перехват», объявленная милицией после приезда на место преступления, результата не дала. К сожалению, это не последнее преступление, случившееся на этой неделе...

*Оператор видеоматериала СЛАДКОВ А. Д.
Видеозапись от 17 мая.*

*Из разговора следственной бригады
на оперативном совещании, посвященном
расследованию убийства по Тупиковому проезду.*

ВЫДЕРЖКИ

— ...Как он, получив пять пуль в башку и грудь, мог успеть произвести четыре ответных выстрела из газового пистолета? Эксперты утверждают, что смерть наступила мгновенно. Какого черта мгновенно, если ему надо было вытащить и взвести оружие. Или он знал заранее о засаде, или преступники стреляли не сразу?..

...И главное, совершенно непонятно, откуда взялись на его ногтях волокна сетчатки и мозга. Он что, успел ткнуть их пальцем в глаза? И достать до мозга? Чушь какая-то. Тайваньский боевик. С голым пальцем против четырех вооруженных убийц! Они что, ждали, когда он доберется до их лиц? Спокойно стояли и ждали? Ни черта не понятно!..

...Кровь на лестнице имеет три разные группы. Значит, ранены были как минимум три преступника. Из газового пистолета? Как-то сомнительно. Для этого надо было стрелять в упор, чуть не приставив ствол к головам. Какой же преступник, сидящий в засаде, такое допустит? На их стороне внезапность, заранее подготовленные диспозиции... Может, потерпевший был не один? Может, их было несколько человек и остальные после перестрелки скрылись? Но при чем тогда сетчатка и мозги на пальцах?..

Из оперативной сводки горотдела милиции
от 24 мая.

ВЫДЕРЖКА

...обнаружено тело неизвестного мужчины с проникающим ранением в голову... Смерть, судя по всему, наступила в результате проникающего удара острым предметом через правую глазницу в лобные доли головного мозга...

ЧАСТЬ I

ГЛАВА 1

Меня затребовали в Центр. Срочно. Как пожарную команду на загоревшийся пороховой завод. На передачу дел — час, на сборы — минута. Промедление — смерти подобно. В самом прямом смысле. В нашем учреждении нельзя замешкаться, нельзя опоздать и нельзя оправдать свое опоздание объективными, семейного или служебного свойства причинами. Потому что у нас нет службы важнее службы Конторе и нет семьи. И постоянного имени нет. И постоянной биографии. Все временное — на одно конкретное задание. Постоянная величина только одна — необходимость как можно лучше и как можно быстрее исполнить полученный приказ. Без ссылок на неодолимые обстоятельства.

И обычно таких не находится. Потому что в нашем учреждении неумение приравнивается к должностному несоответствию. Несоответствие ведет к немедленной отставке. А отставки в Конторе нет — есть скоропостижная, во имя сохранения общей Тайны, смерть.

Мы как солдаты на войне, для которых предусмотрено множество поощрений — дополнительная кружка водки, орден, отпуск на родину и только один вид наказания — смертная казнь путем расстрела перед строем или перевода в штрафной батальон, равного расстрелу. По всей строгости военного времени.

Нас тоже по всей строгости... Потому что мы тоже по закону военного времени. Контора воюет всегда, это ее единственное и главное предназначение.

Редко бывает, чтобы Резидента срывали с подведомственного ему региона без предупреждения, без соответствующей замены. Но бывает. Сегодняшний случай именно из этой серии.

«Текущие дела, требующие надзора Резидента, законсервировать. Техническую сторону передать доверенному агенту. Оперативные встречи перенести до востребования. Документацию ликвидировать. Отчеты об использовании финансовых средств не предоставлять... Явиться в...» И гриф «сверхсрочно». С которым только дурак отважится поспорить.

Ну если гриф «сверхсрочно» и если финансовые отчеты не предоставлять, то действительно тянет в ноздри паленым — из-под крыши склада готовой продукции того самого порохового завода валит дым. Клубами. Бухгалтерию в нашей системе пробрасывают только в одном случае — когда в доме случилось стихийное бедствие. И значит, я — спасатель. И значит, мною будут тушить какой-то огонь. Интересно бы знать, какой? Но даже если и знать, и даже если наверняка знать, что придется сгореть, все равно ничего изменить нельзя. Приказ получен и обсуждению не подлежит. Согласно законам военного времени...

Сжечь шифрограмму. Растереть пепел пальцем. То же самое сделать с текущей документацией, хотя ее, наткнись на нее посторонний, прочитать без шифровальной машинки все равно невозможно. Вслед пустить шифровальную машинку. То есть превратить ее в тот же «пепел». И «растереть между пальцев».

Все, больше никаких компрометирующих меня или Контору предметов у меня нет. Резиденты орудия производства на месте проведения работ не хранят. Они не строители, которым кирки и лопаты сподручнее держать ближе к канаве. Подальше положишь — поближе, а главное — без угрозы потерять голову возьмешь. Не пословица — цитата из служебной инструкции.

Все прочее резидентское барахло хранится в надежном месте, в специальном контейнере, под чуткой охраной настроенного на чужака самоликвидатора. Сунешься, не зная, как с ним, с бессловесным, договориться, — ни содержимое контейнера, ни себя самого не найдешь. Разорвет, размечет по окрестностям на молекулы. Долго потом местные жители и любопытствующие журналисты будут гадать о случившемся в чистом поле странном взрыве, об отсутствии воронки и каких-либо обломков. И опять все спишут на тарелочки. Мол, очередной эксперимент... Хорошо, что инопланетяне пока в контакт не вступили. Для Конторы хорошо. Есть на кого валить.

Снять билет с брони. На этот самый пожарный случай у всякого Резидента сидит в Аэрофлоте пара-тройка своих, хорошо оплачиваемых через подставных лиц человек. Резидент должен иметь возможность улететь или уехать всегда, даже когда нелетная погода, а железнодорожные рельсы разобрали пионеры на металлолом. Хоть в бомбовом отсеке стратегического бомбардировщика, прикинувшись крылатой ракетой. Главное — чтобы быть в нужном месте в указанное время и чтобы никто из оказавших помощь в транспортировке твоего тела в нужную географическую точку не знал, кто ты есть и для чего туда едешь. А как ты это умудришься сделать — твои проблемы. На то ты и Резидент, а не торговка овощами.

Дела законсервированы, встречи перенесены, компроматы уничтожены. Самолет подан на полосу. До свидания, регион моего служебного интереса. Возможно, надолго. Возможно — навсегда...

ГЛАВА 2

В Москве я сразу из аэропорта поехал в Контору. За лишние запрошенные за доставку дензнаки с таксистами не торговался. Соглашался на то, что требовали. В некоторых случаях время дороже денег. В некоторых случаях время ценнее жизни.

Я не доехал до известного мне адреса четыре улицы. Расплатился с водителем. Проследовал три остановки на автобусе назад и три вперед. Прошел два квартала пешком. Зашел в обычный подъезд обычного многоквартирного дома, поднялся на шестой этаж, открыл ключом дверь. В типовую двухкомнатную квартиру.

Эта квартира и была сегодня Конторой.

Без вывесок, парадных въездов, охраны и тому подобной привлекающей общественное внимание мишуры.

Учреждение, в котором я служу, не Безопасность и не МВД, об адресах которых осведомлен всякий человек. В отличие от них моего Учреждения в списках государственных организаций нет. И в списках для служебного пользования нет. И в особо секретных списках. И вообще его нет. Для девяноста девяти и девятисот девяноста девяти тысячных процента населения моей страны. Но есть для двух-трех облеченных верховной властью людей.

Но есть!

Я зашел в квартиру, которая по лежащим на холодильнике документам была, согласно договору краткосрочной аренды, моей квартирой. И ключ мой подошел к замку, потому что это был ключ от моей квартиры. Этот ключ мог подойти еще к полутысяче квартир в любом из городов страны. Потому что такие были замки. И такие были ключи. Не оставлять же, в самом деле, домашние связки на сохранение у соседей.

Я никогда не имел своей квартиры. Но я имел очень много квартир. Наверное, даже на Крайнем Севере, на кромке Ледовитого океана мой волшебный ключик мог открыть какую-нибудь обитую оленьей шкурой дверцу в какую-нибудь чукотскую ярангу. Если бы меня туда командировало начальство.

Все эти разбросанные по площади тысяч квадратных километров квартиры и были Конторой.

Я был на месте. Теперь мне надо было только ждать. Через час, или через два, или через сутки я обнаружил бы в своем почтовом ящике конверт. А в конверте пространное письмо от тети Клавы о жизни в деревне. А между строк о надоях, погоде и раннем созревании огурцов — инструкцию о том, куда и когда явиться и каким образом принять предназначенную мне информацию. Съездив в назначенное время (пятьдесят секунд опоздания — провал и смена почтового ящика) по указанному адресу и сняв с какого-нибудь заштатного столба объявление о размене или потерянной собаке и проявив его в специальном растворе, я получал полную инструкцию о том, что делать сегодня, завтра, послезавтра и так далее, до следующей повешенной на столбе или напечатанной в газете в форме нейтрального объявления начальственной «посылки».

Слишком мало людей служило в Конторе, чтобы можно было позволить себе роскошь перезнакомить всех со всеми. Сколько провалов знала разведка только из-за того, что кто-то с кем-то работал по одному делу, передавал информацию или случайно столкнулся во время обеда в служебном коридоре. Контора не могла себе позволить разбрасываться людьми. Потому что лишних людей у нее не было. И коридоров, где можно было бы случайно столкнуться, не было. И самой не было. Потому и провалов за всю ее историю — тоже не было.

Было много квартир и ни одного административного здания. Кроме различных СМУ, баз, НИИ, конструкторских бюро, лабораторий и тому подобных «левых» вывесок, за которыми прятались вспомогательные, сами не знающие, на какого хозяина работают, службы — бухгалтерии, технари, учетчики-нормировщики и прочая, не имеющая никакого отношения к оперативной работе хозобслуга.

Таким образом, даже исполнитель, пришедший в Контору — читай, в собственную, оформленную на него жилплощадь, — не знал в лицо своего начальника и не знал, сколько еще есть таких казенных квартир и существуют ли еще люди, подобные ему, или только он единственный в единственной своей квартире. И есть ли вообще Контора. Или Контора — это один только он.

Такие правила диктовала конспирация. Учреждение, в котором я служил, официально не существовало, законам государства, в котором работало, не подчинялось и, значит, всегда находилось в подполье. В собственной стране.

Этим правилам подчинялся я. И все мои неизвестные мне коллеги и начальники. И никого такая чехарда с квартирами, ключами, объявлениями на столбах и стенах общественных туалетов не удивляла. Привыкли.

Я лег на «свой» диван, включил «свой» телевизор и расслабился. Я не думал ни о чем. Потому что думать еще было не о чем. Я отдыхал. Умение отключаться в любой обстановке отличает профессионала от играющего в разведку дилетанта. Профессионал не может позволить себе расходовать мозговое вещество понапрасну. Только тогда, когда это необходимо. В остальное время он должен находиться в состоянии покоя. Как медведь зимой в берлоге. Иначе не выдержит такой жизни и недели.

Я лежал так час. Ночь. Сутки. И еще сутки. «Посылки» не было. Я подъедал продукты, оставленные в холодильнике, гулял по близрасположенным улицам, проверял почтовый ящик. На улицах ко мне никто не подходил, в почтовом ящике ничего не добавлялось, телеграмм с почты не приносили, телефон не звонил. Информации не было.

Меня что, поощрили двухнедельным отдыхом в столице нашей Родины? Спасибо, конечно. Но зачем было вызывать в этот отпуск таким пожарным способом?

Я снова ел, ложился на диван и снова отдыхал.

На третьи сутки в дверь позвонили.

— Лопухов вы?

По очередным своим документам я был Лопухов.

— Я.

— Такси вызывали?

Такси я не вызывал.

— Конечно, вызывал! Заждался уже.

Если в конторскую квартиру приезжает невызванное такси и водитель называет никому не известную в городе фамилию жильца, значит, этот жилец это самое такси заказывал.

— Адрес не изменился? — спросил водитель, рассматривая какую-то бумажку и вставляя ключ зажигания в замок.

— Адрес тот же, — подтвердил я.

Андрей ИЛЬИН

Наверное, пункт назначения я сообщил еще раньше, сторговывая машину по телефону.

— Только больше я никуда заезжать не буду. У меня времени в обрез, — предупредил таксист.

— Больше никуда заезжать не надо.

Машина свернула на проспект, с него на Кольцевую, с нее на какую-то второстепенную дорогу, с той дороги вообще в какую-то глухомань.

— Черт вас несет в такие дебри. Знал бы — отказался, — ворчал водитель, выруливая по грязной грунтовке.

Дорогу перегородил шлагбаум с «кирпичным» знаком. Дальше пути не было.

— Здесь? — удивленно спросил таксист.

— Здесь, — подтвердил я, впервые видя окружающий пейзаж. — Тут немного осталось. Я пешком доберусь.

— Тогда с вас...

Я отсчитал названную сумму и еще пол этой суммы дал сверху.

— Если вам надо будет выезжать — звоните, — оживился таксист. — Места у вас тут хорошие. Наверное, и грибы есть, и рыбалка?

— И грибы, и рыбалка, — подтвердил я.

— Если что, скажите диспетчеру мой номер. Скажите, что я вас уже возил и что дорогу знаю...

— Скажу.

Такси развернулось и отбыло.

Я подошел к шлагбауму. За ним ничего не было, кроме сворачивающей в лес грунтовой дороги. Я решил выждать полчаса. А там видно будет.

Ждать пришлось меньше. Через десять минут со стороны, куда убыло такси, подъехал заляпанный грязью «уазик». С таким же грязным водителем.

— Я за вами?

— За мной.

— Садитесь. А то ваш друг сильно переживает, что вы можете опоздать.

— Теперь не опоздаю.

— Теперь конечно. Мне и самому спешить надо. Если председатель хватится — голову оторвет.

Полчаса грунтовых дорог и поворотов. Остановка. Дальше пути нет. Забор.

— Сколько я вам должен?

— Ничего не должны. Ваш друг уже расплатился. Веселый он у вас мужик! И щедрый. Каждый бы день с таким встречаться. Ну, я поехал.

— Спасибо.

— Вашему другу спасибо.

Возле забора никого не было. Я выдержал минуту и подошел к калитке. Раз никто не встречает, значит, эта дача моя. Ключ к калитке подошел. По выложенной асфальтовой плиткой дорожке я проследовал к дому и тем же ключом открыл еще одну дверь.

Сумрачно, пыльно, тихо. Давненько я на собственной даче не бывал. Замотался, запустил хозяйство. Непорядок.

Я прошел в комнату и включил свет.

— Здравствуйте.

Это было что-то новенькое. Меня сводили с живым человеком. Не с объявлением на столбе, не с набором букв на шифрограмме и даже не с телефонным голосом. Это было нетипично для Конторы — знакомить работников друг с другом. Если, конечно, я не влез на чужой приусадебный участок.

— Здравствуйте.

— Здесь можете говорить спокойно. Помещение защищено.

Нет, адресом я не ошибся. Прибыл куда надо. В Контору.

И приветствовавший меня незнакомец типично конторский — абсолютно никакой. Закроешь глаза и тут же забудешь. Ни роста, ни веса, ни особых примет. Усредненная величина.

— Как мне к вам обращаться?

— Как угодно. Например, Семен Степанович.

— Я зачем сюда, Семен Степанович, на отдых или на работу?

— На службу. Вы прессу читаете?

— Конечно. По производственной необходимости.

Семен Степанович развернул газету.

— Вот это, — показал он пальцем.

В заметке сообщалось о покушении на человека, проживающего по адресу: Тупиковый проезд, двенадцать. Пострадавший скончался на месте, получив в тело пять пуль.

— Это был наш работник. Он вел специальное расследование. Вполне возможно, что его гибель могла быть случайной, но вероятнее всего — это хорошо продуманный ход. В том, случайность это или нет, вам и придется разбираться.

Я не стал задавать вопрос, зачем было для рядового, в общем-то, дела вызывать чуть не за пять тысяч верст работника в ранге Резидента. Что, ближе никого подходящего не нашлось? Я не стал спрашивать, почему именно я. Потому что в Конторе больше того, о чем сказали, не спрашивают.

Он сам ответил на не заданный мною вопрос:

— Вы более всех других походите на него. По складу мышления, характеру и некоторым другим параметрам. Вам проще других представить его мотивы и действия.

Понятно. Расследование с использованием аналога. Чем больше люди похожи друг на друга, тем выше шансы, что они при решении однотипной задачи пойдут одним и тем же путем. Или совершат одни и те же ошибки.

Короче, провокация. Как бы мне не пришлось в конце расследования в каком-нибудь подъезде получить те же пять пуль в то же самое место. По аналогии.

— Где я могу получить дополнительную информацию?

— Здесь. И в дальнейшем по указанным почтовым ящикам. В случае необходимости мы придадим вам в помощь группу из нескольких человек.

Группу? То есть они готовы засветить передо мной еще несколько физиономий? Это уже вообще ни в какие рамки! Похоже, я ошибся. Похоже, предлагаемое мне дело далеко не рядовое. Группой в Конторе разрабатывают только особо важные или особо спешные дела. Видно, дело не в тех пяти пулях, что достались моему предшественнику. Дело, видно, в другом.

— Когда приступать к работе?

— Немедленно.

Следующие несколько часов я знакомился с протоколами осмотра места происшествия, свидетельскими показаниями, актами экспертиз, видео- и фотоматериалами. Информации было много и одновременно не было совсем. Следствие зашло в тупик. Ни мотивы преступления, ни личности убийц установлены не были. Случайность практически исключалась. Случайно вчетвером с пистолетами на изготовку людей в подъездах не поджидают. Мотивы и исполнителей следовало искать не во внешних обстоятельствах преступления — в образе жизни потерпевшего.

— Для дальнейшего расследования мне необходимо знать, чем занимался погибший в последние перед покушением месяцы.

— Я понимаю вас. Но дать информацию по всем работам по известным причинам не могу. Кроме последнего задания.

Причины действительно были известны. Сверхсекретность Конторы, ее работников и проводимых ими работ. Узнавший больше, чем ему следовало знать, был потенциально опасен. Как боевая граната, которая хоть и с предохранительной чекой, но рвануть в самый неподходящий момент все же может.

— Когда я смогу получить требуемые мне сведения?

— Запрашиваемые материалы вы получите завтра.

Доступ к оперативным материалам работника Конторы приравнивался к передаче его дел человеку, с ними ознакомившемуся. Если я узнавал то, что знал он, я становился им. Преемственность поколений, продиктованная соблюдением Тайны — священной коровы нашего несуществующего Учреждения. Знать чужое задание — значило принять его к исполнению. И довести до логического конца. Или до своей кончины.

ГЛАВА 3

Задание моего погибшего предшественника было по меньшей мере странным. Он должен был осуществлять надзор за одним из высокопоставленных членов Правительства.

— Зачем нужна слежка за первыми руководителями страны? — спросил я.

— Я не могу вам дать объяснения в полном объеме. Скажем так — существует опасность утечки информации.

— Куда?

— В третьи страны.

— Почему этим должны заниматься мы?

— Потому что этим можем заниматься только мы. И никто больше. Безопасности, МВД и прочим силовым госучреждениям запрещено разрабатывать первых лиц государства. Это правило существовало еще для членов Политбюро. На столь высоком уровне дела к расследованию, надзору или передаче в другие руки не принимаются. Все оперативные мероприятия, будь то слежка или допрос свидетелей и потерпевших, — запрещены. Максимум, что возможно, — это доложить о полученных сигналах прочим членам Правительства.

— То есть наши правители находятся вне закона?

— Да, пока они правители. Но мы тоже находимся вне закона. И здесь наши шансы уравниваются.

— От кого было получено задание на разработку объекта?

— Этого я сказать не могу.

ГЛАВА 4

И все-таки расследование гибели работника Конторы я начал с бытовых мотивов. Вначале мне необходимо было исключить все возможные простейшие объяснения происшествия и лишь затем переходить к более сложным. По лестнице лезут постепенно и снизу — вверх, а не запрыгивают сразу и на верхнюю планку.

Представившись и представив соответствующее, выписанное на майора внутренних дел Свиридова А. П. удостоверение, я еще раз поговорил с соседями потерпевшего. В отличие от обычной милиции я не спешил, я беседовал часами, всеми возможными способами располагая к себе собеседника. Я пил ведрами чай и литрами самодельные настойки, курил по пять пачек сигарет в день, съедал в умопомрачительных количествах пирожки и пончики, охал, ахал, возмущался современными нравами и рассказывал увлекательные истории из жизни уголовного розыска.

Ничего нового я не узнал.

К погибшему никто домой не ходил.

Он никого из соседей не посещал и ничего необычного не рассказывал.

Водку не пил.

Во дворе не дебоширил.

Матом прилюдно не ругался.

Ни с кем не ссорился.

Деньги не очень охотно, но занимал.

В подъезде не сорил.

От участия в субботниках не отказывался. Но на лишнюю работу не напрашивался.

Деньги на венки и приборки сдавал.

В подъездные разборки не лез.

Особой дружбы ни с кем не водил.

Женщин не приводил.

И сам больше чем на несколько дней никуда не отлучался.

Обыкновенный, каких большинство в каждом доме, гражданин. Без видимых достоинств, но и без особых недостатков. Как все.

То есть такой, какими и бывают работники Конторы, — никакой.

Убийство на почве бытовых неурядиц исключалось. Неурядиц не было. Покойный жил со всеми в мире и согласии.

Пьяная месть также не подходила. Потерпевший не пил и дружбы с местными алкашами не водил. И потом, с чего бы это горькие пьяницы надумали расправиться с ним с применением огнестрельного оружия? Скорее уж с помощью пустой (ну не полной же!) бутылки по темечку.

Мотив ограбления был сомнителен. Брать у погибшего, кроме старой, которую и за треть цены не продашь, мебели было нечего. Кроме того, с его тела даже не сняли часов, не вывернули карманы. Так грабители не поступают.

Коммерческие разборки? Покойный в акционерных обществах и производственных кооперативах не состоял. Согласно документам, он до последнего дня числился технологом в бессрочном отпуске на небольшом, еле сводящем концы с концами заводе. Лишних денег для участия в сомнительных финансовых махинациях у него не было. Перебежать дорогу чьим-то коммерческим интересам он не мог.

Женщины? С женщинами больше чем на одну ночь он дела не имел. Не хватало еще работнику Конторы нарваться на слежку мужа, взревновавшего к нему изменницу-жену, или того хуже — на всепоглощающую любовь. Любовь для разведчика равнозначна провалу. Можно изображать из себя не того, кто ты есть, перед посторонними, соседями, друзьями, любовницами, но невозможно перед близким, который наблюдает тебя каждый день, человеком. Тот рано или поздно станет подмечать некоторые несоответствия в поведении, станет подозревать, начнет задавать вопросы. Нет, это исключено. Конторским при исполнении заводить постоянные связи нельзя. Только если в отпуске. На три недели. Или если в соответствии с требованиями легенды. У моего коллеги легенда была безбрачная. Значит, пристрелить его из-за подозрения в измене не могли.

Кстати, к тем же выводам пришла и следственная бригада милиции.

Из-за чего же тогда его застрелили? Получается, из-за работы. Скорее всего той, которую он вел в последнее время. Но об этой работе милиция догадываться не могла. И списала дело в архив.

Я отправить дело в архив не мог. Я должен был докопаться до истины.

Задача моя усложнялась тем, что писать подробные отчеты о работе в Конторе не принято. Читать их все равно будет просто некому. Ответственных работников — наперечет. А неответственных к подобным делам на пушечный выстрел никто не подпустит. Это не МВД, где на каждого сыскаря по три высокопоставленных контролера. Если бы Контора работала по подобной затратной схеме, о ней давно бы уже знала всякая собака. И брехала по этому поводу на каждом углу.

Наше начальство никогда не интересовал ход дела, равно как и методы, с помощью которых оно продвигалось. Наше начальство интересовал только конечный результат, за который был всецело ответствен исполнитель. И не премией, не очередным званием, не квартирой, которую обещали дать. Но много большим. Поэтому и следить за его добросовестностью было незачем. Уровень сознания служащих Конторы был очень высок. Вынужденно высок!

Но если состояние дел моего предшественника не могло контролировать начальство, то еще меньше его мог контролировать я.

Отсутствие архивов лишало меня возможности напрямую проследить ход его мыслей. Если я и мог это попытаться сделать, то только опосредованно, путем суммирования второстепенных фактов.

Я запросил сведения о материально-технических средствах, которые в последние три месяца выписывал порученный мне агент. Финансы и матценности, в отличие от оперативной информации, в Конторе фиксировались до запятой. Правда, бухгалтеры и кладовщики, числящиеся в НИИ и СМУ, не догадывались, что они выписывают и что выдают в накрепко закрытых и опечатанных контейнерах. Они только галочки в амбарных книгах ставили о выдаче или приеме изделия шифронаименованием УПС-334-3М, не догадываясь, что там внутри. Но учет тем не менее вели самым тщательным образом. Что было мне на руку.

Полученные списки я первым делом дешифровал, превратив буквенно-цифровые абракадабры во вполне понятные переносные радиостанции среднего радиуса действия, микрофонные «жучки» и патроны к пистолету Стечкина.

Против каждого наименования я расставил число и время его получения и жирный знак вопроса: для каких именно целей моему предшественнику мог понадобиться именно этот предмет.

Логика моих исследований была проста — собираясь что-то предпринять, человек обеспечивается не вообще предметами, а предметами, необходимыми для воплощения его плана в жизнь. Допустим, если он желает лишить жизни своего противника, то вначале он выписывает винтовку с оптикой и глушителем, чтобы примерить ее к руке и глазу, затем патроны, чтобы потренироваться в стрельбе по удаленным предметам, потом бронежилет или сбивающие со следа служебных собак порошки и прочее — в зависимости от того, как и с кем он надумал расправиться.

Выстраивая затребованные материальные ценности в хронологическом, по мере их получения, порядке, я надеялся понять логику их использования и через это раскрыть план действий погибшего агента. Но не понял ничего, кроме того, что со склада были получены подслушивающие устройства повышенной чувствительности, лазерный сканер, миниатюрные телекамеры и прочая необходимая для слежки аппаратура. Но о том, что ему надлежало заниматься слежкой, я и так знал. Без изучения чуть не в микроскоп длинных списков выписанного специнвентаря. Получается, прямого отношения к убийству эта аппаратура не имела. Если только опять косвенное.

С техникой я промахнулся.

Тогда зайдем с другой стороны. Что еще необходимо агенту при разработке объекта?

Правильно — информация. Как можно больше информации о том, кто он, где жил, с кем дружбу водил, с кем ссорился, с кем мирился. Все — вплоть до случайных любовниц его знакомых на втором курсе техникума, который он закончил тридцать лет назад.

Копал такую информацию мой погибший коллега?

Наверняка. Если он агент, а не манная каша.

Может отыскаться след подобных исследований?

Должен! Он же не в безвоздушном пространстве копался, а в информации.

Я снова запросил Контору. А сам, чтобы не терять времени, отправился в ближайшую библиотеку. А из нее — в еще одну. И в еще. И в еще... И оказалось, что погибший был записан во всех этих библиотеках! Что само по себе очень необычно. Ему что, одной плюс запасников Конторы было мало?

Непонятно.

Прикрываясь липовым удостоверением инспектора Министерства культуры, я просмотрел его читательские карточки. Наряду с сотнями, чтобы не возбуждать подозрение, других карточек. И снова удивился. Объемы просмотренной литературы были огромны. Вернее, в одной библиотеке не очень, но суммарно во всех — просто удивительны.

Больше всего внимания он обращал на периодику. Хотя, для отвода глаз, брал и «Трех мушкетеров», и «Сексуальную грамматику». Самый типичный набор — газеты, журналы, справочные издания, причем не только за последний год, а и за прошлый, и за позапрошлый, и за позапозапрошлый. И даже более ранние года. Что ему там, в глубине прошедших лет, могло понадобиться такого, что было бы актуально до дня сегодняшнего?

Загадка.

Информация, пришедшая из недр Конторы, дала примерно тот же результат. Та же периодика, только из закрытых, с грифом «Для служебного пользования», источников. И еще, конечно, всевозможные сведения о жизни и трудовой деятельности наблюдаемого объекта и его ближайшего окружения. Но это понятно. Это как положено.

Я снова оказался в начале исследований. Снова один перед единственным и главным вопросом — кому и зачем нужна была его смерть?

Как на него ответить?

Только повторяя путь своего предшественника. След в след! Как при ходьбе по глубокому снегу.

Я должен пойти туда, где чаще всего бывал он. И делать там то, что предположительно делал он.

То есть пойти в библиотеку?

То есть — в библиотеку.

Интересное место для агента, распутывающего заказное убийство своего коллеги.

И тем не менее — в библиотеку. Туда, в ворох старых газет и журналов, которые не три раза перебрал, пересмотрел, перелистал погибший агент. След — в след. Лист — в лист. Где-то там, среди замусоленных страниц газетной бумаги, скрывается ответ на мучающий меня вопрос. Где-то там...

Потому что больше ему скрываться негде.

ГЛАВА 5

В библиотеках меня не узнавали. Потому что я сам себя не узнавал, если в зеркало посмотреть. Не мог же я позволить себе являться пред очи библиотекарей в том же самом — проверяющего из министерства — виде. Пришлось с помощью грима, одежды и актерского мастерства «рисовать» совсем другие, непохожие на прежние образы.

Наверное, проще было бы достать все требуемые подшивки совсем в других библиотеках, где меня ни разу не видели, но мне нужны были именно те газеты и журналы, которые листал мой покойный коллега. Так существовала хоть малая, но вероятность, что я наткнусь на какую-нибудь оставленную им пометку.

— Что вам, дедушка?

— Мне бы, дочка, газетку за этот, прошлый и еще до него год. И еще до него.

— Четыре подшивки?

— А? Да, четыре. Мне сказали, там про наш гвардейский, орденов Кутузова и Александра Невского артиллерийский полк написали. Целую статью. А когда написали — неизвестно. Хочу найти.

— Это же очень много, дедушка. Может, вам помочь?

— Нет, нет, я сам. Мне спешить некуда.

Ветерану гвардейского орденов Кутузова и Александра Невского полка выволакивали из подсобки подшивки и помещали на самое удобное, ближе к свету, место.

Страницу за страницей, отсматривая абзацы текста через сильное увеличительное стекло (сдало зрение у ветерана, пришлось лупу приобретать), бывший артиллерист изучал подшивки. Его интересовала любая информация, связанная, да не с гвардейским полком — с порученным его коллеге членом Правительства. И еще он замечал любые отчерки, любые пометки на полях и в тексте.

— Ну что, дедушка, нашли что-нибудь?

— Нет пока. Но найду. Как не найти, раз писали.

Первая подшивка.

Прием в посольстве. Фамилии, имена, должности. Нужного нет...

Заседание Правительства. Присутствовали... Опять мимо.

Открытие научной конференции. Так. Список фамилий. Вот он. Есть. Зафиксировать текст дословно. В общем контексте. Месяц, число, время.

Дальше.

Закрытие выставки... Есть.

Вручение наград... Есть.

Митинг... Отсутствует.

Официальный прием... Отсутствует.

Поездка делегации за рубеж... В наличии. Поехал председателем.

Встреча в верхах... Вот он.

Поездка по стране... Перечень городов...

Прием иностранных бизнесменов... Как без него.

Банкет... В первых рядах.

Открытие фестиваля...

Закрытие фестиваля...

Активная жизнь у первых лиц государства.

Вторая подшивка.

Прием... Банкет... Конференция... Выступление по телевидению... Поездка в Штаты... Во Францию... Бельгию... В Новосибирск... Брифинг с журналистами... Выступление в Йельском университете... Вручение премии Итальянской академии... Встреча с зарубежными предпринимателями...

Читать и то утомишься.

Банкет... Встреча... Встреча... Банкет... Отдых в Подмосковье... Банкет...

Третья подшивка...

Четвертая подшивка...

С этой библиотекой на сегодня все. Пока они о здоровье ветерана не забеспокоились.

— Нашли, дедушка?

— Нет. Может, еще завтра поищу.

Другая библиотека.

— Мне нужны подшивки газет и журналов за...

— Зачем вам так много?

— Для диссертации. Уж такую дурную тему выбрал — «Динамика изменений средств массовой информации в период смены общественной формации». Кто же знал, что будет такой информационный взрыв.

— Ой!

— Вот-вот. Теперь приходится маяться. Не бросать же работу на полпути.

— Не повезло вам.

— Не повезло...

Третья библиотека.

— Мы в таком количестве литературу в одни руки не выдаем.

— А сколько выдаете?

— Одну подшивку в одни руки на один день. Такой порядок.

— А если мне надо две подшивки?

— Приводите еще одни руки. Тогда получите две. Так все делают.

— А если мне очень надо?

— А мне не надо! Мне фонды беречь надо!

— Может, можно как-то договориться?

— Не можно! Не на базаре!

И все же как на базаре. Если платить за каждую дополнительную подшивку, как за килограмм свежих огурцов.

— Берите. Работайте.

— Спасибо.

Четвертая библиотека.

Пятая...

Шестая...

Дома ночами я сортировал добытую информацию. Визиты — к визитам. Встречи — к встречам. Поездки — к поездкам. Банкеты — к банкетам.

Потом на листах ватмана чертил замысловатые схемы и графики. Лицо главного моего интереса — жирная точка в центре. Все прочие — небольшие квадратные листочки с записанными на них фамилиями по периферии. Повторяющиеся фамилии накладываются друг на друга и сдвигаются к центру. Упоминавшиеся только раз или два смещаются к краю листа.

Таким образом каждый занимал свое, в зависимости от частоты встреч, место. Все очень наглядно и понятно.

Потом каждую такую стопку фамилий я соединил друг с другом с помощью разноцветных фломастеров. Это была горизонталь — контакты контактеров между собой. Лист ватмана покрылся паутиной сотен линий.

От точки в центре, словно круги по воде, расходились векторы десятков фамилий и должностей. Иногда они пересекались, иногда, встретившись и разбежавшись, уже не соединялись никогда.

Это было уже кое-что. И все же этого было мало. Нужна была дополнительная информация.

Я вызвал Семена Степановича. Своего нынешнего Шефа-куратора.

— Мне необходим доступ в архивы информационных агентств, а также пресс-службы некоторых министерств.

— Каких?

— Вот список.

— Какую информацию запрашивать?

— Все визиты, встречи, поездки и прочие контакты человека, за которым должен был наблюдать ваш погибший работник. Фамилии, должности, время, география.

— Это как-то относится к расследуемому вами делу?

— Возможно, нет. Но скорее всего да.

— Хорошо, мы рассмотрим вашу просьбу. Это все?

— Нет, не все. Прошу разрешения на реанимацию установленной моим предшественником звуко- и видеозаписывающей аппаратуры.

— Это не входит в задачи расследования.

Другого ответа я не ожидал. Я требовал почти невозможного — вновь запустить в работу «замороженную» в целях безопасности операцию до выяснения причин ее возможного провала, до завершения расследования.

— От этого может зависеть результат всей моей работы.

— Нет.

— Взгляните сюда, — показал я на переснятую с ватманского листа на слайд, отредактированную и приведенную в порядок схему.

— Что это?

— Центр — интересующий меня человек. Цветные точки — его контакты.

— Откуда информация?

— Только из открытых источников. Из журналов и газет. Из тех, которые просматривал мой коллега.

— Хорошо. Я попытаюсь что-то сделать.

«Добро» на расконсервирование аппаратуры было получено на следующий день.

ГЛАВА 6

— Характеристики аппаратуры. Частоты. Шифро-пароли самоликвидаторов. Подходы. Места установки микрофонов, промежуточных усилителей, приемников...

— Предварительные записи?

— Предварительных записей нет. Возможно, он не успел их снять.

Хорошо поработал мой предшественник. На совесть. Если судить по количеству и местоположению внедренных микрофонов. Вот только вопрос: какие из них остались на местах, а какие повымели добросовестные уборщицы, повылущивали из щелей любопытные птицы, повытаптывали гости и домочадцы. Вопрос: какие из них еще могут давать информацию, а какие умолкли навсегда.

Подключив к центральному кабелю коробочку специального переносного, вроде «ноутбука», компьютера, я запустил тест самопроверки.

По экрану забегали разноцветные точки.

Первая линия. Обратного сигнала нет. Полная тишина. Микрофон либо отсутствует, либо сдох.

Вторая линия. Сигнал отсутствует. Результат тот же.

Третья. Тишина.

Четвертая. Никакой реакции.

Так, с работой понятно. Похоже, там была большая чистка. Все «уши» повыдергивали. Посмотрим, что дома.

Пятая линия. Здесь чуть более благополучно. Микрофон действует, но слышимость оставляет желать лучшего. Похоже, его задвинули каким-то предметом.

Шестая. Молчание. Поди, хозяйская канарейка микрофон склевала. Или кот слизал. И такое в нашем деле случается.

Так, пошли дальше. Седьмая и восьмая? Исправны.

Теперь машина? Молчит. Возможно, слетел промежуточный усилитель.

Подведем итог. Итого: из девяти установленных

«клопов» функционируют только три. И то с грехом пополам. И не на рабочем месте.

Не самый утешительный результат.

Неужели они обнаружили прослушивание? Тогда — пиши пропало. После съема микрофонов они удвоят бдительность. На каждую дохлую букашку будут бросаться с поисковым детектором, каждую пылинку протирать между пальцев.

Если, конечно, они их обнаружили.

Ладно, попробуем проверить цепи.

Утром, обряженный в форму пожарного инспектора, я, в сопровождении работников местного жэка, ходил по интересующим меня чердакам. Там, где моим предшественником была установлена усилительная аппаратура.

— А здесь что?

— Там ничего. Там чисто. Мы недавно убирали.

— Все вы недавно убирали, — ворчал я, забираясь по приставной лестнице к входу на чердак. — А замок где?

— Был. Вчера был.

— Вчера... А где же он тогда сегодня?

— Наверно, хулиганы сняли.

— А вы на что?

— Разве за всем уследишь.

— Ладно, подождите меня здесь. Я посмотрю, как там у вас с проводкой. Или нет, лучше идите в последний подъезд и откройте чердачную дверь. Если, конечно, на ней замок есть.

— Есть! Есть!

— Дождитесь меня. Я там и спущусь.

— Может, с вами электрика послать?

— Не надо мне электрика. Пусть он лучше пока в подвале лампочки ввернет.

Чердак был пыльный и замусоренный. Давно, видно, здесь пожарные инспектора, кроме меня, не хаживали. Вокруг валялись обломки старой мебели, строительный и бытовой мусор, лампочки не горели, электропроводка была дрянь... А вот промежуточный передатчик был в порядке. Отчего инспекция осталась довольна результатами проверки. В целом.

— Ну что я вам могу сказать? — вздохнул я, спустившись в подъезд. — Пожарное состояние, конечно, ни к черту. Довольно вспышки одной спички.

Представители жэка потупили взоры.

— Но и хуже чердаки я видел. Например, у ваших соседей.

Жэковцы облегченно выдохнули воздух.

— В общем, так, штрафовать я вас на первый раз не буду...

Не хватало еще, чтобы при генеральной уборке они сковырнули передатчик.

— ...Посчитаю состояние чердака удовлетворительным. Черт с вами — живите...

Жэковцы согнулись в признательном полупоклоне.

— ...Но замки в двери вставьте. Имейте совесть. Того и гляди залезет какой-нибудь бомж или подросток с зажигалкой и спалит дом.

— Сегодня же повесим.

— Хорошо. Поверю. Но завтра непременно проверю. И если обнаружу двери открытыми — пеняйте на себя. Где у вас тут следующий объект?..

Все передатчики работали исправно. Значит, дело было в микрофонах.

Или в их отсутствии. Что гораздо хуже.

Двое суток я отсидел на работающих домашних микрофонах. Зря отсидел. Домочадцы члена Правительства несли типичную бытовую дребедень.

— Ты с собакой гулял?..

— А уроки сделал?..

— Как я от вас от всех устала...

— Да выключите вы, наконец, магнитофон!..

И еще многочасовые диалоги с друзьями и подругами на темы досуга и запретных развлечений. Если бы меня интересовала бытовуха — кто с кем дружбу водит, с кем водку пьет и «колеса» глотает и каким конкретно способом жена мужу изменяет, — мое досье вспухло бы, как тесто, поставленное на огонь. Семейка была еще та. Жена гулена, дети вообще — оторви да брось. Хотя внешне все выглядело очень благопристойно. Престижные колледжи, воскресные походы в церковь, посещение приемов и раутов. А в промежутках — все прочее. Скрытое от глаз общественности. А, возможно, и от мужа и отца.

Не повезло мужику с семейной жизнью. Может, потому он и появлялся дома очень редко. Чрезвычайно редко. И буквально на минуты.

Что лично меня огорчало гораздо больше, чем его семейные неурядицы.

Нечего мне было ловить в квартире. По всему видно, основная, гораздо более интересная мне жизнь моего подопечного разворачивалась совсем в других интерьерах. В тех, где мои «уши» пообрывали начисто.

Следовало начинать все сначала.

И снова я пошел по следам моего предшественника.

Еще раз просмотрев список затребованного им в последние месяцы оборудования, я отчеркнул лазерный сканер. Сканер — это прямое наблюдение. Как говорится, из окна — в окно. Похоже, надо брать сканер...

— Когда он вам нужен?

— Завтра. И еще машина-фургон «Аварийная» горсвета на перекрестке улиц... И документы электрика.

Утром я прошел на названный мной перекресток, открыл поджидавшую меня машину и поехал по известному мне адресу. На месте я переоделся в не первой свежести синий форменный комбинезон, взял чемоданчик с инструментами, стремянку, обмотался проводами и зашел в ближайший подъезд.

— Вы электрик? — привязалась ко мне первая же встретившаяся на лестнице бабушка.

— Ну?

— Вы бы не могли ко мне зайти? У меня лампочка не горит.

— Ну...

— Я не так просто. Я вам заплачу.

— Лады. Аварию устраню и зайду. Какая у тебя, бабка, квартира?

— Сорок третья.

— Ставь, бабка, самовар. С водкой...

Снова чердак. По чердаку до конца дома. Выход на крышу. По крыше на соседний дом. С него на следующий. Чердак. Нужное мне слуховое окно.

Я надел тонкие хлопчатобумажные перчатки — негоже оставлять свои пальчики, где бы ты ни находился и что бы ни делал. Перекусил, размотал, свесил с балок какие-то провода, поставил стремянку, повесил табличку «Не подходить — высокое напряжение» и раскрыл инструментальный ящик. Под кучей гаечных ключей, пассатижей, отверток и напильников в специальном футляре находился лазерный сканер.

В глубине чердака на поперечной балке я отыскал единственное место, с которого была видна нужная мне стена отстоящего в четырех кварталах дома. Ну не в слуховое же окно мне высовываться, как показывают в некоторых шпионских фильмах. Мне лишние свидетели ни к чему.

В деревянную балку я ввинтил обыкновенную фотографическую струбцину. К ней присоединил направляющие сканера. Поставил, настроил сам сканер. Завесил его какой-то случайной грязной тряпкой. Совмещая мушку и целик, навел сканер на одно из окон. Зафиксировал положение.

Теперь мне не нужно было торчать возле «лазера». Теперь я мог копаться возле своих проводов.

Я надел на уши плейерные наушники, положил на колени прибор, напоминающий внешним видом электрический пробник, и нажал кнопку пуска.

Тонкий, невидимый невооруженным глазом луч лазера прорезал пространство от чердачной балки до окна и уперся в стекло. Теперь окно перестало быть окном, а стало гигантской, площадью в несколько квадратных метров, мембраной слухового сканирующего устройства. А луч лазера — передающей нитью. Довольно было самого малого, буквально в несколько микрон, колебания оконного стекла, чтобы световой луч уловил и передал, а лазер зафиксировал данное отклонение от нормы, чем бы оно ни было вызвано — проходящим по соседней улице трамваем или голосом человека. Дешифратор, лежащий у меня на коленях, преобразовывал механические колебания в звук. Любое произнесенное в отслеживаемом помещении слово, любой шорох немедленно передавались на наушники и на записывающее устройство.

Замечательное изобретение отечественных ученых.

И бесполезное. Потому что окна молчали. Как запаянная в консервную банку рыба.

Выждав полчаса, я перевел лазер на следующее окно. И на следующее.

Результат тот же. То есть никакой.

Может, сканер испортился, пока я его по крышам и чердакам растрясал?

Я перевел мушку прицела на стену ближайшего ко мне дома.

— А то, что ты, стерва, ни одной рубашки нормально постирать не можешь, это нормально?

— Зато я не пью до бесчувствия и на те рубашки съеденный салат не выплескиваю!

— А пить или не пить — это мое личное дело! Я на свои пью. И на свои новые рубашки покупаю. А ты на мои!

— Тогда я...

Нет, сканер исправен. Если судить по звучащему в моих ушах страстному диалогу.

Я вновь навел лазер на объект. И вновь ничего не услышал. Окна были мертвы.

Нет, это не значило, что в квартире никого не было. Ведь улица-то не молчала. Улица шумела тысячами звуков, и стекла должны были доносить их до меня. Это означало гораздо худшее — что стекла были «зафиксированы». Они перестали быть мембраной и остались только окнами. Я не знаю, как они этого добились — установили позади окон звуконепроницаемые экраны, или облили стекла специальным, препятствующим колебаниям раствором, или предприняли что-то еще. Я знал итог — окна молчали. И это мое пребывание на чердаке было бессмысленным. Мне можно было совершенно смело спускаться в сорок третью квартиру. Чтобы хоть какую-то пользу принести сегодняшним прожитым днем.

Ну что, в обратный путь? Несолоно хлебавши?

Неожиданно резко и громко открылась чердачная дверь.

Этого мне только не хватало.

— Это что вы здесь делаете? — зашумел крупного вида мужчина.

— Электрику, — как можно спокойней ответил я.

— Какую электрику? Это наш эксплуатационный участок. А мы никого не вызывали!

— Вы не вызывали, а другие — вызывали, — пожал я плечами, подсоединяя болтающиеся провода к прибору. — Вы там поаккуратней, все-таки напряжение, — предупредил я незваного визитера, показывая на табличку.

— Какое на хрен напряжение? Покажите документы!

Вот ведь привязался!

— Пожалуйста, смотрите.

И я, изображая соответствующую моей должности работу, присоединил к прибору еще один провод.

Визитер приблизился к обрывкам висящей проводки и попытался отодвинуть ее рукой в сторону. Все-таки здорово я замаскировал подходы к своему гнездышку.

— Ну, где твой документ?

— Вот он.

И я включил прибор. Несколько большеемкостных конденсаторов подали напряжение в проводную оплетку, которой я завесился со всех сторон, как паук паутиной, и разрядились на оголенных концах.

— Ах, мать... — успел сказать невежливый проверяющий и кулем свалился на засыпанный золой пол.

Говорили же ему, предупреждали, что кругом электричество. Таблички предупреждающие вывешивали. А ему хоть бы что. Лез на рожон, как неграмотный. За что и поплатился. Памятки надо читать по электрической безопасности. А не орать. И умных людей слушать. Которые сведущи в электрике...

Я подошел к лежащему человеку и быстро ощупал его со всех сторон. У «работника жэка» под левой мышкой торчала рукоять автоматического пистолета. А в кармане отсвечивала красным глазком индикатора переносная радиостанция.

Ого! Хорошо стали экипировать жэковских работников!

Теперь надо делать ноги. И как можно быстрее. Уже через несколько минут сюда вломится целая бригада жэковцев. Всякие там сантехники, дворники, уборщики и прочая камарилья.

Я быстро снял сканер, собрал инструменты, подхватил стремянку — и был таков. По пути, по которому сюда пришел.

Теперь было понятно, почему молчали интересные мне окна. Потому что их «пасли». И, судя по оперативности охраны, «пасли» очень тщательно. А это, в свою очередь, говорило о том, что мой предшественник погиб не случайно. Теперь я в этом был уверен.

Я взял след!

ГЛАВА 7

И все-таки мне нужно было проникнуть в кабинеты подопечного. Просто необходимо! Потому что там была завязка всех интриг, сведших в могилу моего коллегу. Теперь я в этом был уверен. Абсолютно.

Я был уверен, но не знал, как эту свою уверенность подтвердить. Я не мог представить, как в нужных помещениях установить «жучки». Просто в голову ничего не лезло.

Подходы охраняются. Посторонние внутрь не допускаются. Входя в дом обслуга, уверен, осматривается и ощупывается самым тщательным образом. Помещения чуть не еженедельно «дезинфицируются» на предмет травли привнесенных извне «насекомых».

Как же попасть туда, куда попасть невозможно в принципе?

Загадка.

Я снова и снова отсматривал подходы и все более убеждался, что осажденная мною крепость неприступна. Хоть подкоп под стены копай.

Может, действительно подкоп?

Большим трудом и немалыми деньгами я раздобыл схему подземных коммуникаций и внимательно изучил ее. Подвод горячей и холодной воды, теплоснабжения, газа. Глухо! Везде понаставлены бетонные заглушки, а трубы имеют слишком малое сечение, чтобы по ним, предварительно отключив воду, протиснуться куда требуется. И кроме того, взрезка труб на двух концах не останется незамеченной. Негодный проект. Никуда не годный.

Может, тогда по воздуху?

Купить пару ангельских крыл и, помахивая ими и распевая сладкоголосые песни, снизойти на нужную крышу. Хорошо бы.

А почему ангельские? А почему, к примеру, не дельтаплан? Или парашют.

Но откуда на них спрыгнуть?

С вертолета. Скажем, где-нибудь чуть в стороне от центра зависнет вертолет. С него выпадет один ничем не примечательный парашютист, раскроет выкрашенный в черный цвет купол и тихо спланирует на крышу.

Какие в этом плане плюсы?

Скрытность доставки.

А минусы?

Навалом. Во-первых, куда потом, сделав дело, с этим парашютом деваться? Попросить охрану вывести на улицу, изображая катапультировавшегося в результате аварии бомбардировщика военного летчика? Смешно.

Во-вторых, как объяснить присутствие в небе над Москвой незнакомого зависшего вертолета? Все полеты над столицей регламентируются и прослеживаются. Подобный незарегистрированный полет поставит на уши охрану всех правительственных объектов. Моего в том числе.

И наконец, в-третьих, как мне на эту крышу умудриться попасть? Я, конечно, с парашютом прыгал, но приземлиться с высоты тысячи метров в круг диаметром три сантиметра, как это делают на соревнованиях спортсмены, — не сумею. И потом, здесь столько электрических проводов понатыкано, что, маневрируя в темноте, можно сгореть задолго до места приземления. Или повиснуть на них, как новогодняя игрушка...

Стоп. Притормозимся. Что я сказал — проводов? Вот именно, проводов. Очень много электрических проводов. Перекинутых с крыши на крышу. С ненужной крыши — на нужную!

А что собой представляют провода? Туго натянутую стальную проволоку. Между прочим, не самого маленького сечения!

Желая проверить свои соображения, я немедленно поднялся на ближайшую крышу. Вот они. Диаметром чуть не пять миллиметров. Такие и бегемота средней упитанности выдержат. Если он не будет раскачиваться.

Хорошо, допустим, я могу соскользнуть по наклонной плоскости с более высокой крыши на менее высокую. Как по горке, на роликовых, зацепленных за провод салазках. А как я поднимусь обратно? Сила тяжести здесь мне уже не будет союзницей. Перебирать руками, зависая на открытых пространствах на десятки минут?

Не подходит!

Вот если бы применить механическую тягу. Какой-нибудь моторчик, который на хорошей скорости сможет транспортировать меня туда-сюда. Но работу двигателя внутреннего сгорания могут услышать. Да и величина и вес его не маленькие. Плюс запас горючего.

А зачем мне внутреннее сгорание? И горючее? У меня же электричество есть! Немерено. Только руку протяни.

Хотя нет. Руку не стоит, а вот провода питания почему бы и нет.

Значит, так, на каждый из двух проводов, как на рельс, я ставлю роликовый каток. Причем катки беру с зауженным желобком, чтобы они заклинивались на проводе. К роликам прикрепляю электрический двигатель с редуктором с приводом на несущий каток. Затем ко всей этой механике через изоляторы привешиваю подвеску для водителя. То есть для себя.

Чем не средство передвижения?

Вот только как сделать, чтобы меня вместе с этим воздушно-электрическим транспортом не засекла охрана? Вдруг кто-нибудь из них надумает взглянуть на звезды и на фоне ночного неба увидит мою скользящую по проводам тень?

Как нейтрализовать охрану?

Да очень просто.

Поздним вечером, за час до намеченного срока, в охрану члена Правительства поступил анонимный звонок о том, что вблизи главного входа злоумышленниками установлена бомба с часовым механизмом.

При предварительном осмотре указанного места была обнаружена картонная коробка из-под торта. Приближенный с помощью телескопической рукоятки к коробке металлодетектор показал наличие в ней железа.

В это время я, облаченный в черный комбинезон, с замазанным серой краской лицом приспосабливал свой проволокоход на воздушную электрическую линию. Когда ролики встали на место, между ними и проводами проскочила искра.

Питание включено.

Я сел на подвеску и, постепенно распрямляя руки, спустился со среза крыши. Я действовал очень медленно и аккуратно, опасаясь, что рывка многокилограммового груза провод может не выдержать.

Стропы подвески натянулись. Провода просели, но не намного.

Я включил моторчик.

Снизу из-за дома доносились отзвуки десятков сирен. Это прибывали машины саперов, пожарников, «Скорой помощи» и передвижных милицейских гарнизонов.

Набирая обороты, закрутился, пополз по проводу несущий ролик. Проволокоход двинулся вперед. Я в подвеске, как младенец в люльке, закачался, поплыл над домами. Вверх никто из охраны, прохожих и жильцов близрасположенных кварталов не смотрел. Все толпились возле парадного входа в правительственные апартаменты. Одни пытались пролезть за ограждение, чтобы получше разглядеть, что там происходит. Другие их не пускали. В общем, всем занятие нашлось. Моими стараниями.

Вот она и нужная мне крыша.

Я быстро отстегнул подвеску, снял с проводов свою самодвижущуюся машину и зашел в тень ближайшей вентиляционной трубы.

До того мне немало пришлось поломать голову над вопросом — как и куда следует установить микрофоны. Честно говоря, даже больше, чем когда я решал проблему, как добраться незамеченным до нужного мне дома.

В самом деле — каждое помещение в здании охраняется и проверяется. Посторонние в него проникнуть не могут. Своих людей в охране и обслуге у меня нет. А «жучки» должны быть установлены в непосредственной близости от места, где располагаются люди, беседу которых надлежит прослушать.

Ну что тут поделать? Разве только головой о стену биться. И ту стену той головой проломить, чтобы в то образовавшееся отверстие воткнуть «жука». Так, что ли?

Нет выхода?

Есть!

Кто сказал, что подслушивающая аппаратура должна устанавливаться возле объекта подслушивания? Вы сказали? Нет? Я? Тоже нет. А кто же тогда?

Инструкция по эксплуатации!

А кто пишет инструкции? Разработчики. То есть

люди, такие же, как мы. Значит, и они, так же, как мы, могут ошибаться.

Зададим себе вопрос — зачем устанавливать подслушивающие микрофоны вблизи людей? Чтобы их было лучше слышно?

Но ведь хорошо слышно не всегда только близко. Иногда и далеко. Например, на утренней зорьке над водоемом, когда с его поверхности поднялся туман. Или с подветренной стороны, когда порывы ветра разносят звуки иногда на многие сотни метров.

А здесь, в здании, что, есть водоем? Или туман? Или ветер?

Нет. Водоемов нет. И ветра нет. А вот сквозняк есть. Не может не быть. Потому что есть вытяжная вентиляция, назначенная для обновления скапливающегося в помещениях воздуха. А раз она вытяжная, значит, она этот воздух ВЫТЯГИВАЕТ. Вместе со звуками. Вместе с произнесенными хозяевами и гостями словами! С теми, которые мне так нужны!

Только и всего. А они говорят: надо ближе ставить! Не ближе, а туда, куда надо. Откуда слышнее.

Аккуратно расковыряв защитную решетку на трубе вытяжной вентиляции, я на тонкой проволоке опустил внутрь несколько микрофонов. А еще более тонкую, практически не различимую глазом проволочку накинул на один из проводов воздушной электрической сети. Теперь, даже если прослушивать стены специальными детекторами, никто ничего не услышит, так как микрофоны в открытый эфир никаких сигналов не подают. Связь идет по проводам. Здесь — передатчик, там — в конце линии — приемник. И обнаружить их взаимодействие можно, только зная, что оно существует, и только приложив специальный дешифратор именно к этой электрической линии. И никак иначе!

Ай да я, молодец!

Завершив дело, я поставил на «рельсы» свой электрический одноместный автомобиль и незамеченным убыл восвояси.

Коробку из-под торта наконец вскрыли с помощью

особой механической руки, управляемой из-за бронированной стенки специально обученным сапером.

Коробку вскрыли, чтобы убедиться, что в коробке из-под торта был торт. Кремовый. И записка: «Это вам от меня к чаю. С наилучшими пожеланиями. Пейте и не берите в голову!» В общем, нормальное именинное пожелание. А железка, которую учуял металлодетектор и из-за которой разыгрался весь этот сыр-бор с сиренами, пожарниками и саперами, была под коробкой. Просто кто-то очень неудачно забыл свой торт. А кто-то неумно пошутил, сообщив о том по телефону. Всякое случается.

А вообще-то могло быть и хуже.

Через два дня я установил в здании еще несколько микрофонов. И снова в это здание не заходя. На этот раз проводником звуков служила... канализация. В унитазах ведь тоже застаивается вода, поверхность которой покрыта тончайшей пленкой, способной выполнять роль натяжной мембраны. Правда, эти микрофоны были гораздо менее информативными. Просто не в самом удачном месте стояли...

Теперь информация пошла. Со всех микрофонов. И даже с того, что был установлен посредством канализации. Оказывается, в подобных помещениях тоже разговаривают, и даже больше и откровенней, чем за обеденным столом.

Нет, прямой, абсолютно компрометирующей информации не было. Но была масса косвенной, которая суммарно доказывала, что мои подозрения имеют под собой реальную основу.

Каждый день отслеживаемый объект и его гости говорили по нескольку фраз, которые, вырванные из контекста, ровным счетом ничего не значили. Но которые, если знать предысторию событий и если слышать их предыдущие вчера, позавчера и ранее разговоры, наводили на очень опасные раздумья.

Если то же самое смог услышать мой предшественник, не удивляюсь, что он не зажился на этом свете. А он наверняка услышал гораздо больше. Ведь тогда они еще не были насторожены, как сейчас. И ничего не опасались. Тогда их можно было брать голыми руками.

Через полторы недели я подбил бабки. Я записал на одну пленку все наиболее интересные выдержки из разговоров, причем смонтировал их таким образом, чтобы разрозненные, произнесенные в разное время и по разному поводу фразы встали одна за другой. Чтобы выстроилась логическая цепочка причинно-следственных связей. Я добивался того, чтобы голоса на пленке «заиграли». Чтобы они способны были расшевелить любого тугодума.

Я разложил на столе диаграммы и схемы и дал прослушать запись своему куратору.

Но я не увидел ожидаемой реакции.

— И что из всего этого следует? — спокойно спросил Семен Степанович.

— Из всего этого следует, что гибель агента не была случайностью. Что это была тщательно спланированная и исполненная акция. А причиной ее послужила работа агента по известному вам объекту. Из всего этого следует, что заказчиком убийства был...

— Возможно, но лишь при условии, что он является преступником.

— Но он действительно является преступником. Занимая государственную должность, он не выполняет своих государственных обязанностей, более того, он поступает вопреки им. При возникновении угрозы его изобличения он пошел на прямое уголовное преступление.

— Это еще надо доказать.

— Неужели всего этого, — показал я на схемы и диктофон, — мало?

— Мало. Мы имеем дело не с бытовым преступником, которого можно задержать на тридцать шесть часов и вытянуть или даже выколотить из него всю правду. Мы имеем дело с членом Правительства. То есть лицом неприкосновенным. Нам никто его не отдаст. Только если мы будем иметь неопровержимые доказательства его вины.

— Но такие доказательства может дать только следствие.

— А официальное следствие в отношении его возбуждать нельзя. Равно как и делать то, что делали мы. Ни наши диаграммы, ни наши записи никто как доказательства не примет. Они незаконны.

— Но что же тогда?

— Продолжать собирать информацию. Но на новом качественном уровне. Необходимо проследить его жизнь и жизнь людей, с ним соприкасавшихся, на несколько лет вглубь. Узнать, что он, что они делали каждый день. Желательно по минутам. Найти и запротоколировать показания свидетелей. Просчитать моральный и материальный урон, нанесенный государству их деятельностью. Только с таким докладом я решусь выйти на власть. И то не уверен, что это не обернется против нас.

— Но это же потребует невероятной работы. Я проводил очень выборочную проверку и то не смог до конца осмыслить всю информацию.

— Это потребует большой работы. Но иного пути нет. Не уголовника к стенке жмем. Подумай, какая помощь тебе требуется для завершения работ? Люди, средства, спецтехника? Не стесняйся. На этот раз отказа не будет.

ГЛАВА 8

Помощь мне понадобилась. И люди, и средства, и техника. В одиночку я мог только повторить тот путь, по которому уже прошел. И с тем же результатом. Я вышел в то поле, где одиночка был не воин. Где одиночка погиб бы, погребенный под камнепадом необработанной, неосмысленной информации.

— Мне необходим персональный компьютер. Из последних, с максимальным быстродействием и максимально большим объемом памяти. К нему сканеры, принтеры и всю прочую периферию. И к ним хорошего программиста.

— Все?

— Нет. И зеленый семафор по всему пути следования.

— Семафор будет открыт. А вот программист...

Я все понимал. Допускать технаря в оперативную часть работы Конторы значило превращать его в агента. Со всеми вытекающими отсюда в первую очередь для него последствиями. В Тайну существования Конторы можно было войти, но нельзя было выйти. Ни по собственному, ни даже по стороннему желанию. А скрыть правду от человека, работающего с информацией, было невозможно. Народ называет это системой ниппель — когда дуть воздух можно только в одну сторону. А чтобы выпустить — надо резать камеру. В этом случае камерой стал бы программист.

— Я все понимаю, но без программиста мне не обойтись. Моих знаний в этой области не хватит. А на обучение уйдут месяцы. Которых у нас нет.

— Я все понял. Я продумаю этот вопрос.

Компьютер со всей требуемой периферией я получил на следующий день. Программиста — еще спустя неделю.

Мой шеф Семен Степанович, а может быть, тот, кто сидел над ним, нашел выход из положения. Типично конторский.

Они перебрали все, от Калининграда до Владивостока, онкологические больницы. Узнали профессиональную принадлежность всех безнадежных, но пока еще остающихся в здравом уме и светлой памяти больных. Выбрали из них наиболее сведущих в своем деле программистов. Просеяли через фильтр профессионального экспресс-экзамена. Выявили самых сильных. Профанов, мнящих себя специалистами, отсеяли. Избранных проверили на психологическую и эмоциональную устойчивость. Самых уравновешенных среди самых профессиональных самолетами переправили в Москву. Здесь их еще на несколько часов передали в руки психологов. Контору интересовали люди, хорошо адаптирующиеся к внешним обстоятельствам, коммуникабельные, с устойчивой к потрясениям и перегрузкам психикой, умеющие держать язык за зубами и желательно не обремененные моральными обязательствами перед семьей и родственниками. На последней фазе отбора высеивали людей с нестандартным мышлением, умеющих принимать неординарные решения и отстаивать их. Вялые исполнители Конторе были не нужны. С каждым из претендентов работали отдельно, так, чтобы они не видели остальных и не догадывались, что тестируются не в одиночку.

Двоим программистам, выбранным по итогам последнего теста, предложили заключить полуторагодовой контракт на участие в специальных работах, направленных на поддержание безопасности и обороноспособности страны.

Один отказался. С него взяли подписку о неразглашении государственной тайны и отправили в закрытую клинику в инфекционный блок. Там, под присмотром врачей, ему и надлежало закончить свой земной путь. Наверное, ему повезло, в этой клинике медицинское обслуживание было лучшим, чем в его по месту жительства больнице. В ней он должен был протянуть дольше. Месяца на два.

Оставшийся согласился и подписал контракт. И еще подписал обязательство по неразглашению государственной тайны, где в десяти пунктах говорилось об одном — что если он кому-нибудь что-нибудь расскажет из того, о чем узнает, его будут судить по статье за измену Родине. И приговорят к расстрелу. И расстреляют.

А устно добавили, что все же не расстреляют, потому что судить не будут. Потому что судить будет некого. Он наверняка умрет до суда. Покончив жизнь самоубийством в камере предварительного заключения. А если не путем самоубийства, то от несчастного случая. Но умрет обязательно.

И что если он умрет в результате этого несчастного,

но вообще-то совершенно закономерного, вытекающего из его неправильного поведения случая, то семья не получит ничего. Кроме лишнего позора. Потому что им будут представлены информация и доказательства, что их муж и отец был расстрелян за совершение особо опасного преступления. Вполне вероятно, что и изнасилования малолетних детей обоего пола со смертельным исходом.

И что если ничего этого не случится, то, напротив, он сам и его семья получат множество бытовых благ. В том числе повышенные пенсии, продвижения по службе и квартиру в центре города, например, случайно выигранную по благотворительной лотерее.

— Понятно?

— Более чем. Только не надо меня больше запугивать. Пуганый я, — сказал программист, заполнив все бумаги. — Когда приступать к работе?

Через двадцать минут он был у меня.

— Так это вы будете моим шефом?

— Я.

— Как мне к вам обращаться?

— Как угодно. Например, Федор Федорович. Или Иван Иванович. Не суть важно.

— Тогда лучше Федор Михайлович. У меня свояк был Федор Михайлович. На вас походил.

— А как вас звать-величать?

— Александр. Александр Анатольевич. Сиротин.

— Очень приятно.

— Тем же, что «очень приятно», ответить не могу. После всех этих, — кивнул он на дверь, — передряг. Но явной антипатии к вам не испытываю. Пока.

Ну что ж, и на том спасибо.

ГЛАВА 9

Начинать пришлось с повторения пройденного. Со сведений, которые я собрал до того и хранил на слайдах, в диаграммах, но большей частью в голове.

— У вас компьютерное мышление, — похвалил мои способности Александр Анатольевич, рассматривая представленные материалы. — Только знаний основ математического моделирования не хватает. Вот здесь можно было сделать проще. И здесь. И здесь. А этого можно было вообще не вычислять. Это следовало неизбежным продолжением вот этих построений. Вы только логический мостик не смогли перекинуть.

Ишь, какой умник выискался. Мостика ему логического не хватает. Информационной связки. Повисеть бы ему, поболтаться на высоте семиэтажного дома на электрических проводах, узнать, как эта информация добывалась, может, по-другому бы заговорил! Теоретик!

— И вот здесь вы явно лишнюю работу сделали. И здесь...

Убил бы за такие оценки! Кабы другой программист в запасе был.

— Но в целом здорово! Просто удивительно здорово! Кто бы мог предполагать в работнике подобного учреждения такие аналитические способности.

— Спасибо за доброе слово. Оно и работнику такого учреждения приятно.

Интересно, чего ему там наплели про наше учреждение? Поди, сказали, что мы научно-исследовательский филиал Службы безопасности? Еще и документы соответствующие продемонстрировали. Документики убедительные стряпать у нас умеют. Ни один фальшивомонетчик от оригинала не отличит.

— Да вы не обижайтесь. Я же понимаю, что всякая работа нужна.

— Ну тогда еще раз спасибо. За еще одно доброе слово...

Вот ведь напарник на мою голову свалился: что ни скажет — все как в лужу сядет. Хотя в общем — мужик вроде ничего. И специалист не из последних.

Всю информацию, которую я раскопал за последние две недели, программист перевел на понятный машине язык.

— Это вам ясно, что здесь понарисовано, а ей, — похлопал он ладонью по корпусу персоналки, — это китайские иероглифы. Она оперирует совсем другими образами. Так что без перевода здесь не обойтись.

— А переводчик — вы?

— А переводчик я.

Может быть, я и поспорил бы насчет того, кто здесь главней и чья профессия — добытчика или переводчика — важнее, если бы не наблюдал его работу. Именно наблюдал. Потому что до конца, что он такое делает, не понимал. Но видел, как хаотично разбросанные по отдельным листам буквы и цифры, перетасовываясь и вновь разделяясь, выстраивались в стройные геометрические цепочки, упорядочивались и тем приобретали совсем иной вид, чем у меня, на листах ватмана. Он словно раскладывал по полкам до того беспорядочно разбросанные по полу вещи. Каждую на свое, строго отведенное ей место. Этот процесс был очень эстетичен и потому, наверное, верен. Гармония всегда ходит рядом с красотой.

— И уместилась вся ваша информация вот здесь, — показал он маленькую, трехдюймовую дискету. — Еще и место осталось.

Это было как-то даже невежливо — загнать всю работу шефа в тонкую, в спичку толщиной, коробку. Как очень большого джинна в очень маленькую бутылку. Даже как-то обидно за бессонные, проведенные у ватмана ночи.

— Немного вы информации накопали. С такой базой данных ни о каких математических моделях даже разговора идти не может.

— А с какой может?

— С десяти-двадцатикратно большей.

Ого! Это ж мне сколько тогда придется на проводах висеть? Так и в пернатого превратиться недолго — хотел ответить я. Но ответил по-другому:

— Значит, будем еще собирать. Раз эта дура, — показал я на компьютер, — такая прожорливая.

И я снова зарылся в прессу. Как рыбак в косяк селедки. Только загребал я теперь глубже по меньшей мере лет на десять и чесал мельче.

Каждый день нам доставляли новые и новые подшивки газет и журналов. Я быстро просматривал страницы и отчеркивал нужные статьи и заметки. Все-таки не во всем техника могла заменить человека. Оценивать, какая информация может пригодиться, а какая будет совершенно бесполезна, она не умела. Она «видела» только знаки — буквы или цифры, но не смысл, в них заключенный.

Эту заметку... И эту... И эту тоже... А эту? Вызывает сомнение, но тоже следует скопировать. Когда сомневаешься — лучше перестраховаться. Потом спохватишься, ан поздно будет. Найдешь ее в таком море прессы! Как обломок иголки в стоге сена.

Эту статью обязательно... Заметка ТАСС — безусловно... И, конечно, эту... И эту... И ту...

Все, что имеет хоть какое-то отношение к личности, деятельности и окружению исследуемого объекта.

Убираем подшивку. Берем следующую.

И «эту», и «эту», и «эту», и «ту» статью Александр Анатольевич тащил на свой стол и сканировал.

А я уже отмечал галочкой новую «эту», «эту» и «ту» статьи.

Конца-краю работы видно не было.

Все. Перекур. Пока ум за разум не зашел.

— И зачем это все надо? — удивлялся мой напарник. — Не проще ли было у него у самого узнать, где он был и с кем встречался?

— У кого — у него? — спрашивал я.

— У того, кого ищем, — дипломатично отвечал Александр Анатольевич. — Ну что, снова за станок?

— За станок, — вздыхал я, открывая очередную газету...

А ведь мудрую мысль, между прочим, высказал тогда Александр Анатольевич. А я ее не услышал. И зря. Может, меньше пришлось бы газет листать.

«Эту»...

«Эту»...

«Эту»...

Дней через пять компьютер разбух информацией, как портфель бюрократа справками. Лишние биты чуть не вываливались из экрана монитора.

— Довольно, — смилостивился мой коллега по каторжному труду.

— Неужели? — притворно удивился я. — А я тут еще несколько абзацев отчеркнул...

— Хватит. Для первого раза хватит.

— Для первого?! А что, еще и второй может быть?

— Конечно. Если вы в первом что-нибудь напутали...

Вот заноза!

Следующие несколько дней я отдыхал. Работала машина. И Александр Анатольевич.

Всю полученную информацию он пропустил через фильтр интересующих меня фамилий, должностей и географических названий. Тысячи слов в секунду просеивались сквозь сито запущенной в работу программы. Сотни тысяч — уходили в шлак, сотни — застревали в расставленных для них ловушках. Как золотые крупинки, вымытые из многотонных гор пустой породы. Фамилии — к фамилиям, географические названия — к географическим названиям.

Зерна отделялись от плевел. Оставалась информация.

Если бы то же самое делал я, а не машина, мне бы понадобились недели, а не часы.

— Вот что у нас получилось, — продемонстрировал итог работ Александр Анатольевич.

Я взглянул на экран монитора.

Получилось то же самое, что и раньше. Только гораздо более подробно и объемно. То есть не получилось ничего.

Совсем ничего! Но эстетичнее и с применением передовой вычислительной техники!

Я устало плюхнулся на стул. И руки опустил. Александр Анатольевич замер возле горящего экрана. Он ничего не понимал, потому что не знал цели работы, которую выполнял. Ему его таблицы нравились. Впрочем, мне тоже. Они были гораздо симпатичнее тех, что я вырисовывал фломастерами на ватмане. Но это было единственное их отличие друг от друга. И совсем не то, которое мне хотелось бы иметь.

Нет, программист не был виновен, он выполнил свою работу так, как надо было. Отлично выполнил. Дефект заключался в другом. В наборе информации отсутствовал какой-то важный элемент. Связующий элемент. Тот, что должен был превратить скопище разрозненных сведений в нечто совершенно новое.

Для того, чтобы груду кирпичей превратить в собор Парижской богоматери, не хватало цемента. И еще умного архитектора!

Где-то я дал промашку. Но где? И когда?

Я снова проанализировал весь свой путь расследования. Все, связанное со сбором информации.

Нет, здесь ошибки быть не могло. Тогда где? В какой момент моя логика дала сбой? В чем закавыка?

В чем?!

А пожалуй, в самой информации! В ее односторонности. Подавляющее большинство сведений я почерпнул из периодики. И лишь ничтожную часть — от самого объекта расследования. А ведь он бы мог порассказать много больше интересного, чем я умудрился с него с помощью микрофонов повытянуть. Наверное, он о своей жизни более осведомлен, чем журналисты, что о нем в газетах заметки кропали.

Как сказал тогда Александр Анатольевич? «Не проще ли у него самого узнать, где он был и с кем встречался?» Кажется, так? Прав был программист. Проще! А я, дурак, его мудрую подсказку мимо ушей пропустил. Прислушиваться надо к людям, которые всю жизнь математическими построениями занимались. Раз своего ума не хватает!

Итак, мне нужна дополнительная информация. И обязательно из первоисточника! Той, что вокруг да около, я насобирал с избытком. Пусть теперь о себе расскажет сам герой дня.

Нет, я не собирался выволакивать члена Правительства за волосы на улицу и, пиная его по почкам, требовать ответа на поставленные вопросы. Да мне бы его и не дали выволочь. И за волосы схватить. Вывернули бы руки еще на дальних подходах. Но я мог обратиться к личному эпистолярному творчеству своего подопечного. Писал же он отчеты о проведенных мероприятиях. И командировочные сдавал. И авиационные и железнодорожные билеты. До того, как на такую высоту взлетел, где вместо купированного вагона скорого поезда — персональный правительственный самолет. Без билетов. Не всегда же он был Мэтром. Когда-то и в служках ходил.

И интересно, где ходил?

С этого, с выяснения его бывших мест работ, я и начал. И набралось их немало. Летуном оказался наш Правитель. Из кресла в кресло так сигал, что только штаны в швах трещали. Причем никогда вниз, только — вверх.

Вот по этим креслицам мы и пройдем. От тех, что внизу, к тем, что повыше...

ГЛАВА 10

— Здравствуйте, — сказал я молоденькой и очень милой на вид работнице бухгалтерии. — Тут такое дело, помощь ваша требуется. Очень. — И улыбнулся как мог более обаятельно.

— И какая же помощь? — ответила она автоматически, поправляя прическу и тоже улыбаясь.

— Так, пустячок. Требуется мне навести кое-какие справочки по командировочным документам.

— И все?

— И все.

— Я не имею права показывать финансовые документы посторонним людям! — непробиваемо казенным тоном ответила она.

Наверное, ей представлялось, что я попрошу что-нибудь другое.

— И все же я рискну повторить свою просьбу. Я из милиции.

— Минуточку, — вспыхнула девушка и схватилась за телефонную трубку. — Марья Ивановна, здесь из милиции пришли. Просят документы показать.

В бухгалтерии наступила мгновенная тишина. Даже мухи перестали летать, почуяв что-то неладное.

— Вас просит зайти к себе главный бухгалтер, — деревянно произнесла девушка и указала изящным пальчиком на дверь.

— Я подойду к вам еще. Попозже, — многозначительно пообещал я, разворачиваясь к указанной двери.

Главный бухгалтер не была молода, не была привлекательна и не улыбалась.

— Я вас слушаю, — сухо сказала она и посмотрела на часы.

Нет, здесь мягким обхождением ничего не добьешься. Здесь надо запугивать. Сразу. И желательно до судорог.

— Отдел по борьбе с особо опасными экономическими и финансовыми преступлениями, — представился я. — Следователь по особо важным делам майор Филимонов. Вот мое удостоверение.

Лицо главбуха напряглось и стало напоминать кирпич. Красный. Видно, не все в ее хозяйстве благополучно, раз она так каменеет.

— Мне нужна ваша помощь.

Главбух кивнула.

Похоже, надо переходить к просьбам, пока ее паралич не разбил.

— Дело крайне серьезное... — Теперь нахмурить брови и сделать длинную паузу. Обязательно паузу. Чтобы она еще немного напряглась, а потом облегченно вздохнула. Это способствует проявлению желания помочь ближнему своему. Причем, чем длиннее пауза, тем значительней испытанное затем облегчение и тем выше готовность к совершению добрых дел. — В стране зарегистрировано несколько преступлений с использованием поддельных бланков и финансовых документов.

Вздох облегчения.

— В том числе и вашего учреждения.

Новое замирание.

— Мне необходимо просмотреть все командировочные предписания, доверенности и еще некоторые документы (доверенности и «еще некоторые документы» — это, конечно, для отвода глаз) за период... Впрочем, это дело следствия. Об этом я говорить не буду. Вы готовы представить мне требуемые материалы? Или мне обращаться в вышестоящие инстанции для оформления изъятия?

— Нет. То есть да. То есть конечно. Мы готовы помочь, — затараторила главный бухгалтер, поднимая телефонную трубку. — Лиза! Помогите, пожалуйста, товарищу мили...

— Не надо! — остановил ее я. — Давайте без должностей.

— Просто товарищу, — растерянно повторила главбух, — в просмотре документов... — она подняла вопросительно бровь.

— Я сам скажу, каких.

— Он скажет, каких.

— Вот и славно. Значит, мою помощницу зовут Лиза?

— Да, Лиза.

— Спасибо за оперативную помощь. Да, и еще. Пожалуйста, никому не рассказывайте о моей просьбе. Сами понимаете — следствие еще не закончено. Хорошо?

— Хорошо!

— Ну, тогда подписки я брать не буду...

Главбух сглотнула слюну.

— Ну вот, Лиза, я и вернулся. Как обещал...

Примерно по тому же сценарию я действовал и в других бухгалтериях и канцеляриях. Где-то как майор милиции, где-то как подполковник Безопасности. В зависимости от того, какого страха хотел нагнать.

И только в последних, приближенных к власти организациях мне пришлось сменить тактику. В архивы этих учреждений посторонних, без согласования со службой охраны, не допускали. Даже если они были майорами МВД. Здесь метод нахрапа не подходил. Здесь приходилось брать на жалость.

Вечером, после работы, я вылавливал кого-нибудь из работников бухгалтерии или архива и рассказывал слезливую историю.

— Мне очень стыдно вам признаваться, но я подозреваю, что моя жена гуляет.

Лицо женщины размягчалось. Иначе и быть не могло. Потому что в качестве жертвы я обычно выбирал женщин перезрелого возраста, которых бросил муж. А лучше два.

— Я очень люблю свою жену. А она мне изменяет. С... — и, наклонившись, я на ухо и шепотом произносил искомое имя.

У женщины глаза на лоб лезли. Но одновременно в них вспыхивал огонек любопытства. Это же не сплетня — это всем сплетням сплетня!

— Да. Так получилось. Я человек не из последних, — скромно говорил я, отступая на шаг к своей навороченной, угнанной два часа назад иномарке, чтобы она могла получше рассмотреть мои накануне купленные в валютном магазине наряды. — И тем не менее... Она предпочла его.

Женщина сочувственно вздыхала.

— Но дело не в них. Дело в детях. У нас трое детей. Мальчики. В чем виновны они? Я не против, чтобы уходила жена. Потому что я ее очень люблю. И не желаю ей несчастья. Но я не хочу, чтобы уходили дети. Потому что их я люблю еще больше, — и я выпускал на небритую щеку скупую мужскую слезу. — Простите, ради бога.

У женщины начинала подрагивать нижняя губа.

— Чем я могу вам помочь? — спрашивала она.

— Я не уверен до конца, что это он. Хотя наверняка это он. Но я не могу ничего предпринять, пока не буду уверен, что это он.

Наверное, мои речи были не совсем логичны — то уверен, то не уверен, то опять уверен, — но именно такие, сумбурные и нелогичные, признания оказывали на женщин наилучшее воздействие. Я писал их с телевизионных сериалов, без зазрения совести передирая целые цитаты. Похоже, те сценаристы и продюсеры лучше знают, что, как и в какой форме надо говорить женщине, чтобы заставить ее поверить в предполагаемые обстоятельства. По крайней мере если судить по рейтингам.

— Только вы можете помочь мне!

— Но что я могу сделать? — искренне удивлялась женщина.

— Пустяк. Я подозреваю, что это началось в командировке. И продолжается в командировках. Она все время ездит. Все время с ним. Наверняка с ним! Я хочу узнать. Я должен узнать! Я прошу вас, просмотрите время приездов и отъездов. Ведь это никому не повредит. Скажите мне, куда он ездил. А я сравню. Я знаю дни, когда ее не было дома. Я прошу вас. Спасите меня! Только вы можете спасти меня. Только вы! Одна! Я готов заплатить. Любую сумму. Деньги для меня ничего не значат! Только любовь. Одна только любовь. Вот возьмите, — и я совал в сумку женщины скомканные купюры, и плакал, и целовал ей руки, и вставал на грязную мостовую на колени.

Плакал, целовал руки и вставал на колени — чтобы пробудить встречный эмоциональный порыв. А деньги совал, чтобы в случае чего усмирить не в меру болтливую помощницу. Эмоции — это слабость, которую могут простить. А деньги, заплаченные за информацию, — измена, за которую спрашивают по всей строгости. Тот, кто помогает добровольно, любит рассказывать о своем благородном поступке. Тот, кто берет за него дензнаки, обычно молчит.

— Я буду ждать вас здесь завтра. И послезавтра. И столько, сколько будет необходимо. Хоть целую вечность. Вы поможете мне? Поможете? Ведь это только командировки, в которых нет ничего запретного. Я могу надеяться? Могу?

Когда я получал требуемую информацию, я ломал свой прежний образ. Я совал в сумку еще денег и говорил:

— На этот раз я, кажется, ошибся. Нет, сроки командировок не совпадают. Они не ездили вместе. Наверное, это был кто-то другой, — и делал движение, как будто собирался уходить.

— Возьмите обратно деньги, — кричала вслед женщина, протягивая мне купюры.

Я останавливался и жестко говорил, переходя на «ты»:

— Оставь их себе. Они тебе нужнее. Взгляни на себя в зеркало и купи макияж и новую одежду. Ты сделала работу. Работа должна оплачиваться.

После этих слов дальнейшее расползание сплетни было исключено. Не о чем было рассказывать.

ГЛАВА 11

— Вот все, что я дополнительно накопал, — передал я Александу Анатольевичу вновь добытые материалы.

— Негусто, — заметил он, запуская машину.

— В золоте важен не объем, а вес, — парировал я.

— Ну, ну. Посмотрим, какой пробы ваше золотишко. Может быть, медной?

Машина заглотила один лист, испещренный цифрами и названиями городов, и еще один, и еще.

— Снято. Ну что, пускаем в работу?

Я сделал секундную паузу и чуть ли не перекрестился про себя.

— Давайте! С богом!

— Давно ли вы стали верующим, начальник? — съехидничал программист.

— Давно, с тех пор, как с этим делом связался. И с вами. И с вашей машиной.

— А машина-то чем виновата? Она здесь ни при чем.

— А может, при чем? Возьмет и перепутает что-нибудь, забудет или добавит не к месту. И вся работа псу под хвост.

— Не перепутает. И ничего сверх того, что в нее загрузили, не придумает. Она не человек. Она железная. Без фантазии. И отсебятину пороть не умеет.

— Хочется надеяться. Иначе будет непонятно, во имя чего мне пришлось рогоносца изображать.

— Кого?

— Неважно. Это к делу не относится. Работайте.

Александр Анатольевич пожал плечами и повернулся к компьютеру. Не отрывая глаз от монитора, пробежал пальцами по клавиатуре. Прочитал ответ. Согласился нажатием клавиши. Снова задал вопрос. И снова согласился.

— Да.

— Да.

— Нет.

— Да...

Он разговаривал с машиной, как с живым, только немым собеседником. Вопрос — ответ. Согласие. Или отказ.

Они были интересны друг другу. Он — и компьютер. Третий в их взаимоотношениях был лишний. Третьим был я.

— С чего начнем? С хронологии или географии?

— С географии. Хронология вторична.

На экране возникла контурная карта страны. По ней разбежались точки городов, где бывал с визитами мой подопечный.

— Транспорт?

Я кивнул.

От точек во все стороны разбежались тонкие линии. Пунктирные — там, где исследуемый объект добирался до места назначения самолетом. И непрерывные — где он воспользовался услугами железнодорожного транспорта.

— Возможны дополнительные пункты? — спросил Александр Анатольевич.

Я снова кивнул.

На железнодорожных маршрутах, там, где располагались крупные станции, и в местах промежуточных посадок самолетов добавились новые точки.

Точек и переплетений пунктирных и непрерывных линий стало очень густо. Так что продраться сквозь них было практически невозможно. Как мухе сквозь облепившую ее со всех сторон паутину.

— Предлагаю развестись по отдельным позициям. Иначе ничего не понять.

— Разводитесь.

— Какой масштаб?

— А какой возможно?

— От ста метров в сантиметре и выше.

— Нет, это слишком мелко. Давайте что-нибудь среднее.

— Двадцать километров в сантиметре.

Нажатие клавиши — запрос. Нажатие клавиши — изменение масштаба. Нажатие клавиши — согласие.

Карта страны распалась на отдельные составляющие.

Дальний Восток.

Забайкалье.

Центральная Сибирь.

Урал.

Европейская часть.

И снова точки и пунктиры. Но уже гораздо более подробные.

— Бывшие республики?

— Давайте.

— По одной? Или блоками?

— Блоками. По три-четыре. Слишком они маленькие, чтобы для каждой свой лист заводить.

— Я могу масштабы увеличить.

— Не надо масштабы увеличивать. Много чести будет.

Прибалтика.

Украина, Белоруссия, Молдавия.

Кавказ.

Средняя Азия.

— Куда теперь?

— Давай за кордон. Надоело дома пастись.

Снова распались карты и снова прорисовались тонкой контурной линией.

Европа.

— Детализируйтесь.

Северная.

Центральная.

Южная.

Точки по столицам и по крупным промышленным центрам. Много точек. И много линий. И почти все пунктирные. Здесь подопечный на поездах почти не ездил.

— С Европой все. Куда дальше?

— Прыгаем через океан.

— Что выводить?

— США и Канаду.

Есть США и Канада.

Точка. Точка. Еще точка. Перепрыгнули через канадскую границу, рассыпались горохом в районе Нью-Йорка.

— Детализируйтесь.

— Масштаб?

— Максимальный.

Карта города. Пересекающиеся авеню и стриты. И сразу сбой. Красный мигающий квадрат посреди экрана. И надпись:

«Не могу отобразить информацию».

— В чем дело? Что случилось?

— Ничего. Отсутствуют входные данные.

То есть нет конкретных адресов. Все правильно, их и не должно быть. Их просто никто не собирал и не загружал в память машины. Разговор шел только о городах, а не улицах, из которых они состоят. Только о городах. А можно было и об улицах! Надо будет потом вернуться к этому вопросу. Надо будет уточнить. Это очень интересно.

— Дальше.

Мексика.

Мелкие страны Карибского бассейна.

— Смотрим оптом или в розницу?

— Оптом.

Негусто. Три точки — Куба. Точка — Никарагуа.

Никарагуа? Каким ветром его занесло туда? И зачем? Когда я отсматривал газеты, я эту информацию пропустил. А компьютер заметил!

— Дальше.

Венесуэла. Бразилия. Парагвай.

Почти пусто. Даже не требуется увеличение масштабов.

— Дальше.

— Дальше Антарктида. Будем смотреть?

— Я имел в виду Африку.

Африка.

Северная.

Центральная.

Южная.

В Южной три точки. Это значит как минимум три визита.

— Переезжаем в Азию.

Ближний Восток.

Изрядно.

Индия.

Афганистан.

Сплошные точки. Скорее всего какой-нибудь визит по линии шефства над войсками. С известными артистами и раздачей новогодних подарков. Еще в те, военные времена.

Китай.

Япония.

Австралия. Новая Зеландия.

Ну ты подумай, и сюда добрался одной точкой и длинным, длинным пунктиром аж из самой Москвы.

Все!

— Накладываем время?

— Накладываем.

— Без перекура?

— Без.

Снова запрос. Уточнение. Согласие.

Надо выстроить все в хронологическом порядке. Что за чем. Где он был. Сколько раз. Где был вначале, где потом. Как долго задерживался в одном месте. И куда отбывал после этого. До часов. А если возможно, до минут.

Чтобы отсортировать, выстроить в цепочку, зафиксировать и перепроверить подобную информацию, человеку понадобятся недели каторжного труда. Машине — минуты. Машина ничего не забывает и не путает. Ее не нужно перепроверять. Она либо работает и тогда не ошибается. Либо не работает.

— Информация пошла.

На исчерченные пунктирами карты, на точки городов посыпались цифры. Одна за одной. Как из скорострельного пулемета. Каждая цифра притискивалась к другой цифре, образуя группу. Каждая группа цифр отделялась от другой группы точкой или тире. Числа. Месяцы. Годы. Иногда в четыре-пять, а иногда больше рядов. В зависимости от того, сколько раз объект был в данном месте.

И снова с карты на карту. С листа — на лист.

Дальний Восток... работа закончена!

Забайкалье... работа закончена!

Западная Сибирь... закончена!

Прибалтика... Европа... Канада... Бразилия... ЮАР...

Вокруг земного шарика. Из страны в страну. Даже быстрее, чем космонавты. За считанные минуты.

— Время расставлено. Какая следующая составляющая?

— Следующая составляющая — люди. И их должности на тот момент.

— Принял. Начинаю работать.

На чистые контурные карты легли фамилии. И должности на момент визита. Очень много фамилий. И очень много должностей. Похоже, объект не любил путешествовать в одиночестве. Предпочитал брать с собой в вояжи немалую компанию.

Возле каждой фамилии время визита. Приезд — убытие.

— Информация не вмещается в листы.
— Изменяйте масштабы.

Укрупняются точки, увеличивается свободное пространство. А фамилии все не вмещаются. Много фамилий и много цифр. Не по одному разу посещали делегации города и веси. А некоторые — не по одному десятку раз.

— Переходим в Европу.
— В Америку.
— Африку.

Здесь фамилий стало поменьше. Мелкие сошки, неотрывно путешествовавшие с Хозяином по родной стране, поотпадали, как осенние листья на ветру. Остались только крепко держащиеся за ствол соратники и обслуживающий персонал, которому верили. На этот раз масштабы изменять не пришлось. Незачем. И так все умещались. Еще и место оставалось. Вплоть до того, что к некоторым географическим точкам прилеплялись лишь три-четыре фамилии. А кое-где сиротливо жалась одна. Но это скорее всего ошибка. В полном одиночестве Хозяин вряд ли отправится в дальний заграничный вояж. Скорее всего недоработка в сборе информации. Просто выпало несколько фамилий. Которые не упоминали в прессе.

— Сделано.
— Рассортируйте по хронологии.

Вызов. Запрос. Согласие.

— Сделано.
— Очень хорошо.
— Накладываем?
— Валяйте!
— Тогда тасую. По городам.

Запрос. Уточнение. Согласие.

3*

Карта времени и маршрутов географических перемещений легла на карту фамилий и должностей, поглотила ее и превратилась в единую карту времени — места — людей. Теперь достаточно было вызвать нажатием клавиш любое географическое название, чтобы наглядно увидеть, кто, когда, насколько, сколько раз и с кем там побывал.

— Карта сохранена. Что дальше?

— Дальше? Дальше надо думать. Механическая работа кончилась. Теперь не ему, — показал я на компьютер, — теперь мне надо файлами шевелить.

ГЛАВА 12

Я узнал многое: я узнал, кто, где и когда находился в непосредственной близости от объекта изучения в последние десять лет. Я стал обладателем огромного фактического материала, но не знал, как им правильно распорядиться. Наверное, я просто растерялся. Я был похож на человека, который всю жизнь собирал камни для строительства дома и в конце концов насобирал, но за это время так одряхлел, что не смог ни один из них сдвинуть с места.

Я имел информацию. Но я имел ее слишком много. Кость оказалась больше той, чем я мог проглотить. Кость встала поперек горла. Ни туда — ни сюда.

— Что вы хотите выяснить дальше? — допытывал меня Александр Анатольевич. — Для чего мы составляли всю эту схему?

Что я ему мог ответить? Для того, чтобы подтвердить свою первоначальную версию, которая ушами вылезла еще из тех моих исчерченных ватманских листов? Ну тогда я с лихвой перекрыл поставленную задачу. Новые графические построения не идут ни в какое сравнение с предыдущими. Кроме одного-единственного — они только дублируют их на гораздо более высоком уровне. Но только дублируют! Как очень большая гидроэлектростанция — очень маленькую турбину, установленную на деревенской плотине местным учителем физики. Да, масштабы разные, но принцип один. А мне нужно было что-то новое. Принципиально новое. Как атомная электростанция. Ну или в крайнем случае приливная. А не та, которая стоит поперек реки.

В результате длинного пути я пришел в тупик.

Что я узнал? Что известный мне и моему предшественнику член Правительства был завязан с нечистыми на руку бизнесменами?

Бесспорно. Это наглядно видно из географии их взаимных перемещений. Несколько лет назад, во времена, когда еще никто не знал, что они собой представляют и чем прославятся в дальнейшем, он уже, будучи не последним лицом в государстве, возил их с собой. Возил в провинцию, туда, где впоследствии проворачивались наиболее громкие и грязные махинации с нефтью, редкоземельными и драгоценными металлами и тому подобной государственной собственностью. Потом эти махинаторы исчезали с его горизонта. Но это было потом. Когда аферы лопались. Когда все забывали, что было вначале. А вначале он брал этих липовых бизнесменов с собой в официальные визиты и представлял руководителям местных органов власти. И тем вводил их в сферу государственных интересов. Что они потом очень ловко использовали в своих корыстных интересах.

Может быть, это была случайность? Излишняя доверчивость облеченного властью государственного мужа? Невнимательность? Неразборчивость в окружающих его людях?

Нет, это не было ни доверчивостью, ни невнимательностью, ни неразборчивостью в людях. Потому что эти провалы были систематичны. Случайность потому и называется случайностью — что случается редко. А не каждый раз с повторяемостью восхода и захода солнца. Это был злой умысел. И скорее всего не бескорыстный умысел.

Проворовавшиеся бизнесмены садились, а их покровитель вез в глубинку новых аферистов. Чтобы спустя год или два разразился новый скандал.

Да, известный мне член Правительства не гнушался водить дружбу с банкирами с сильно подмоченной репутацией. И с ними он тоже появлялся на официальных приемах. И их он тоже возил по стране и даже вывозил за границу. И представлял нужным людям. И им верили. Потому что рекомендации действующего должностного лица — лучшая гарантия надежности вкладов. Даже если она не скреплена подписью и печатью.

А потом из страны или из карманов добропорядочных граждан уходили нажитые трудом и потом поколений миллиарды. Потому что гарантии были липовые. Банкиров публично осуждали, устраивали общественные разбирательства и иногда даже отдавали под суд. И никто не вспоминал, кому они обязаны своей карьерой. То, что было вчера, — забывалось. Всех волновало то, что происходит сегодня и будет происходить завтра. Банковские махинации лопались. А их вдохновитель оставался на плаву.

Я все это знал. Все это я прочитал между строк в газетах и журналах. И не только это.

Был еще вывод советских войск из Германии с очень непонятными между нами и ими взаиморасчетами. И новые, хотя так и не пострадавшие козлы отпущения. В погонах. И без них.

Были контакты с сомнительной репутацией предпринимателями с Запада. С которыми ни один уважающий себя государственный служащий ТАМ предпочтет не встречаться. Даже случайно. Чтобы не пришлось впоследствии отмываться. А этот общался. Вот здесь. И здесь. И здесь. Вот в этих географических точках и вот в это время.

Были контракты с заведомо для страны невыгодными условиями.

И это все тоже игра случая? Но не много ли случайностей на одного, пусть даже такого большого человека? И почему случайности направлены исключительно в одну сторону? Только в убыток. И ни одной случайности, принесшей доход в государственную казну. Хотя бы ради разнообразия.

Этого мало? Всего, всего, всего, что я перечислил? Мало?!

Да, мало! Увы!

Я знаю, что мой подопечный очень сомнительная, с точки зрения политического имиджа, личность. И мой Шеф-куратор знает. И что с того? Все это было известно нам и раньше. Из тех, выполненных первобытным способом — руками и фломастером, — таблиц. Еще более ясно это стало из построенных по новомодным технологиям — на компьютере — карт и диаграмм.

И что дальше?

Вся эта ненаглядная моя наглядная агитация очень впечатляет, но ничего не доказывает. Решительно ничего! Всю ее можно объяснить роковым стечением обстоятельств. Да, возил, знакомил, представлял, рекомендовал. Было такое. Признаю. Черт попутал. Думал, порядочный человек. Надеялся на его чистоплотность. Ошибался, как и все прочие чиновники, имевшие с ним дело. Если хотите — накажите меня. За доверчивость. Поставьте на вид...

И на этом — все! Следствие закончено — забудьте. Остались одни эмоции.

Нет, как ни крути, имеющихся данных мало. Для настоящей раскрутки — мало. Чего-то в моих построениях не хватает. Какого-то одного-единственного верного хода, который бы все расставил по своим местам. Одного-единственного! Именно того, который я не могу найти!

Море информации — и полная невозможность ее использовать. Уверен — больше ничего искать уже не нужно. Здесь, в памяти компьютера, есть все, что требуется, — и подозрения, и улики, и доказательства, и сделанные на их базе выводы. Все! Надо только уметь их вытянуть из гороподобного нагромождения разрозненных фактов. Из всех этих имен, географических названий и должностей.

Из всех этих географических названий и должностей...

Имен и... должностей.

Стоп! А если действительно так? Если это и есть выход из положения?

Почему бы и нет? Ну-ка, прикинем еще раз!

Я строил свои умозаключения только в двух плоскостях — только во времени и пространстве. А ведь они, если называть все своими именами, только система координат. Только шкала обозначений. Где. И когда. Одна горизонтальная. Другая вертикальная. Как в задаче по физике за восьмой класс. Они — только обозначающая рамка для главного. А главное то, во имя чего расчерчен лист. Главное — кривая, которая будет, взрастая и изгибаясь, пролегать между ними. Вот она, суть!

Есть система координат! И нет кривой!

Построить кривую — значит и решить задачу! Всего-то!

Я немедленно разбудил Александра Анатольевича, который отсыпался здесь же, возле рабочего места, на раскладушке.

— Запускайте свою машину. Есть работа!

— Какая работа?

— Такая, которую может сделать только она, — я ткнул пальцем в персоналку, — и мы!..

ГЛАВА 13

— Вводим новую составляющую. Должности.

— Что?!

— Должности людей, вступавших в контакт с объектом. В динамике! От дня знакомства — до сегодняшнего дня. Кем они были до первой встречи. Кем стали после второй. Кем — после третьей и последующих. Какие получили назначения. Какие стали исполнять функции. И с кем из окружения объекта снова встречались. В общем, как передвигались по служебной лестнице. Ясно?

— Не очень.

— Что здесь непонятного? Вот так — время. Так — место. А между ними кривая вектора продвижения по службе.

— Ладно, не горячитесь, попробуем. Только это потребует составления принципиально новой программы. И времени.

— Ничего, время у нас не ограничено. Время у нас казенное.

На этот раз Александру Анатольевичу пришлось попотеть.

Запрос. Ввод информации. Уточнение. Еще уточнение. И еще три с половиной часа молчаливого диалога с машиной.

— Вы это хотели увидеть?

— Нет. Это почти то же самое, что было раньше. То же яйцо — только в профиль.

Переделка программы. Запрос. Ввод информации. Диалог — диалог — диалог... Согласие.

— Похоже?

— Чуть ближе к истине. Но нет зависимости от географического перемещения.

— Ну не все ли равно, где было обговорено перемещение по службе? Важно, когда оно состоялось.

— Может быть, вы и правы. А может быть, и нет. Отрезать лишнее мы всегда успеем.

— Отправлять в брак?

— В брак.

Переделка программы. И снова: запрос — ввод информации — диалог — согласие.

— Это?

— Нет. Не подходит.

— А вообще-то надежда есть, что хоть что-то подойдет?

— Надежда всегда есть. Она умирает последней. Работайте.

И снова все тот же бесконечный повтор операций: запрос — ввод — согласие — запрос...

— Стоп! А вот в этом что-то есть.

— Просмотреть в динамике?

— Давайте попробуем.

В углу двух — вертикальной и горизонтальной — линий системы координат возникла и замигала красная точка.

— Загружаю информацию. С кого начнем?

— С кого угодно.

— Тогда по алфавиту. Например, Агеев.

— Валяйте.

«Агеев» — написал программист в строке запроса и нажал клавишу запуска.

На экране ничего не изменилось. В первую минуту. Во вторую появилось обозначение первой должности. А на шкале времени — в отрезке первого года и месяца — проступили цифры конкретного числа. А на шкале места, где были в хронологическом порядке обозначены все населенные пункты, которые почтил своим пребыванием член Правительства, — то же самое наименование. А чуть сбоку колонкой — фамилии всех бывших в это время в этом месте официальных лиц.

Это была первая поездка Агеева в компании с исследуемым объектом и первое его назначение.

И снова пауза. И снова цифра на шкале лет и месяцев и столбцы фамилий и географических названий.

Всю имевшуюся в памяти информацию, отсканированную с тысяч газет, журналов и служебных документов, компьютер вновь просеивал через фильтр одной-единственной фамилии. На нее, как кусочки мяса на проволоку шампура, нанизывал он все новые и новые факты.

Географическое название — время — должность — фамилии окружения.

Красная точка превратилась вначале в столбец, потом столбец завалился направо, потом снова потянулся вверх и снова пошел по горизонтали. Только вверх — там, где Агеев путешествовал без шефа. Чисто вертикальных отрезков почти не было.

— Все. Ну что, понравилось?

— Понравилось.

— Продолжаем?

— Продолжаем.

Новая фамилия. И снова ползет, извиваясь и поднимаясь вверх, красная линия.

— Следующий.

— Сделано.

Следующий...

Следующий...

Следующий...

Где-то кривые успеха обрывались в самом начале. Что означало, что раз упоминавшаяся в какой-то заметке фамилия уже никогда более не мелькнула на страницах прессы и документов рядом с искомой фамилией. Где-то кривая тянулась строго вверх, навсегда отрываясь от горизонтали власти. Где-то шла как биссектриса строго посредине шкалы времени и места. Без единого провала. Без единого пропуска. Их было много — кривых человеческих жизней. И почти ни одной похожей.

— Сделано.

Все лица, когда-либо имевшие контакт с интересующим меня объектом, были уложены в систему временных, географических и должностных координат. Все они были распяты на ней, как на голгофском кресте.

— Все?

— С русским алфавитом все. Но есть еще латинский шрифт.

— Иностранные контакты?

— Иностранные.

— Будем писать?

— Конечно. Всех будем, даже тех, кто с ним один-единственный раз, случайно вместе в сортир сходил! Никаких привилегий! Чем иностранцы лучше наших?

— Ничем.

— Тогда пишите.

— Тогда пишу.

Александр Анатольевич переключил шрифт с кириллицы на латынь.

— По алфавиту?

— По алфавиту!

И снова сотни людей просеялись сквозь сито заданных фамилий. Без оглядки на звания, должности и места проживания. И каждый угодил в уготованную ему лузу.

— Готово!

— А теперь мы проведем сортировку. Неудачников — к неудачникам. Карьеристов — к карьеристам. Середнячков — к середнячкам. Возможно такое?

— Отчего же нет.

Сотни графиков перетасовались как карточная колода и распались на три кучки. Самая полная — середнячков. Середнячков всегда больше в этой жизни. Неудачников и баловней судьбы — примерно поровну.

— Получите.

— Замечательно.

— Что замечательно?

— Замечательно быстро у нее все это получается.

— На то она и машина. Что дальше?

— А дальше мы сделаем следующее...

С тем, что «дальше», нам пришлось ломать голову три дня. Мы никак не могли друг друга воспринять. Программист — меня. Машина — его. Я их обоих.

— Я не пойму, что вы хотите в результате всего этого получить?

— Итоговую таблицу. Окончательный вывод.

— Но выводы уже есть. Отдельно по каждой позиции.

— А мне нужно не сто таблиц, а один вывод!

— Не понимаю!

— Ну хорошо, давайте сначала...

И снова, отсматривая предлагаемые варианты, я говорил:

«Нет».

«Не подходит».

«Нет!»

«По новой!»

«По новой!»

И лишь на сто первый раз я прервал бесконечную цепочку провалов:

— Остановитесь! — И после паузы: — И, если возможно, вернитесь назад.

— К первым введенным в память статьям?

— Нет, так далеко не надо, — поморщился не самой веселой шутке я. — Только на одну последнюю позицию.

— Пожалуйста.

— А теперь еще раз.

И еще.

И еще.

— А вы знаете, Александр Анатольевич, в этом что-то есть. Мы все же, кажется, нашли то, что искали.

— Очень рад. А то я думал, мне никогда уже не выпутаться из ваших этих стран, городов и фамилий. Запускать?

Я еще раз посмотрел на компьютер, на Александра Анатольевича и сказал:

— Запускайте!

Экран монитора мелькнул и высветил картинку.

Ту, которую я меньше всего ожидал увидеть.

Иногда самые большие потрясения приходят к нам самым банальным образом. Как сейчас — всего лишь последовательным нажатием нескольких клавиш.

Я откинулся на спинку стула и замер, широко раскрытыми глазами уставившись в экран.

Тот вывод, что он предлагал мне, истиной быть не мог. Потому что не мог быть истиной никогда!

Какие там, к черту, подозреваемые мной должностные злоупотребления и финансовые махинации! Какие мелкомафиозные разборки! Дело было совсем не в них. В сравнении с тем, что я увидел на экране, они были детской шалостью воспитанниц института благородных девиц!

— Что с вами? — напряженно спросил Александр Анатольевич. — Вам плохо? Вам помочь?

— Мне плохо! — ответил я. — Но помочь мне нельзя.

Тысячи усвоенных памятью компьютера страниц газетных сообщений и документов, сотни географических названий и фамилий, перетасованных друг с другом и упорядоченных с помощью математических формул, превратились в одну-единственную коротенькую, из трех слов, фразу. Фразу, в которую я не хотел поверить.

— Ваш компьютер не мог сойти с ума? — спросил я.

— Компьютеры не умеют сходить с ума. Потому что у них нет ума. У них есть только микросхемы.

— Тогда с ума сошли мы.

— Да скажите же наконец, что там у вас получилось? — нетерпеливо спросил Александр Анатольевич. — Мировая война, что ли?

— По масштабам разрушений — почти. Из всего того, что мы здесь нагородили, получается, что наш клиент — агент влияния.

— Что?

— ОН АГЕНТ ВЛИЯНИЯ! — повторил я три роковых слова.

— Какого влияния? Кого над кем?

— Агент влияния — это человек в верхних эшелонах власти, способный оказывать влияние и влияющий на политику своего государства в угодную кому-то сторону, — повторил я, словно строку из учебника прочитал, азбучную для разведчиков истину. — Агент инородных сил.

— Каких, каких сил? — еще раз переспросил Александр Анатольевич.

— Не наших. В том-то и дело, что не наших, не внутренних. Он агент влияния ИХ сил.

— Ого! — присвистнул Александр Анатольевич. — Так он шпион, что ли?

— Хуже. Шпион — мелочовка. Шпионы могут воровать государственные секреты. Но не могут влиять на ход дел в этом государстве. А агенты влияния — могут.

— Но почему вы решили, что он агент этого самого влияния?

— Это не я решил. Это он решил, — кивнул я на

компьютер. — Смотрите. Из всех визитов, которые происходили за границей, компьютер выделил двадцать восемь. В этих двадцати восьми визитах наш подопечный контактировал почти с тремя сотнями иностранцев. Но лишь с шестьюдесятью больше, чем два раза. И лишь с тремя десятками свыше трех раз. И лишь с девятнадцатью еще больше.

С этими девятнадцатью иностранцами он контактировал от девяти до двадцати раз с каждым! До двадцати! А с подавляющим большинством всех остальных меньше трех! Впечатляет?

— Впечатляет, но ничего не доказывает!

— Все верно. Если рассматривать только эти цифры. Вне зависимости от остальных цифр и событий.

Все эти девятнадцать иностранцев в разное время от трех до двадцати пяти раз побывали в нашей стране. И встречались с объектом. В то время как остальные контактеры если и гостили у нас, то от силы один-два раза. А большинство так и не пересекли наших границ. Остальные были просто иностранцами.

Но самое интересное не это. Это только статистика, которую можно легко оспорить, объяснить любовью к перемене мест, к экзотическим путешествиям. А вот как быть с другими цифрами и фактами?

Помните введенную нами должностную вертикаль?

— Ну?

— Так задумайтесь вот о чем. Каждый из этих девятнадцати иностранных гостей занял на территории нашей страны какую-нибудь должность. Каждый! И каждый при органах государственной власти. Большинство — экономическими, научными и прочими консультантами. Каждый из тех, кто имел контакты с объектом наших исследований, получил в свои руки рычаг управления! Теперь все ясно?

— Теперь все.

— А мне, похоже, нет! С этими данными мы не можем докладывать о завершении работ. Не можем выходить на власть.

— Но почему?

— Потому что у меня нет полной уверенности в своей правоте. Потому что у нас нет эталона, на котором мы можем проверить степень достоверности используемой методологии. Например, нет статистического анализа деятельности всех прочих членов Правительства. Отличие кривой палки от других заметно только, когда рядом стоят прямые. Не так ли?

Нам необходимо проверить себя еще раз. Слишком большой банк поставлен на карту.

Мне не верится, что на столь высоком уровне власти может таиться измена. Причем таиться годами! Я должен перепроверить себя. И вас. И этот компьютер.

Возможно, мы напутали где-то со сбором информации. Или с ее вводом в компьютер. Или с программой. Возможно, мы где-то напутали...

— Но полная проверка — это же гигантская по своим масштабам работа!

— Нет, еще большая, чем даже вам представляется. Много большая!

Теперь мы вынуждены будем собирать информацию не на одного, как это было в данном случае, а сразу на нескольких человек. Мы будем перепроверять эту информацию не единожды, а два, и три, и четыре, и столько, сколько понадобится для полной уверенности раз. Мы должны быть застрахованы от ошибки!

— Но это миллионы бит информации!

— Я понимаю. Но другого пути у нас нет.

— Боюсь, я не способен повторить пройденный путь снова да еще с десятикратным перегрузом, — признался Александр Анатольевич. — Боюсь, я не выдержу.

— Вы выдержите, потому что, кроме вас, эту работу сделать никто не сможет. Кроме вас. И меня.

— Нет! — твердо сказал Александр Анатольевич.

— И все-таки — да!

— Почему вы так уверены, что я соглашусь?

— Потому что другого выхода у вас нет. Потому что вдуть воздух через ниппель можно, а выпустить обратно — нет!

ГЛАВА 14

И все-таки Александр Анатольевич был прав. Осилить предстоящий нам объем работ вдвоем было немыслимо. Ну разве только растянуть его лет на двадцать.

Нам нужны были помощники.

Но мы не имели права иметь помощников.

Мы не могли привлекать к работам дополнительных людей. О характере наших исследований должны были быть осведомлены только три человека — я, Александр Анатольевич и наш конторский Куратор. И ни одна живая душа больше. А если больше, то только за счет жизни: узнал и тут же скоропостижно скончался.

Я снова попал в вилку неодолимых обстоятельств. Мне надо было сделать работу, которую наличными силами сделать было невозможно. И одновременно эти имеющиеся в моем распоряжении силы нельзя было расширить ни на полчеловека.

В общем, хоть ложись и помирай. Но если помрешь — дела тоже не сделаешь.

Вот тебе и еще одно противоречие! Сколько их на мою бедную голову. И одна другой неразрешимей.

Я вспомнил уроки еще той, первой учебки.

— Что вы должны сделать, когда не знаете, что делать? — спрашивал курсантскую аудиторию психолог.

— Наверное, стреляться, — предполагала аудитория.

— Нет. Задавать себе вопросы. Как можно больше вопросов. И давать на них как можно больше ответов. Много мелких задач решаются гораздо легче, чем одна большая. Заведомо более сильного противника бьют по частям.

В общем — разделяй и властвуй.

Может, попробовать?

Итак, что произойдет в случае, когда я, несмотря на все запреты, привлеку в качестве помощников дополнительных людей?

Они догадаются о характере и целях наших работ.

Ну или будут иметь возможность догадаться. Что в принципе одно и то же. Возможность равна действию.

А если не догадаются? Такое возможно? В принципе?

В принципе возможно все. Даже штаны через голову надеть. Когда ты в трусах, на улице холодно, а другой возможности утеплить свои коленки нет.

Впрочем, разговор даже не о том, возможно это или нет. Вопрос о том, будет ли это признано нарушением существующих правил игры? Будет ли считаться изменой интересам Конторы? Или только превышением должностных полномочий?

А ведь, пожалуй, если священная корова Тайны существования Конторы потревожена не будет, то мою неудачу или удачу (с точки зрения сбережения Тайны и то и другое равнозначно) могут признать не более чем мелким нарушением дисциплины. А за нарушение дисциплины и измену взыскания следуют разные. Ну очень разные! Как небо и два аршина земли.

Значит, если я найду способ привлечь к работе дополнительные силы так, чтобы они о целях этих работ не догадывались, — я ничем не рискую?

Получается так.

Но как добиться того, чтобы человек, что-то делая, не понимал, что он делает?

Очень просто. Нужно сделать так, чтобы, что-то делая, он думал, что делает нечто совсем другое.

Вот и вся проблема.

На том мы и будем строить теорию поиска помощников.

И я пошел в редакцию газеты давать объявления о найме на работу.

Текст я выбрал самый типичный:

«Работа на дому! Всем, кто желает получать за свой труд достойную оплату, предлагаем надомные работы, связанные с обработкой корреспонденции. Звонить по телефону...»

Телефон я, естественно, указал не свой. Телефоны я указал диспетчерские. Которые тоже нашел с помощью газетного объявления.

Первых же откликнувшихся на объявление людей я назначил бригадирами. В нашем деле — были бы бригадиры, а бригады сформируются. Предпочтение при приеме на работу я отдавал престарелым пенсионерам. Из-за гуманных соображений. И еще из-за того, что пенсионеры лучше кого-либо другого умеют хранить чужие тайны. Потому что долго на этом свете не заживаются.

Далее все было предельно просто. Диспетчеры должны были принять заявки от желающих освоить профессию обработчика корреспонденции. Бригадиры должны были встретиться с людьми, заключить с ними договор и выплатить аванс. Договоры и аванс были строго обязательны. Авансом я заинтересовывал и закреплял будущих работников. Это был — пряник. А договором на всякий случай пугал. Договор выполнял роль кнута. Тем не менее подписывать его никто не отказывался, потому что не хотел упускать аванс. Ну кто еще в наше время, кроме меня, выплачивает деньги вперед, за еще не выполненную работу?

Бригадиры, подписавшие договора, докладывали диспетчерам о своей готовности приступить к исполнению служебных обязанностей.

После чего я им, опять-таки не напрямую, а через подставных людей, доводил до сведения производственное задание: взять газеты, разнести газеты по обработчикам, разъяснить, что с ними надо делать, через некоторое время забрать и передать обратно диспетчеру. Проще простого. Сделать что-нибудь не так или что-то с чем-то перепутать просто невозможно!

Подшивки газет я опять-таки по объявлению скупал у пенсионеров или одалживал за немалые деньги на малый срок у библиотекарей районных библиотек. Чем и занималась еще одна нанятая мною через объявления категория исполнителей.

Хитрость заключалась в том, что бригад как таковых не было. Каждый «бригадир» работал только с одним обработчиком. С одним диспетчером. И с одним добытчиком подшивок. Их было только четверо. И существует ли где-нибудь кто-нибудь еще, выполняющий такую же работу, они не знали. Лишних претендентов на вакантные места я отсеивал или передавал другим диспетчерам заранее, после отсмотра договоров.

Таким образом, каждый член каждой бригады был уверен, что, кроме его четверки, других четверок нет. Потому что работы даже на них еле-еле хватает.

А в заключение добавлю, что трудились эти бригады не в одном районе Москвы. И не в одной только Москве. А еще по меньшей мере в десяти городах страны.

Так я вначале сплел, а затем растворил и спрятал на дно гигантский ловчий невод, с помощью которого намеревался выудить из близкой истории страны недостающую мне информацию. Ни один самый умный ищейка, надумай он, после прочтения объявления в газете, размотать причинно-следственную цепочку, не смог бы вытянуть на свет божий больше одной бригады. И значит, он никогда бы не смог понять, кому и зачем понадобилось заставлять четырех безработных пенсионеров перечитывать десяток подшивок старых газет. И еще платить за это деньги!

Это мог понять только человек, обладающий всем объемом информации. Таким человеком был я. Один. А я своими производственными секретами делиться не привык.

Контроль за многосложным производственным процессом осуществлял не я — компьютер. Я, как и всякий с нормальной памятью человек, с такой задачей не справился бы. Десятки людей, сотни наименований газет, тысячи позиций, по которым следовало вести поиск. Сам черт ногу сломит. Если он, конечно, без персоналки.

Ярославль — две бригады. Газеты «Известия» и «Вечерние вести». Поиск по следующим фамилиям...

Тула — две бригады. Газеты «Дайджест отечественной прессы» и «Комсомольская правда». Поиск по...

Орел...

Рязань...

Витебск...

Москва...

Александр Анатольевич еле успевал обрабатывать поток входящей информации.

— Где вы умудрились набрать столько помощников? — удивлялся он.

— Да вот попросил старушек посодействовать. Им все равно делать нечего, кроме как у подъездов от безделья маяться.

— Все шутите?

— Шучу, шучу.

— А вот мне не до шуток.

— А в чем дело?

— Дело в объемах. Компьютеру не хватает оперативной памяти.

— Вы же говорили, ее хватит на год работы!

— Кто знал, что вам придет в голову причуда впихнуть в нее всю макулатуру страны.

— И что теперь делать?

— Покупать еще один компьютер.

— Хорошо, будет вам компьютер.

— Два!

— Вы только что сказали — один.

— Но подумал — три. Информацию необходимо дублировать. Боюсь, при такой варварской эксплуатации техника долго не протянет.

— Хорошо, вы получите свои четыре компьютера. Без проблем.

Шеф-куратор моего оптимизма не разделял.

— Ты, часом, не зарываешься? — спрашивал он, рассматривая заявку. — Я не филиал Национального банка. У меня могут возникнуть проблемы.

— Я не настаиваю. Я могу раздобыть деньги сам. Даже больше, чем требуется.

— Вот только этого не надо. Оставь свои дурацкие резидентские замашки. Сам достану! Опять по карманам добропорядочных граждан шарить?

— Отчего же граждан. Есть более подходящие источники. Тем более что в карманах граждан теперь ничего, кроме мелочи на хлеб, не водится.

— Знаю я ваши источники. Наслышан! И больше слышать о них не желаю. Мне ваши тунгусские манеры в Москве не нужны. Понял?

— Понял. Когда ждать компьютеры?

— Завтра ждать!

Через неделю поток информации пошел на убыль. Еще через три дня иссяк.

— Обработано 96 процентов запланированных источников, — доложил Александр Анатольевич. — Коэффициент погрешности по всему объему изданий не превышает ноля целых семи десятых допускаемых статистикой процентов. Требуют уточнения данные по газетам «Вчера», «Хроника ТАСС», «Советы» за 87—90-й годы. По данным изданиям погрешность превышает допустимые нормы. Возможно, имела место недобросовестная работа.

— Каков общий объем информации?

— Таков, что в четыре компьютера не поместился.

— Ну тогда у вас есть над чем поломать голову.

ГЛАВА 15

Дело явно не заладилось. То вставал компьютер. То обессиленно ложился головой на клавиатуру программист.

— Ну в чем, в чем проблема? Ведь мы уже делали все то же самое.

— То же самое, но совсем в других масштабах. И значит, совершенно иное. Компьютер не бухгалтерские счеты, где увеличение оперативно-цифрового поля достигается добавлением лишнего прута с десятью деревянными костяшками.

— Может быть, я могу вам чем-нибудь помочь?

— Можете. Помолчите хотя бы полчаса.

Я не обижался на резкий тон. Воспитанники учреждения, которому я служу, не имеют привычки обижаться. Потому что это плохая привычка. Привычка, ведущая к провалу.

Я отсаживался подальше, наваливался руками и подбородком на спинку стула и замирал. На полчаса.

Через полчаса я спрашивал:

— Ну?

Александр Анатольевич сокрушенно качал головой. И я замирал еще на полчаса.

И еще на пол.

И еще на час.

Потом я засыпал. А Александр Анатольевич все продолжал колдовать подле составленных в ряд компьютеров. Я ничем не мог ему помочь. Я свою работу сделал.

Потом он меня будил.

— Ну что, попробуем?

— Попробуем!

И... снова ничего не получалось.

И еще раз...

А когда наконец получилось, я этому не обрадовался. Совершенно!

Я открыл глаза после очередного получасового задремывания и увидел недвижимо сидящего перед экранами, уперевшего сжатые кулаки в виски Александра Анатольевича.

— Опять ничего? — спросил я, мало надеясь на положительный ответ.

— Нет, на этот раз «чего». Даже очень «чего».

Я вскочил со стула, подбежал к компьютерам.

— А почему так невесело?

— Потому что я получил абсолютно тот же результат.

— Какой тот же? — не понял я.

— Тот же, что и в первый раз.

— Но этого не может быть. В первый раз мы отсматривали только одного человека. А здесь — десятки.

— Ну и что? От перемены мест слагаемых сумма не изменилась. Можете посмотреть сами.

Я приник к мониторам. На четырех экранах застыли четыре одинаковые картинки.

— И что с того? — не понял я причин его хандры.

Александр Анатольевич молча нажал на клавишу.

На всех четырех экранах картинка сменилась. Но очень незначительно.

— Ну?

— Фамилия, — указал программист на надпись в правом углу.

Фамилия была другая. Не та, что раньше.

— А можно в розницу, — сказал Александр Анатольевич, — но с тем же результатом, — и снова вдавил клавишу.

Экраны мониторов мелькнули и выдали четыре разные и в то же время одинаковые картинки. С четырьмя разными фамилиями.

— Вы хотите сказать, что программа не идет?

— Программа идет. Я проверял. И перепроверял.

— А что же тогда?

— А вот что! — и Александр Анатольевич вернул на мониторы первоначальную таблицу. Ту, которую мы создавали раньше. Самую первую таблицу. Ради проверки которой я затеял весь этот сыр-бор.

— Теперь все понятно?

Теперь все было понятно.

Я сел на стул. А если бы его не было, я, наверное, сел бы на пол.

— Я так понимаю, что на этот раз надеяться на ошибку нельзя?

— Нельзя. Можно ошибиться в одном случае, но невозможно во всех. Ошибка исключена. Вы этого добивались?

Нет, я добивался совсем другого. Я хотел по прямому эталону промерить кривую палку. А палка не промерилась. Палка своими кривыми изгибами полностью повторила эталон. Эталон и палка оказались одинаковы!

И Александр Анатольевич это понял. Он понял гораздо больше, чем следовало понимать простому программисту. Он понял все!

— И что теперь с этим делать? — задал я совершенно идиотский вопрос.

— Что хотите. Это ваша затея.

Затея действительно была моя. Это я догадался заливать огонь бензином! Это я, пытаясь выбраться из ямы, провалился в бездонную пропасть.

Я видел на экранах то, что не хотел видеть. Я падал, падал, падал в пропасть...

Возле каждого из десятка взятых наугад политиков кучковались свои иностранные прилипалы. Больше подле удачливых правителей, меньше возле неудачников. Но обязательно возле всех.

Каждое такое знакомство возникало после визита облеченного властью лица за рубеж. Или приема зарубежного гостя здесь. Ни позже — ни раньше.

После каждого знакомства этот политик снова ехал за рубеж докладчиком на научную конференцию или симпозиум. Ехал за счет принимающей стороны.

После каждого такого доклада он выпускал на Западе книгу. Или две книги. И получал за них гонорар.

После каждого такого знакомства, доклада и книги его новый знакомый занимал определенный пост в непосредственной близости от руководства страны.

Из всего этого можно было сделать единственный вывод — что, согласно придуманной нами схеме, все они были агентами влияния. Или агентом влияния не был объект нашего изначального интереса.

Или — или. Без промежуточных вариантов.

ЧАСТЬ II

ВСТУПЛЕНИЕ

Штаб-квартира Центрального
разведывательного управления США.
За пятнадцать лет до описываемых событий.

Из доклада заведующего лабораторией
долгосрочного прогнозирования
Центра стратегических исследований
Восточного отдела
Центрального разведывательного управления.

ВЫДЕРЖКИ

Г р и ф: *совершенно секретно.*
Г р и ф: *без права выноса из помещения.*
Г р и ф: *отпечатано в двух экземплярах.*

ВЫДЕРЖКА 1

...Исходя из общего геополитического климата, сложившегося в Евро-Азиатском регионе на сегодняшний день, можно предположить, что в ближайшие семь-десять лет в странах Восточного блока может сложиться исключительно благоприятная для корректировки внутренней и внешней политики стран, входящих в данный блок, ситуация...

ВЫДЕРЖКА 2

...При составлении долгосрочных прогнозов мы исходили из учета суммы следующих внутренних и внешних факторов, обеспечивающих динамику развития любой страны мира: 1. Климато-географическое положение страны исследования. Общее. И по регионам. В том числе с точки зрения их (географии и климата) возможного влияния на формирование характерологических особенностей народов, проживающих на данных территориях. 2. Состав населения. Общие сведения. 3. Демографическое состояние. В том числе по возрастным категориям. 4. История страны. В том числе по отдельным административно выделенным территориям. 5. История страны. С точки зрения поиска аналогов сложившейся политико-экономической ситуации. В том числе по отдельным административно выделенным территориям. 6. Национально-этнические особенности. По каждой территориально или административно выделенной национальной группе. 7. Экономическое положение. В том числе по административно выделенным территориям...

И далее по тексту еще
сто одиннадцать пунктов.

ВЫДЕРЖКА 3

...Мы рассмотрели несколько, на наш взгляд, наиболее значимых факторов возможной геополитической нестабильности рассматриваемого блока стран. К самым перспективным, с точки зрения преследуемых нами целей, можно отнести следующие:

(Приводятся отдельные пункты.)... 3. Чрезмерную централизацию власти по формуле имперского удержания. Слабость политико-административного управления, вызванную обширностью и разбросом подчиненных территорий и недостаточным развитием транспортно-информационной инфраструктуры... 9. Отсутствие механизмов реального волеизъявления и изменения существующего положения дел как отдельными гражданами, так и целыми этническими группами населения. И как следствие — скрытое недовольство отсутствием данных механизмов и попытки его создания... 11. Тенденция экономической дестабилизации, связанная с повышением приоритетов военных и оборонных отраслей с одновременным провозглашением и проведением в жизнь курса на повышение уровня жизни населения... 21. Повышение уровня жизни населения, вызванное этим увеличение покупательского спроса и, как результат, — появление и нарастание товарного дефицита. Данное противоречие будет неизбежно прогрессировать за счет смены возрастных поколений...

Всего по тексту семьдесят три пункта.

Конец цитаты.
Из комментариев к докладу заведующего
лабораторией долгосрочного прогнозирования
Центра стратегических исследований
Восточного отдела ЦРУ. Неофициальная беседа.

ВЫДЕРЖКИ

Распечатка записи от...

Г р и ф : *совершенно секретно.*
Г р и ф : *один экземпляр.*

— Хорошо, допустим, они разрывают свою экономику тем, что, образно выражаясь, пытаются одновременно набить брюхо едой, а карманы патронами. Кто может помешать им отдать предпочтение чему-то одному?

— Внешнеполитическая обстановка и провозглашенные идеалы. Они не могут не заботиться об обороне, ведь, как ни крути, они в одиночестве развивают свой политический эксперимент, и мы или наши союзники и уж тем более ближние соседи, подвернись такая возможность, не преминут погреть руки на их немощи. А повезет, так кусок территории, что полакомей, оторвут. Они не могут не вооружаться.

И одновременно не могут не повышать уровень жизни населения. Это провозглашено приоритетом их строя. Нельзя держать людей голодными десятилетия, не рискуя спровоцировать внутренний взрыв.

— Но при дальнейшем усилении данного противоречия...

— Они неизбежно проиграют в том или другом. Или и в том и в другом одновременно. Затруднительно оберегать сразу две кости в двух концах двора. Какую-то непременно стащат.

Наверное, их бы могла выручить война. Серьезная.

Вроде той, что была в сороковых годах. Она бы неизбежно перевела стрелку весов на оборону. Но войны нет и в ближайшем будущем не ожидается. Даже с юго-восточным соседом произошло замирение.

— Отсюда получается, что эскалация любого потенциально возможного военного конфликта не в наших интересах?

— Если доводить конфликт до степени войны, то — нет. Если затягивать, консервируя в состоянии вялотекущих военных действий, — то очень даже на пользу. Такая война будет подрывать экономический потенциал страны, способствовать проявлению негативных настроений среди широких масс населения.

— Продолжайте.

— Следующее противоречие, на котором можно сыграть, — это конфликт поколений. Новое, не знавшее реальных лишений, мерит свое благосостояние по значительно более расширенной шкале. Они стали жить лучше своих родителей и хотят жить еще лучше. Те же самые тенденции наблюдаются у нас и в любой другой стране. Только мы даем возможность улучшить свою жизнь за счет перераспределения средств. Или даем иллюзию таких возможностей, что в принципе одно и то же. А они продолжают держаться за усредненное — всем одинаково хорошо. Или хорошо — одинаково.

Такое могло пройти на людях, признававших приоритет государства над своим. Когда они в одиночку противостояли всему миру. Но не теперь, когда они почувствовали вкус к жизни. И когда сохранение государства уже не является гарантом сохранения собственной жизни. Но только ее недостаточного улучшения!

— Значит, если мы будем способствовать повышению материальных потребностей населения данных государств...

— То мы будем способствовать их разрушению. И в этом смысле демографическая ситуация складывается в нашу пользу. Да и шестидесятники помогут.

— Шестидесятники?

— Так называет себя поколение молодежи конца пятидесятых годов. И далее времен правления Хрущева. Они воспитаны на идеалах личной свободы и не боятся революций и крови. Потому что не видели их. У них нет тормозов. На них можно ставить.

— В чем конкретно они могут быть полезны?

— В первую очередь в формировании общественного мнения. Как говорят русские — в раскачивании лодки. К ним прислушиваются. Кроме того, за прошедшие годы они сменили старшее поколение в среднем звене административно-управленческого и партийного аппарата. А скоро начнут пролезать в высшее. Что создаст уникальные для успеха любых внешних воздействий предпосылки. Старое поколение партийно-административных управленцев выпустит бразды правления, ну или хотя бы ослабит хватку. А новое еще не успеет по-настоящему крепко вцепиться во власть. На какое-то время страна останется бесхозной. Старые правила уже играть не будут, а новые еще не придумают. Неизбежно начнется драка за кусок пирога. Клановая и национальная междоусобица.

Сыграв в этот переходный момент, можно очень малыми средствами достичь очень больших результатов. Нам не надо будет сбивать с ног крепко стоящего на них противника. Нам довольно будет подтолкнуть его.

— Как высоко вы оцениваете вероятность того, что предсказанные вами тенденции будут иметь место в реальной жизни?

— Как очень высокую.

— Спасибо.

Конец цитаты.

Из беседы директора Центрального разведывательного управления США с Президентом США. Отрывок из воспоминаний директора Центрального разведывательного управления США.

Гриф: *не для печати.*
Гриф: *секретно.*
Гриф: *распечатано в пяти экземплярах.*
Гриф: *для внутреннего пользования работников ЦРУ.*

Стенографическая запись не велась.
Содержание восстановлено
по воспоминаниям участников.

ВЫДЕРЖКИ

...Я обратил внимание, что в этот день Президент находился в отличном расположении духа. Я не знаю, чем это было вызвано, но таким я его видел редко...

...Я доложил Президенту о текущих делах. В том числе о докладе начальника Центра стратегических исследований. Он запросил дополнительную информацию.

Я передал ему распечатку доклада, с частью которого он тут же ознакомился....

...Президент спросил — может ли он встретиться с разработчиком данной концепции лично.

Я ответил, что конечно. Встреча была назначена на следующий день...

....— Вы действительно считаете, что в ближайшие десять лет ситуация в Восточном блоке может претерпеть столь серьезные изменения? — спросил Президент разработчика программы.

— Да. Через десять, плюс-минус три года, лет. Это исходит из анализа всего того комплекса предпосылок, что изложены в моем докладе.

— Значит, если верить вам, то через десять, плюс-минус три года, лет мы будем иметь возможность оказывать определенное воздействие на внутриполитическую жизнь нашего потенциального и наиболее опасного противника?

— В той или иной мере.

— Чем вы можете подтвердить свои предположения?

— Динамикой происходящих в данной стране событий.

— Но в этой стране сейчас нет никаких событий. Там застой.

— Я думаю, они скоро произойдут. Думаю, не позже чем через полтора-два года. Если судить по нашим долговременным прогнозам.

— Что произойдет?

— Например, вынужденная смена руководства. И связанные с этим первичные изменения во внутренней и внешней политике.

— Почему вы считаете, что при смене руководства политика изменится? Почему не может быть преемственности политического курса?

— Потому что нет преемников. Возраст большинства руководителей центрального аппарата намного превышает принятый в этой стране пенсионный возраст. Их физиологическое и психическое состояние не соответствует требованиям, предъявляемым предложенной должностью. Старые работники будут вынуждены уступить власть более молодым. А у тех еще нет достаточного опыта управления государством. По крайней мере тем государством, которое есть. И они будут вынуждены менять государство под себя. Кроить его, чтобы остаться у власти.

Президент повернулся ко мне и спросил:

— Что скажет по данному поводу разведка?

— Вполне вероятно. Согласно нашим разведданным и заключению двух независимых групп привлеченных медицинских экспертов, находящийся у власти лидер имеет серьезные проблемы со здоровьем, — ответил я.

— Сколько он еще сможет протянуть?

— По заключению экспертов, год-полтора.

— Ваши сроки совпадают, — заметил Президент. — Или вы ради повышения рейтинга вашего учреждения сговорились, или вы разными путями пришли к одному и тому же выводу. Решим так: если в течение означенных полутора-двух лет что-то произойдет, мы непременно вернемся к этому разговору...

Через полгода, после долгой и продолжительной болезни, скончался Генеральный секретарь Центрального Комитета Коммунистической партии Советского Союза.

А потом еще один...

ГЛАВА 16

Президент затребовал начальника лаборатории долгосрочного прогнозирования.

— Я хочу вернуться к нашему старому и, как показало время, незаконченному разговору. Меня интересует вопрос — как мы можем убыстрить изложенные в вашем докладе процессы? Возможно ли это в принципе? И что для этого требуется делать?

Прошу отвечать просто, без оглядки на субординацию, без соблюдения дистанции и опаски сказать что-либо для меня неприятное. Мне не нужна искаженная информация. Надеюсь, вы меня поняли?

— Понял.

— Итак?

— Это возможно. Но прежде следует уточнить степень допустимого воздействия. Насколько важно сохранить тайну факта оказываемого влияния? Будут ли задействованы силовые структуры? Разведка? Посольские службы?

— Тайна должна быть абсолютной. Вооруженные силы в массе своей не используются. Разве только для демонстрации силы в приближенных регионах. Посольства и разведка в полной мере.

— Тогда придется ограничиваться мерами косвенного воздействия, которые просчитать практически невозможно. Они, конечно, менее действенны, чем меры прямого давления, но все в комплексе и при длительном временном использовании дают неплохой результат.

— В чем они состоят?

— В первую очередь культурная экспансия. С ее помощью мы добиваемся убыстрения процесса брожения.

Подобная тактика с успехом применялась еще римлянами. Вначале разложить противника — потом завоевать. Малой кровью. Так считали они. И так они действовали. В принципе подобный прием используют при подготовке любой более или менее крупномасштабной войны. Правильно организованная пропаганда, направленная на разрушение образа врага, может для части населения превратить захватническую войну в освободительную и тем лишить обороняющуюся сторону немалого числа боеспособной призывной силы и значительно облегчить продвижение войск по захваченной территории.

— Мы не собираемся вести военные действия и оккупировать чужие территории.

— Но мы собираемся навязать чужой территории свою волю. А это та же война. Хоть и без выстрелов и взрывов. А значит, правила игры и в том и в другом случае подобны.

— Может быть, вы и правы.

— Культурное проникновение должно быть полномасштабным, с использованием всех возможных каналов передачи информации. При этом подразумевается, что контрпропаганда должна иметь прямой выход по меньшей мере на каждого шестого жителя страны. Только тогда она может возыметь действие.

И еще она должна быть адресной. Посеять сомнение в головы всех и сразу утопично. Универсальных формул потребления не существует. Это вам скажет всякий коммивояжер. А вот заставить сомневаться каждую голову в отдельности и, значит, суммарно подавляющее большинство населения страны в целом — вполне вероятно.

— Какие каналы наиболее действенны?

— По статистике и в порядке убывания — телевидение, радио, кино, печатная продукция. По форме — комиксы, музыка и детские мультфильмы.

— Музыка и мультфильмы?

— Да, мультфильмы имеют наиболее доходчивую и привлекательную для людей с неразвитым логическим мышлением форму. Закладка информации идет на эмоциональном уровне, ассоциативно, путем копирования образа жизни и образа мысли главных героев. При этом достижение требуемых результатов тем выше, чем доступней формулируется и чем чаще повторяется основная внушаемая мысль.

— Но мультфильмы — в основном продукт детского потребления.

— Дети быстро вырастают.

— А музыка?

— Отвечу примером. Когда в Европе случились масштабные студенческие волнения, неглупые люди просчитали, что полиции проще справляться со спонтанным проявлением истерических реакций музыкальных фанатов, чем с хорошо организованными акциями протеста бунтующей молодежи. И возникла мода на рок-музыку. И пришла битломания. И ушла революция.

— Экспансия массовых форм культуры потребует очень серьезных дополнительных субсидий.

— Не больше, чем война.

— Что еще вы можете предложить?

— Мы должны всячески поддерживать и навязывать продолжение, как говорят они, гонки вооружений.

— На собственную голову?

— На их голову. Каждый изготовленный самолет отрывает от чьего-то куска хлеба не размазанный по нему кусок маргарина.

— В том числе и нашего маргарина с нашего куска хлеба. Гонка подразумевает соревнование двух сторон.

— Значит, надо придумывать проекты, которые потребуют ответных затрат от них много больших, чем были вложены нами. Значит, надо блефовать, заставляя противника вкладывать в оборонительные проекты все больше и больше средств. Обман рано или поздно откроется, но затраченных на поиск противоядия средств вернуть уже будет невозможно.

— Хорошо. Дальше.

— Экономические санкции. Везде, где возможно, их надо вытеснять с прибыльных рынков. Препятствовать приобретению передовых технологий, чтобы продавать по завышенным ценам готовый продукт.

— Это понятно. Еще.

— Сконцентрировать усилия на развале административных окраин. Всякая империя сильна объединением составляющих ее сил. Но в этом же ее слабость. Поддержание порядка на множестве географически удаленных от центра территорий, если вдруг этого порядка не станет, требует огромных силовых и финансовых затрат. Следует использовать любые мотивы, способствующие напряжению отношений между окраинами и центром. Национальные, религиозные, территориальные, экономические. И даже личные.

Самую крепкую стену можно разрушить выбиванием из ее основания отдельно взятых кирпичей.

— Каким образом этого можно добиться?

— Обосновывая возможности самостоятельного, вне империи, политического и экономического существования. Причем очень благополучного существования. Демонстрируя интерес по совместным экономическим и финансовым проектам. Обещая кредиты и тому подобную прямую и косвенную помощь. Всячески, в том числе и финансово, поддерживая национальные и религиозные течения. Наконец, подкупая первых должностных лиц.

— В каком смысле?

— В самом прямом. За доллары.

— Что еще?

— Дестабилизировать «третьи страны», которым противник оказывает экономическую, военную и прочую помощь. Поддержание «третьих стран» на уровне обещанного благосостояния, тем более нейтрализация возникших на их территории контрреволюционных выступлений и военных конфликтов — это гигантский насос, выкачивающий из экономики курирующей стороны миллионы и миллионы долларов.

— Что еще?

— Всячески способствовать разделению монолита правящей партии на соперничающие группировки по возрастному, национальному, административному и клановому признакам...

— Еще...

— Еще...

— Еще...

— Спасибо. Я получил от вас исчерпывающую информацию. Если мне понадобятся какие-либо уточнения, я вызову вас еще раз.

Президент услышал все, что хотел услышать. И даже сверх того, что ему сказали. Потому что он обладал гораздо более обширным объемом информации, чем простой завлаб. Он имел возможность сравнивать.

ГЛАВА 17

Заведующего лабораторией долгосрочных прогнозов вызвали уже через пять дней.

— Я попросил просчитать затратную сторону изложенной вами программы. Итоговая цифра, как я и предполагал, получилась значительной. Очень значительной.

Разработчик программы согласно кивнул.

— И все же стократно меньшей, чем требуется на разработку, испытание, тиражирование, внедрение и поддержание в постоянной боевой готовности новых типов вооружения. Подготовка к войне — это очень затратное дело. Пожалуй, самое затратное из всех. Производство и эксплуатация одного стратегического бомбардировщика обойдется налогоплательщику дороже строительства трех вещающих на территорию потенциального противника радиоцентров или тысячи серий предназначенного на экспорт мультфильма. В этом смысле предложенная вами концепция гораздо более щадящая для экономики страны, чем та, которую предлагают военные.

Я готов рассмотреть вопрос субсидирования ваших разработок. Но для этого мне надо узнать ваше мнение еще по ряду проблем.

Скажите, через какой промежуток времени, в лучшем и худшем случаях, ваша программа может дать конкретные результаты?

— В лучшем: через пять-шесть лет. В худшем: через десять-пятнадцать. В среднем: восемь-десять лет.

Десять лет — это немного, подумал про себя Президент. Примерно столько же, сколько требуется на проектирование и создание опытного образца новой атомной подводной лодки. Но подводная лодка не решает проблему противостояния. А лишь поддерживает баланс сил. А его разработка, если она увенчается успехом, решает. Всю, целиком! Его идеи стоят одной не введенной в строй ВМФ атомной субмарины. Его идеи могут стоить всех подводных лодок США.

Десять лет для достижения подобного результата — мало!

И в то же время много. Потому что срок президентского правления истекает гораздо раньше. И значит, этот проект не поможет мне удержаться на плаву вторично. Не станет гирей, перевесившей чашу весов. И не улучшит мои отношения с военно-промышленным и военным лобби. С точки зрения личного успеха, мне гораздо перспективней построить парочку сверхзвуковых истребителей, чем вкладывать средства в сомнительной рекламоспособности проект.

Наверное, так?

Наверное.

Но только президенты приходят и уходят, а страна остается. Ради интересов страны можно пожертвовать десятью годами и даже вторым сроком пребывания в Белом доме. С точки зрения истории, это не плата.

— Еще один вопрос. В химии придуманы катализаторы, которые добавляют в раствор, когда хотят убыстрить ход реакции. Причем результат опыта в этом случае не претерпевает изменений, он лишь проявляется быстрее и протекает более бурно. Можно ли придумать подобный «катализатор» для политико-экономических процессов, начавшихся в известной нам стране?

Существует ли, пусть даже чисто теоретическая, возможность убыстрить реакцию распада?

— Конечно. Если действовать с позиций силы.

— Нет, силовые методы исключаются.

Завлаб задумался.

— Тогда не могу сказать ничего определенного. В этой плоскости мы данную проблему не рассматривали. Мы лишь отслеживали уже существующую ситуацию и моделировали ее дальнейшее развитие. Чтобы ответить на ваш вопрос, мне надо подумать.

— Сколько вам потребуется на это времени?

— Сутки. Может быть, трое. Трудно сказать.

— Я даю вам неделю. Через неделю вы доложите мне свои соображения по поставленной проблеме. И постарайтесь выдать максимально возможный результат. Я знаю, что вы это можете. Я уже убедился, что вы умеете работать.

ГЛАВА 18

— Я готов ответить на ваш вопрос, — ровно через семь дней сказал аналитик. — Я готов ответить на него положительно.

— Значит, это возможно?

— Да.

— Что для этого требуется?

— Разработать заведомо ложные программы экономического и политического переустройства страны.

Выбрать из тех, кто находится у власти, а если таковых не найдется, создать собственными усилиями лидеров, потенциально готовых принять за основу переустройства предложенные программы.

Подготовить лидеров замены, которые, в случае неудачи, могут перехватить власть, поменяв лозунги, но не изменив прежнего политико-экономического курса.

Обеспечить данным лидерам максимально возможную поддержку представителей наиболее значимых финансовых, административно-хозяйственных кругов.

Организовать кампанию поддержки через привлечение наиболее известных деятелей культуры, искусства, науки, пользующихся авторитетом у широких слоев населения.

Окружить лидеров командой сторонников, которые будут, с одной стороны, гарантированно поддерживать предложенные им программы, с другой стороны — блокировать подходы к лидеру для людей, с ним не согласных.

Приложить максимум усилий к разрушению существующего административно-управленческого механизма, через него промышленного потенциала страны, через него сложившегося рынка товаров и услуг...

— Минуточку. Вот этот пункт. Разве можно представить народ или хотя бы большую его часть, которая была бы способна разрушить то, что уже существует, не получив взамен равнозначной и быстрой компенсации? Боюсь, вы ошибаетесь в данном предположении.

— Нет. Я не ошибаюсь. Такой народ есть. С таким народом нам предстоит иметь дело. Они готовы разрушать настоящее без гарантии дальнейших материальных и даже моральных компенсаций. Мы отсматривали их историю. Подобные процессы имеют устойчивую тенденцию к повторению в течение каждых сорокашестидесяти лет. Сразу после того, как уйдет предыдущее поколение реформаторов. Они — нация без отрицательной памяти. Им процесс важнее результата.

— Это невозможно. Нации должен быть присущ инстинкт самосохранения.

— Этой нет. У них даже в партийном гимне есть одна строка, я попросил перевести: «...мы старый мир разрушим до основания — а затем...» Как видите, разрушение первично. Все остальное — «затем».

— Я не могу этого понять.

— Я тоже. Мы люди другого мира и другой истории. Нам важен результат. Возможно, подобная формула закодирована в их генах. У нас разная история. И разная наследственная информация.

— Вы считаете, что их лидеры также способны на подобные исторические безумства? Ведь их интеллектуальный уровень выше среднего. Они должны понимать больше, чем другие.

— Вожди народа — это лишь продолжение народа. Его лучшей, но и худшей сторон. Они могут быть умнее основной массы населения, но они не могут коренным образом отличаться от этого населения. Они будут делать то же самое, что будут делать все. Только они это будут делать лучше остальных. Потому что они умнее.

Перечить народу могут лишь сформировавшиеся, уверенные в себе, наевшиеся власти и научившиеся удерживать эту власть вожди. Таких в той стране нет.

— Хорошо, продолжайте.

— Кроме тех пунктов, что я уже перечислил, необходимо...

Президент слушал долго. Президент выслушал все. Но так и не смог принять окончательного решения. Он боялся попасть на удочку легкого решения.

— Скажите, не случались ли в истории аналогичные ситуации и не применялись ли в них подобные предложенным вами методы?

— Во все времена у всех народов. В том числе множество раз в исследуемой стране.

— Например?

— Например, их первый в новейшей истории вождь. Владимир Ульянов-Ленин. Он делал революцию на деньги и по сценарию третьей стороны. Той, которой эта революция была нужна больше, чем кому бы то ни было. Этой стороной была Германия.

Германия не могла выиграть войну. Но и не могла далее нести бремя расходов, связанных с ведением военных действий на два фронта. Она могла либо капитулировать, либо выбить одного из союзников. Она выбила Россию, субсидировав в ней революцию и приведя к власти людей, в конечном итоге подписавших с ней очень невыгодный для них мир. Она выиграла войну малыми тратами и очень малой кровью. Она выиграла войну чужими руками. Она выиграла войну с Россией российскими руками!

— Вы считаете, повторение истории возможно?

— Я считаю, что история повторяется всегда.

ГЛАВА 19

Президент срочно собрал свой нештатный совет. Нескольких очень близких и очень преданных ему людей. Своих единомышленников.

— Мы можем изменить ход существующей истории. И сэкономить на этом несколько сотен миллиардов долларов.

— Я не верю в универсальные, чтобы дешевые и одновременно выигрышные, рецепты, — сказал один. — Я давно вышел из возраста бойскаутов, когда меня можно было убедить когда угодно и в чем угодно. В том числе и в том, что, вкладывая малые средства, возможно достичь большого успеха. За всякий результат надо платить. За большой результат надо платить много. За малый — мало. Но это будет плохой результат. Ты хочешь сэкономить деньги, значит, ты рискуешь получить дрянной товар.

— И тем не менее. Вот цифры, которые мы ежегодно вынуждены отдавать на «войну». А вот другие, с помощью которых, используя предложенную оригинальную методологию, можно достичь того же самого результата. Вы видите разницу?

— В чем заключается суть нового предложенного метода?

— В игре на противоречиях, имеющих место в верхних эшелонах власти противостоящей стороны.

— Этот метод стар как мир.

— Согласен. Но мы будем использовать эти методы на совершенно новом информационно-техническом уровне и в исключительно благоприятной, с точки зрения успеха, ситуации. И, кроме того, мы не станем дожидаться этих противоречий. Мы будем их создавать.

— Может быть, — согласился третий участник совета. — Я никогда не был сторонником военно-силовых методов. Это очень затратный и не очень действенный путь. Мы не столько наносим урон противнику, сколько раскармливаем аппетиты собственных генералов. Военное противостояние не оправдало себя. На наши атомные бомбы они ответили своими. На наши раке- ты — ничуть не худшими. Они освоили космос. Хотя из последней войны вышли с голыми задницами. Мы, бряцая оружием, в конечном итоге стимулируем их науку и промышленность.

Мне кажется, в этом, без шумихи и звона патрон- ных гильз, плане что-то есть.

— Но это же почти прямое вмешательство во внут- ренние дела суверенной страны.

— И потеря в перспективе гарантированных и очень жирных военных заказов. Что гораздо скандальней.

— Вот именно!

— Конгресс прихлопнет этот проект, как севшую на рождественскую индейку муху. Прихлопнет из-за зака- зов. А объявит, что из-за вмешательства во внутренние дела. Этот проект не пройдет. Поэтому его нет смысла даже обсуждать.

— Абсолютно точно.

— А если в обход конгресса?

— Изведет ревностью и расследованиями. Как дур- ная жена загулявшего мужа. И все равно в конечном итоге прихлопнет.

— Непременно.

— И такой вони разведет, что тебе на этом креслице лишнего дня не засидеться.

— А если конгресс ничего не узнает?

— Не будь наивным. У конгресса достает ушей в вашем ведомстве.

— А если все же не узнает?

— Это каким же образом?

— Например, частным. Или со смешанным капита- лом...

ГЛАВА 20

Начальнику лаборатории долгосрочных прогнозов Центра стратегических исследований повезло. Сказоч- но повезло. Как Золушке, попавшей на бал к королю.

Собственно говоря, он и был этой Золушкой. А доброй феей — Президент Соединенных Штатов Америки.

— Мне представляется, что ваша нынешняя должность не соответствует вашим способностям и вашему доходу. Наша страна нерационально использует ваш потенциал. Хочу предложить вам возглавить самостоятельное дело.

— Какого характера будет это дело?

— Того же самого характера. Вам не придется делать ничего нового. Но придется делать это на принципиально новом уровне. Достойном ваших способностей.

— Каковы материальные условия?

— На ваше усмотрение. Мы даем вам карт-бланш. Так что успевайте выкручивать нам руки. Пока это возможно.

— Каким образом будут строиться мои взаимоотношения с непосредственным руководством?

— У вас не будет непосредственного руководства. Кроме вас самого. Вы не будете подчинены никому.

— В таком случае кому я должен буду докладывать результаты работ?

— Лично мне. И никому более.

— Я так понимаю, что, когда нет руководства, но есть нелимитированное субсидирование, речь идет о какой-то из форм частной собственности? Которая тем не менее работает по заказам государства.

— По гарантированным на много лет вперед заказам! Вы все очень правильно просчитали. А я имел возможность лишний раз убедиться в ваших аналитических способностях и правильности нашего выбора.

— С государственной службы мне, конечно, придется уйти?

— Да, вам придется подать в отставку. Материальные потери, связанные с подобным шагом, будут, естественно, компенсированы.

— Причина отставки?

— Ваша не поддающаяся лечению болезнь.

Заведующий лабораторией долгосрочных прогнозов вскинул голову.

— У вас найдут неоперабельную опухоль. Или что-нибудь еще. Вы вынужденно уйдете в отставку. Вы будете лечиться. Но все равно «умрете».

Завлаб еле заметно вздрогнул.

— Вы «умрете» под своей старой фамилией, чтобы возродиться под новой.

— Программа защиты свидетелей?

— Да, нечто в этом роде. Вы получите новые документы и новый внешний облик.

— Зачем все это? Зачем такие сложности?

— Иначе мы не сможем вывести вас из-под опеки вашего ведомства.

— Неужели Президент и подчиненная ему государственная разведка не могут договориться обо всем полюбовно? Без этих смен фамилий и пластических операций.

— Не могут. В некоторых случаях не могут. Вы работник закрытого учреждения, имеющий допуск к государственным секретам. Вы не можете просто уйти с работы и открыть частную фирму. Вас будут отслеживать всю оставшуюся жизнь. Поэтому она у вас будет такая короткая.

— Но не значит ли это, что мне предстоит заниматься противозаконной деятельностью?

— Ваша работа будет направлена исключительно во благо нашего государства. И в убыток ее недругам.

— Я понял — вы не желаете впутывать в это дело госструктуры, чтобы вам на хвост не сел конгресс. Вы опасаетесь международного скандала. И поэтому придумали частную фирму, отвечающую перед законом только своим капиталом. И головой своих владельцев.

— Вы опять все поняли так, как надо. И значит, вы поняли характер работ, которые вам предстоит выполнить.

— Подготовка сценариев дестабилизации, а в идеале политического переустройства названных вами стран. Так?

— Почти так. Подумайте, вы получаете возможность проверить теорию практикой в государственных масштабах. Ваш рабочий стол — целый мир. Редко кому предлагали такое поле деятельности.

— Это действительно интересно.

— Так соглашайтесь.

— Что станет с моей семьей?

— Одно из двух: либо они овдовеют и осиротеют. Либо тоже «умрут». Как и вы.

— Когда я должен дать ответ?

— Сейчас.

— Но я имею право не принять ваше предложение? Имею возможность отказаться?

Президент промолчал.

ГЛАВА 21

Заведующий лабораторией долгосрочных прогнозов Центра стратегических исследований Центрального разведывательного управления США «умер» через два с половиной месяца после ухода в отставку. «Умер» в главном военном госпитале во время операции по удалению злокачественных новообразований в правом легком.

Близкие получили выписки из его больничного дела, заключение патологоанатомов и нотариально заверенное, продиктованное в последний момент завещание. Медицинский персонал утверждал, что в последние перед операцией дни покойный предчувствовал свою кончину.

Родственникам и близким друзьям продемонстрировали тело «умершего» в морге и далее, согласно его высказанной в завещании просьбе, уложили в закрытый гроб, который так и не вскрыли до самой могилы.

Заведующий лабораторией долгосрочных прогнозов умер.

Но в тот же день родился другой, с другой внешностью, другой фамилией и другой биографией человек.

Его не вытаскивали в самый последний момент из гроба и не вывозили из морга на каталке мимо толпы скорбящих родственников, прикрыв с головой простыней. Ничего такого не было. Просто в удобном месте, в удобное время заранее подготовленные медбратья подменили гроб. Полный завернули в предварительно освобожденное от больных и персонала помещение. Пустой передали близким покойного.

Выждав четверть часа, гроб перегрузили в машину-катафалк и вывезли в неизвестном направлении.

Потом были три подряд пластические операции и бесконечные беседы с психологами и людьми, обеспечивающими программу защиты свидетелей. Эти люди много говорили, советовали, предостерегали и почти ничего не спрашивали. Они не имели привычки спрашивать. Их работа отучила их от излишнего любопытства. Они имели дело с людьми, согласившимися дать показания против главарей мафии и скрывающихся от возмездия. Или с другими людьми, которых по каким-то неизвестным им причинам не должно было опознать общество.

— Вот ваши новые документы. Ключи от машины. Ключи от гаража. Ключи от дома. Вот кредитные карточки.

В гостиной на секретере вы найдете свой семейный архив, в прихожей чемоданы с предметами домашнего обихода. Из прежней жизни.

Вы только что через посредническую контору и адвоката купили этот дом. Вы переехали в этот город, чтобы забыть о том, что ваша семья погибла в автомобильной катастрофе. Ваша семья погибла вся. Целиком. Жена. И дочь с мужем...

— Не надо. Я знаю.

— Тогда счастливо обустроиться. Если возникнут проблемы — звоните вот по этому телефону.

Аналитик остался один. Вообще один. В целом мире. Он. И еще Президент.

ГЛАВА 22

— Что вам требуется для работы? — спросил прикрепленный к бывшему завлабу помощник.

— Надежные стены, где мне никто не будет мешать.

Возможность распоряжаться своим временем и средствами так, как считаю нужным я. И очень мощная компьютерная база.

— Все?

— Все!

— Хорошо. Я сделаю все необходимое. И передам ваши пожелания Президенту.

С этой минуты жизнь Аналитика потекла на совсем других скоростях. Жизнь Аналитика помчалась как поезд, обрушившийся с моста в пропасть.

На свои новые фамилию и имя Аналитик открыл частную фирму. Что-то по обработке и анализу информации и услугам компьютерного программирования.

Министерство обороны выделило новоиспеченной фирме в долгосрочную аренду старый, не использовавшийся по прямому назначению лет двадцать полигон со всеми его наземными и подземными сооружениями. Отдало за символическую сумму как не обладающий коммерческой ценностью.

Несмотря на то что полигон не эксплуатировался столь длительное время, он пребывал в отличном состоянии. Все системы электро-, водо- и газоснабжения бесперебойно давали электричество, пресную воду и газ. Батареи грели. Кондиционеры охлаждали. Лампочки в прожекторах внешнего периметра охраны горели. В производственные и бытовые помещения можно было въезжать в любой момент. Даже без предварительных косметического ремонта и приборки. В гостевых коттеджах кровати были заправлены чистым, накрахмаленным бельем, а туалетные комнаты благоухали дезодорантами.

В общем, фирме очень повезло, что она за такую умеренную плату получила в свое полное распоряжение в бессрочное пользование такой отлично сохранившийся объект.

Аренду оплатил один пожелавший остаться неизвестным меценат.

Правда, перед этим с ним, с этим меценатом, долго беседовал один из доверенных людей Президента.

— Ты должен понять всю выгодность моего предложения. Ты знаешь меня не первый год, ты субсидировал нашу предвыборную кампанию и знаешь, что я умею возвращать долги. Еще не было случая, чтобы я предложил тебе проигрышное дело. Так?

Бизнесмен согласно кивнул.

— Я не собираюсь тебя подводить и на этот раз. Я предлагаю тебе куш, в который впоследствии будет рад вцепиться всякий умеющий считать деньги бизнесмен. Но это будет потом. А я тебе его предлагаю сейчас. Когда о нем еще никто не знает! Подумай — дело беспроигрышное.

Я понимаю, что предложенный проект не обещает мгновенной отдачи. Это не биржевая сделка, где капитал оборачивается мгновенно. Это долгосрочная программа. Она не сулит прибыли ни сегодня, ни завтра, ни послезавтра. Пока она требует только вложений. Но, уверяю тебя, эти вложения вернутся сторицей.

— На что я, в случае успеха, могу рассчитывать конкретно?

— На свежие, не имеющие международного патента и имеющие бросовую цену технологии. На практически бесплатное сырье. На дешевую рабочую силу. На новые рынки сбыта.

— Ты хотел сказать — на монопольные рынки сбыта?

— Этот рынок не проглотить даже тебе!

— Ты обо мне не заботься. У меня очень здоровое пищеварение.

— И тем не менее.

— Ты что, об Индии говоришь?

— Я говорю о том, о чем могу сказать. Я говорю о новых, превосходящих все ныне существующие рынках сбыта.

— Хорошо, что тебе требуется?

— Средства.

— Легальные или?..

— И те и другие.

— Сколько?

Человек Президента написал на листе цифру.

— Но это в перспективе.

— Таких денег у меня нет. Даже если ты предложишь мне в качестве рынка сбыта весь мир, Солнце и планеты Солнечной системы в придачу.

— Я не говорю об одном только тебе. Я думаю, среди твоих друзей найдутся здравомыслящие, с парой-тройкой лишних миллионов бизнесмены.

— Не найдутся. Здесь нет реального товара. Только слова. Они затребуют дополнительных гарантий. И будут правы. Это бизнес. А не благотворительность. Что ты можешь выставить в качестве страховки?

— Слово Президента.

— Извини, но президентскому слову цена — сотая часть требуемой суммы. Когда проект начнет давать прибыль, его и тебя в том доме уже не будет.

— Тогда твое слово.

— Это весомо. Но это мое слово. За которое я, давая его, отвечаю собственной башкой.

— Хорошо, что может их заставить сделать шаг навстречу?

— Выгоды. Пусть не такие великие, но ощутимые уже сегодня. Сегодня, а не послезавтра.

— Лучше меньше, но немедленно?

— Лучше больше и сейчас!

— Чем я могу быть им полезен?

— Ты — ничем. Президент может. Наверное.

— Хорошо, я готов ознакомиться с вашими предложениями. И если они не вступают в противоречие с законом, передать их Президенту. Но, как ты понимаешь, обещать я не могу ничего.

— А обещать ничего не надо. Обещают кредиторы. А потом все равно облапошивают. Надо просто помогать друг другу. Кто чем может. По-приятельски.

— В свою очередь, я лично от себя и в подтверждение моего к тебе расположения готов оказать помощь в размере...

Доверенный человек Президента вычеркнул в цифре, написанной на листе, три последних нуля.

И сразу нашлись дополнительные на аренду военной базы, на закупку оборудования, на оплату работ и на многое другое деньги.

Деньги, которыми мог и которыми единолично распоряжался Аналитик.

ГЛАВА 23

Форт Колорадо-Бронкоуз — бывшая база вооруженных сил США, переданная во владение частной, никому не известной в округе фирмы, была обнесена еще одним четырехметровой высоты забором, на ближних подступах были установлены запрещающие въезд и вход знаки, окружные шерифы предупреждены о нежелательности появления вблизи означенного объекта праздношатающихся местных жителей.

В провинциальных газетах была помещена реклама о выполнении работ, связанных с информационно-аналитическими услугами. И указан почтовый адрес и телефон.

Нескольким заинтересовавшимся предложением и сумевшим дозвониться по указанному телефонному номеру заказчикам в исполнении работ было отказано. В связи с тем, что портфель заказов фирмы был заполнен по меньшей мере на пять лет вперед.

Но на самом деле заказ был один — от Президента Соединенных Штатов Америки.

Вряд ли кто-нибудь мог вразумительно объяснить, каким образом эта размещенная всего один раз в окраинной прессе реклама попала на глаза работникам аппарата Президента, подыскивающим фирму для выполнения определенного вида информационных работ. И почему именно эта реклама, а не напечатанная аршинными буквами в нью-йоркских изданиях, привлекла их внимание. И почему для выполнения госзаказа была выбрана недавно открывшаяся и никому не известная фирма, а не кто-то из ее мощных, с устоявшейся репутацией конкурентов. И вообще, откуда взялась эта фирма?

Наверное, рано или поздно кто-нибудь себе такие вопросы бы задал, если бы сумма сделки не была столь ничтожной.

Фирма согласилась работать, что называется, за центы.

Работа касалась текущего анализа прессы некоторых иностранных государств с точки зрения ее оценки внешней политики правительства США. Ничего интересного. Сплошная рутина.

И все же, хотя эта работа была чистой воды канцелярщиной, правительство посчитало целесообразным ограничить количество имеющих к ней доступ людей грифом «Для служебного пользования». Правительство признало данный вид работ государственно значимым. Со всеми вытекающими из этого последствиями.

С фирмой был заключен соответствующий, обязывающий ее к сохранению тайны договор, а в их офис, по просьбе соответствующих чиновников канцелярии Президента, был направлен взвод морских пехотинцев для исполнения охранных функций.

Но пехотинцев для охраны такой значительной по протяженности территории было мало, и фирма, дабы не рисковать не принадлежащими ей секретами, наняла на работу еще несколько десятков работников из числа бывших полицейских.

Теперь форт Колорадо-Бронкоуз стал еще менее доступен для возможных злоумышленников, чем при военных.

Местное население, предполагавшее в связи с расконсервацией базы получить на ней дополнительные рабочие места, — ничего не получило. Ни одного из местных жителей за периметр забора не пустили. Даже для выполнения самых неквалифицированных работ.

— Они что, сами будут двор мести, еду готовить и свои тряпки стирать? — судачили, возмущались местные жители, но изменить ничего не могли.

Администрация ближних поселков, попытавшаяся наладить с руководством базы контакт, наткнулась на вежливую по форме, но жесткую по содержанию стену отчужденности. Жители базы не выразили заинтересованности в проведении совместных культурно-ознако-мительных или иных мероприятий.

— Если вам нужна финансовая помощь, мы готовы рассмотреть ваши просьбы, но заниматься светским общением у нас нет никакой возможности. Мы не располагаем лишним свободным временем. Наше свободное время используется на работу.

В результате из местных жителей на территорию базы так никто и не попал и самих работников базы никто не видел. Привычки шляться по окрестным кабачкам и прочим местным достопримечательностям у них, в отличие от ранее квартировавших здесь военных, не было. С местными девушками они не знакомились. За свежими продуктами в магазины не захаживали — видно, имели всего в достатке.

Работников базы привозили и увозили на шикарных, с затененными стеклами автобусах, которые в ближних поселках и даже на автозаправочных станциях не останавливались. Так что даже просто рассмотреть их было затруднительно.

Злые языки утверждали, что такого не может быть, чтобы молодые симпатичные охранники и прочие наемные работники мужского пола не хотели бы попить свежего пивка и попялить глаза на местное женское население. Что их просто не выпускают за периметр забора. Но это были только слухи, не имеющие никакого фактического подтверждения.

На сей раз, обговорив все предположения, какие только могли прийти в голову, и не остановившись ни на одном конкретно, местные жители успокоились.

Постепенно слухи затихли, и все привыкли к базе, к царящим там порядкам и к завесе секретности, ее окружавшей.

ГЛАВА 24

— Вам достает средств? — спросил Президент.
— Вполне, — ответил Аналитик.
— Вам требуется еще какая-то помощь?

— Да, мне нужна информация. Входящая информация. Мне нужны газеты и журналы. В том числе местные. И особенно отдельных административных областей. Мне нужны записи радио- и телевизионных передач. Стенографические записи их съездов, совещаний и других партийных и административно-хозяйственных мероприятий. Отчеты социологических опросов. Научные статьи, посвященные демографии, экономике и культуре.

Одним словом, мне нужно все, что у них печатается и передается в радио- и телевизионном эфире.

— Для чего?

— Мне необходимо установить наиболее значимых и популярных людей в исследуемой стране.

— Я могу запросить о таких людях наше посольство и ваших бывших коллег из ЦРУ. У них должны быть исчерпывающие сведения по данной тематике.

— Мне не нужны готовые рецепты. Мне нужна объективная, которую они могут не знать, информация.

— Чем вам может помочь в этом периодика?

— Рейтинг политического, равно как и оппозиционного деятеля проще всего установить по тому, сколько раз и в каком контексте и в обрамлении чьих фамилий он упоминался в средствах массовой информации.

— Зачем вам рейтинги, если у вас есть исчерпывающий поименный список всех их партийных и хозяйственных функционеров? Они есть то, что есть их должности.

— Меня интересуют не ныне существующие политики. А будущие. Которые придут им на смену. Их должности в общегосударственных списках не фигурируют.

— Хорошо, я постараюсь выполнить вашу просьбу. Какие средства массовой информации интересуют вас в первую очередь?

— Все!

Президент кивнул и отчеркнул в блокноте несколько фамилий.

Посольствам, консульствам и другим диппредставительствам в странах Восточного блока через министерство иностранных дел было назначено собирать и незамедлительно переправлять с дипломатической почтой всю доступную им выходящую в странах присутствия периодику.

Отделу внешней разведки Восточного блока Центрального разведывательного управления США была поставлена задача по своим нелегальным каналам добывать печатную продукцию, которая по тем или иным причинам была недоступна их коллегам в МИДе. Чаще всего это была местная, ведомственная и узкоспециальная пресса.

Отделу технической разведки Центрального разведывательного управления совместно с Национальным управлением по аэронавтике и исследованию космического пространства надлежало с помощью наземных станций радиоперехвата и систем спутникового слежения обеспечить ретрансляцию и запись всех радио- и телевизионных программ как центральных, так и местных студий.

Сотни наименований и десятки тысяч килограммов газет, брошюр, журналов, книг, распечаток докладов и статистических сводок и прочей, и прочей печатной продукции в чемоданах дипломатов, посольском багаже и иными путями переправлялись в канцелярию МИДа, а оттуда ежедневными прямыми авиационными рейсами, в специальных опечатанных, непрозрачных пластиковых мешках доставлялись в форт Колорадо-Бронкоуз.

Мешки под роспись принимали сортировщики. Они сравнивали вес посылки с указанным в сопроводительном документе и осматривали пломбы. Если все оказывалось в порядке, они вскрывали мешки, сортировали и передавали их содержимое, предварительно разделив на семь равных частей, копировщикам.

Копировщики раскладывали, разглаживали и сканировали каждый лист, делая в правом верхнем углу соответствующую пометку. Копировщики работали круглосуточно, сменяя друг друга через каждые четыре часа.

И все равно не успевали справиться с печатным потоком, каждый день вываливающимся из багажного отсека самолета.

Работу копировщиков перепроверяли операторы, обслуживающие вычислительную технику. Они отсматривали на экранах мониторов сканированные файлы и либо принимали их, либо браковали, заставляя копировщиков переделать некачественную работу.

Все остальное делала машина. Со скоростью в несколько миллионов знаков в секунду она «пролистывала» отсканированные страницы, отмечала и заносила в базу данных все имена и фамилии, предварительно занесенные в память, все имена и фамилии, стоявшие в тексте близко к этим фамилиям, и все имена и фамилии, упоминавшиеся в контексте перечислений должностей и должностных обязанностей.

Фамилии просто рядовых граждан, обратившихся в газету с жалобами, или фамилии граждан, упоминавшихся в разделах происшествий и объявлений, не фиксировались и память машины бесполезной информацией не засоряли.

Несколько отдельно работавших компьютеров обслуживали литературу, напечатанную на национальных языках.

Таким образом из сотен миллионов напечатанных и сканированных слов выуживались тысячи единственно нужных.

Нужных Аналитику.

Через месяц компьютер выдал три десятка имен.

— Я сделал свое дело. Следующий ход ваш, — сказал Аналитик.

— Что с меня требуется на этот раз? — спросил Президент.

Аналитик положил на стол лист бумаги с распечатанным списком фамилий.

— Об этих людях мне необходимо знать все. Место и обстоятельства рождения, характеры родителей, детские привычки и болезни, образование и образ жизни в период учебы, этапы карьеры и имена непосредственных их начальников.

— Это может помочь делу?

— Это может решить исход дела.

Аналитик был все более и более симпатичен Президенту. Как человек. Своим стилем работы, конкретностью, умением единственно верно формулировать вопросы и способностью их нестандартно разрешать.

Аналитик все менее нравился Президенту. Как должностному лицу. С каждой новой неделей он наваливал на него все новые проблемы, которые надо было решать. Решать неофициальным или полуофициальным путем, чтобы не растревожить гидру конгресса и жаждущих политической крови журналистов. Его помощники уже не знали, как формулировать задания государственным службам, чтобы ни они, ни кто-либо другой не могли догадаться об их истинном смысле. Аналитик своей бурной деятельностью сильно усложнил жизнь Президенту и его доверенному окружению.

— Хорошо, оставьте список. Я постараюсь сделать все, что в моих силах.

ГЛАВА 25

— Здравствуйте! Я специальный корреспондент газеты «Комсомольская правда», — говорил незнакомец и ставил на край стола непочатую бутылку водки.

— Это вы ко мне? — искренне удивлялся человек.

— Именно к вам.

— Я вроде из комсомольского возраста вышел. Давненько.

— Нет. Дело не в вас. И не во мне. В гораздо большем. Наша газета собирает биографии современных политических деятелей. Но нам мало анкетных данных и официальных бюллетеней. Они сухи и неинтересны нашему читателю. За ними совершенно не видно человека. С его эмоциями, страстями, сомнениями. Вы понимаете меня?

— Чего ж не понять. Не чурбак деревянный. Понимаю.

— В детстве вы были знакомы...

— С Петром, что ли?

— С Петром Ивановичем.

— Был. Знаком.

— Мне бы хотелось узнать подробности его жизни. Быт. Привычки. Интересные случаи.

— Какие случаи. Жили себе да жили. Ничего такого особого не делали. На танцульки бегали. Девок щупали. Самогонку пили. Как все.

— Вот-вот, именно эти живые подробности жизни известного теперь политического деятеля более всего интересны читателю. Он не желает видеть парадный, при всех регалиях портрет общественного деятеля. Он желает видеть человека. Со всеми его достоинствами и недостатками.

— С какими недостатками? Как был Петька балабоном, так, видать, и остался... Ты извини, парень, но я человек простой и финтить не люблю. Что думаю, то и говорю. Особенно когда злой. А злой я, когда трезвый. Как сейчас.

Понятливый журналист раскупоривал водку.

— Короче, пиши так. Я знал Петра с самого детства. Вот с такого, — показал друг детства ладонью от пола, — сопливого возраста. И был он, я тебе честно доложу, последним в нашей деревне раздолбаем. После меня...

Другой журналист, совсем в другой области, брал другое интервью.

— Ну что я могу сказать, нормальный он был парень. Хороший, честный, работящий. Как субботник или еще какое общественное мероприятие — он в первых рядах. И не организатором, а в самой гуще. На самых трудных участках.

Еще книги любил читать. Толстого, Достоевского. Биографии великих людей. Другие там в пивную или на танцульки, а он в библиотеку. Приобщаться к первоисточникам мирового культурного наследия. И нам в общежитии книжки читал, вслух. Сядет вот так вот на койку — и читает, и читает. Таким мы его и запомнили — заводилой и вожаком...

Совершенно бестолковая информация.

В отличие от той, что давали врачи, медсестры, учителя и бывшие участковые инспектора.

— Болезненный он был. С самого младенчества. Его ведь когда мать рожала, он чуть не погиб. Его пуповиной по шейке перехлестнуло, он и задохся. Еле отходили. Лет до пяти все боялись, что у него из-за этого что-нибудь с головой случилось. Да и болел он часто. Ни одна болячка его не обошла. Но потом глядим — вроде ничего, вроде нормальный ребенок. Как все. Бойкий. Правда, когда в школу пошел, попервости ему трудно было. Но потом втянулся...

— Ванька-то? Непростой был ребенок. Если не сказать больше. Вы уж извините, что я так о нем. Но что было, то было. Из памяти не выкинешь. Намучились мы с ним. То в туалете мальчишкам сигарет раздаст и покажет, как курить надо. То пионервожатую матом обругает. Известное дело, воспитание-то у него какое было. Простое воспитание. От старших братьев и от их дружков. Вот он и нахватался. А уж драчуном был — не приведи Господь. Ни одной потасовки не пропускал...

— Это точно. Драчун. Я его однажды даже чуть в спецуру, ну то есть в спецшколу для малолетних правонарушителей, тогда были такие, не определил. Сильно он тогда одного мальчишку избил. За мелочь. Денег ему на кино не хватило, вот и пошел трясти карманы. Да не рассчитал. Ну я, грешным делом, осерчал. Все, думаю, хватит ему безобразить на моем участке. И в документах все как положено отобразил. Осталось только начальству передать. Так, спасибо, директорша школы, царство ей небесное, с мамашей его прибежали и уговорили с этим делом обождать. Вдруг, мол, образумится. Хотя я тогда в это, честно говоря, не верил. И ведь чуть не засадил по малолетству... А оно вон как обернулось. Кто же мог подумать, что он в такие большие люди выйдет...

— Нет. Он тихий был, Сережа. Даже какой-то уж слишком тихий. Сам себе на уме. Родители-то у него были не чета прочим. Образованные, при должностях. Оттого он, наверное, особнячком держался. Как-то так всегда чуть в стороне. И друзей близких никогда не имел. Товарищей — много. А друзей — ни одного. У него ведь даже дома никто не бывал. Ни разу. Даже когда он болел. Просто не ходили. Не принято было почему-то. Он ходил. А к нему — нет. Тогда это воспринимали нормально. Привыкли, наверное. А теперь вот думаю, что странно это. Ненормально как-то. Десять лет в одном классе учиться и ни разу к себе не пригласить.

Да и другие странности были. В классе шестом, помню, пропали из учительской деньги. Небольшие, но факт был неприятный. А потом случайно одного парнишку в воровстве уличили. Но это уж потом было, через несколько месяцев. И он, когда с ним говорить стали, признался, что его этому Сережа научил. И даже показал, где деньги в учительской лежат. Вроде как за то, чтобы он отдал ему какую-то часть. Я уж и не помню, какую. Вот только Сережа от всего отказался. И отец его в школу приходил, и мать. Говорили, зачем ему чужие деньги, когда своих хватает. И действительно хватало. Он ведь благополучным рос. Отказа ни в чем не знал. Вот мы тогда и засомневались. Да и доказательств никаких не было. В общем, мальчика того в детприемник отправили. А Сережа так и учился, пока родители его не переехали.

Только, знаете, дети после того случая как-то с ним по-другому стали общаться. Как-то сторониться. Вот я и думаю сейчас: может, все-таки что-то было такое, чего мы не углядели? Дети, они хорошо это чувствуют. Да и знают гораздо больше, чем учителя...

— Нет, вы так и напечатайте, что Борька мне бутылку марочного коньяку должен. Мы на коньяк спорили. Он проиграл. А бутылку замылил. Пусть теперь отдает. С процентами. Что для его нынешнего положения пара бутылок коньяку? Тьфу! Вместе бы и распили...

Так из десятков рассказов очевидцев, из тысяч и

тысяч мелких, забытых даже самими героями фактов складывались биографии.

Теневые биографии для Аналитика.

Всю прочую информацию специально отряженные агенты добывали в архивах, регистратурах поликлиник и других официальных, которые не может миновать ни один человек, учреждениях. Добывали где за «красивые глаза», где за деньги, где за сомнительного свойства услуги. Но добывали! Потому что такой был приказ.

ГЛАВА 26

— Теперь вот что, — сказал Аналитик. — Соберите мне адреса психологов, детских психологов, психиатров и психоаналитиков. Разыщите физиономистов и графологов, определяющих по чертам лица и почерку особенности характера людей.

— Графологов? И физиономистов? Вы считаете предложенные ими методы научными?

— Я не считаю их методы научными. Но я не имею оснований отбрасывать их как изначально порочные.

— Но большинство так называемых графологов и физиономистов просто шарлатаны. Мы зря потратим деньги.

— Среднеарифметическая сумма даже самых сомнительных способов установления правды может дать очень неожиданный и очень интересный результат. Ложь, помноженная на статистику, способна обернуться истиной. Мы не должны отказываться от возможности разжиться дополнительной, интересующей нас информацией только потому, что она имеет непривычную для нас форму.

Идите и разыскивайте требуемых людей. Но только не по телефонной книге, не всех подряд. Мне нужны настоящие специалисты. Хорошо зарекомендовавшие себя в частной практике и делах, связанных с освидетельствованием преступников, совершивших сложномотивированные преступления. Не бойтесь перебрать претендентов. От неподходящих мы сможем, под тем или иным предлогом, избавиться. Бойтесь упустить необходимых.

Список успешно работающих и отошедших от дел, но не утративших своих навыков специалистов получился обширным. Но все же не таким, как графологов и физиономистов.

К каждому из них пришел человек.

— Мне необходимо получить вашу консультацию.

— Я больше не практикую.

— Я в курсе. Но мне порекомендовали вас. Именно вас. Очень влиятельные люди. Вот их рекомендательные письма. Можете ознакомиться.

— Мои консультации стоят дорого. Я работал с самим...

— Я знаю ваши расценки. За деньгами дело не станет.

— Дело касается лично вас?

— Нет, нескольких моих знакомых. Я хотел бы знать, насколько их детство, воспитание, события дальнейшей жизни могли отразиться на их характере, на их образе жизни, стиле мышления. Как людей. И как потенциальных руководителей. Я хотел бы уяснить их сильные и слабые стороны.

— Зачем это вам?

— Ну, скажем так: моя фирма, желая расширить свои представительства за рубежом, подыскивает соответствующие руководящие кадры. Соответствующие выдвигаемым требованиям. Мы должны быть уверены в своих представителях. Мы не можем позволить себе рисковать деньгами и репутацией фирмы.

— Достаточно. Это объяснение меня устраивает. Могу ли я побеседовать с претендентами?

— Нет. В силу ряда объективных обстоятельств это невозможно. Но я располагаю исчерпывающими сведениями об их прошлом.

И человек оставлял обширные папки с переведенными и распечатанными биографиями.

С физиономистами и графологами было проще. Им

биографии исследуемых ими людей не требовались. Равно как рекомендательные письма и сомнительного свойства объяснения по поводу того, зачем все это понадобилось. Им нужны были только фотографии, образцы почерков и оплата наличными долларами. По возможности вперед.

— Обратите внимание на этот завиток. И вот на этот. И вот здесь. Они обозначают, что данному человеку присуща ярко выраженная воля и стремление к власти. Настораживает наклон вот в этой и этой буквах. Они могут указывать на некоторую склонность писавшего к жестокости. Теперь особенности написания заглавных букв. Видите, здесь и здесь явно различим более значительный, чем в других местах, нажим пера...

— Эта складка характеризует данного индивидуума как очень любвеобильного, избалованного женским вниманием мужчину. На месте дам я бы поостерегся с ним заводить какие-либо отношения. Посадка бровей выдает склонность к алкоголю. Лобные доли подразумевают своенравный, склонный к подозрительности характер...

Ну явную же чушь болтают. Кому что в голову взбредет. Но только почему-то очень подобную друг другу чушь.

С психологами и психоаналитиками было проще. Они оперировали фактами. Фактами биографий.

— Судя по имеющейся у меня информации, в детстве мальчик был очень неуверен в себе. Страдал ярко выраженным комплексом неполноценности. Наблюдающими врачами была отмечена некоторая задержка в умственном, физическом и, возможно, половом развитии. Вследствие этого на улице, в начальных классах школы он всегда оказывался на вторых ролях. Всегда в подчинении более сильного или более авторитетного сверстника. Это, конечно, не могло не отразиться на его психологическом здоровье. В дальнейшем, в более позднем возрасте, мы можем наблюдать немотивированные вспышки раздражительности, гнева, в первую очередь направленные на близких людей. В то время как в общении с дальним окружением мальчик научился подавлять свои агрессивные настроения, подстраиваться под требования окружающего его общества. Вполне вероятно, такой тип поведенческих реакций мог закрепиться, хотя и не проявляться уже так бурно. При определенном стечении обстоятельств он может самым неожиданным образом востребоваться и тогда...

Вообще стране исследования с мальчиками явно не повезло. Все они были какие-то не совсем такие. Кто в кроватку писался до двадцати пяти лет, кто кошек в сарае мучил, кто за бабушкой, моющейся в ванной, подглядывал. И почему именно за бабушкой, а не, например, за сестрой? В общем, особенные были дети. Какие-то изначально выдающиеся. Не чета остальным.

Интересно, что бы стало такого известно, пройди подобное фундаментальное тестирование наши политики? — то ли в шутку, то ли всерьез размышлял на очередной встрече с Президентом Аналитик. Знать бы, за кем подглядывал, кого мучил и куда писался глава нашего Правительства. Тоже, наверное, неординарным ребенком был. Как и те, тестируемые. И как, сдается мне, все вместе взятые политические деятели.

А если ту же методологию да развернуть в другую сторону? Например, против моих потенциальных конкурентов? — прикидывал возможные перспективы проекта, если его использовать для решения внутренних проблем, Президент. Какой с этого может получиться навар? Не усмирит это самых прытких?

А если эти методы использовать применительно ко мне? Если представить такой поворот событий? Оружие, оно умеет стрелять в обе стороны. В зависимости от того, в чьи руки попадет...

И Президент очень внимательно посмотрел на докладывающего ход дел Аналитика.

— На сегодняшний день обработано до девяноста трех процентов информации. После доработки остатков можно будет переходить к первичным обобщениям.

— Сколько на это потребуется времени?

— Порядка полутора недель.

— Всего?

— Мы работаем круглосуточно, сменными операторскими бригадами. При сохранении подобных темпов полутора недель, думаю, будет достаточно...

Значит, полторы недели. Одиннадцать дней.

Через одиннадцать дней будет положительно либо отрицательно решен вопрос, не зря ли он, Президент, затеял всю эту конспиративную возню с добычей и переработкой тысяч килограммов информации. Не ошибся ли он, предпочтя вал бумаги уже привычным авианосцам, атомным подводным лодкам и ракетам дальнего радиуса действия. На того ли коня поставил. Или на хромого, дряхлого, никуда не годного ишака.

Выиграл он этот забег.

Или позорно проиграл.

— Отсюда мы можем сделать следующие предварительные выводы...

ГЛАВА 27

— Обработка информации закончена, — доложил «бригадир» программистов.

— Всей?

— Всей. Кроме не поддающегося восстановлению брака.

— Чем был вызван брак?

— Частичной утратой исходного материала. По объективным, не зависящим от нас причинам.

— По каким причинам?

— Технического свойства. Один из транспортных самолетов при посадке потерпел аварию. Не выпустилось шасси или что-то в этом роде. В общем, самолет загорелся.

— Какими были последствия?

— Относительно благополучными. Пилоты спаслись...

— Меня не интересуют пилоты. Меня интересует груз. Что с ним стало?

— Частью сгорел. Частью был залит пенообразующими жидкостями. Частью сохранился.

— То есть были невосполнимые утраты?

— Были. Но не очень значительные. Порядка двадцати процентов от общего веса груза сразу и еще десяти впоследствии. Техника не смогла воспринять испорченный текст.

— Почему мне ничего не доложили?

— Мы не придали этому значения. Утрата входящего материала от общего числа всей переработанной информации составила ничтожную долю. Едва ли десятую часть процента. Вряд ли она могла как-то повлиять на конечный результат.

— Больше брака не было?

— Нет.

— Можно взглянуть на итоговую таблицу?

— Пожалуйста.

На экране появились колонки цифр.

— Что это?

— Общее количество входящей информации. Далее — обработанная информация. Далее — невостребованная...

— Что значит невостребованная?

— Вся та, что была отсканирована, но не была использована. От первого до последнего листа.

— Она уничтожена?

— Нет. Сархивирована и помещена вот в эти файлы. При необходимости мы можем ее восстановить в полном объеме.

— Хорошо. Дальше.

— Файлы по разделам поиска. В том числе по отдельно взятым языкам. Файлы...

— Довольно. Я все понял. Информация защищена?

— Да. Стандартно.

— Подготовьте мне для работы следующие файлы. — Аналитик ткнул пальцем в экран. — И установите на них дополнительные пароли.

— Какие?

— Я скажу позже. Впрочем, нет. Подготовьте компьютер к вводу паролей. Остальное я сделаю сам. Лично.

— Что еще?

— Все.

— Наша работа закончена?

— На данном этапе да. За остальное пусть ваша голова не болит. Остальное — мое дело.

Остальное было делом Аналитика. Компьютер мог отсканировать, обработать, систематизировать информацию. Мог из миллионов слов выцепить нужные. И увязать их с другими. И с третьими. Но он не мог превратить эти добытые из тонн пустой бумажной породы сведения в логически выстроенный сценарий. Сценарий переустройства общества. Чужого общества.

Это мог сделать только человек. Это мог сделать только один человек.

Только Аналитик.

— Доложите Президенту, что механическая обработка информации завершена. Что я приступаю к ее анализу.

— Если он спросит о результате?

— Скажите: результат будет.

— Когда?

— Надеюсь, при жизни нашего поколения. Хотя гарантий дать не могу. Все. Меня ни с кем, ни по каким вопросам не соединять. Можете говорить, что я умер.

— А если позвонит Президент?

— С ним тоже.

— Даже с Президентом?!

— С ним — в первую очередь.

ГЛАВА 28

Аналитик занял целую комнату. У которой не было окон и ключ от которой был только у него одного.

Он раскатал на полу гигантский рулон бумаги и, прохаживаясь по нему, как по ковру, стал наносить толстым фломастером какие-то знаки.

5*

Он не мог мыслить масштабно, глядя на экран компьютера. Ему нужна была наглядность. Он хотел видеть всю информацию и разом. Как военачальник, готовящийся к битве, — все поле боя, а не отдельный, с ограниченным обзором окоп.

Разрывать мысль на куски, на отдельные, вмещающиеся в экран файлы значило убивать мысль. Она не могла нормально развиваться и жить, будучи расчлененной на составные, пусть даже стыкуемые части. Она могла так же, как человек, или существовать в полном объеме, то есть целиком, или умереть в муках.

Аналитик ходил по рулону бумаги. От компьютера — в угол. Из угла — к компьютеру. И от компьютера — в центр. В другой угол. И еще в один. Без остановки. Как механическая кукла.

Направо.

Налево.

Прямо.

И каждый такой проход оставлял на бумаге понятный только ему значок, или столбец слов, или цифры.

Скоро бумага действительно напоминала ковер. Потому что на нем не было ни единого свободного места.

— Принесите мне стремянку, — попросил Аналитик. — Желательно подлиннее.

Ему принесли стремянку. Он расставил ее посредине листа, забрался наверх. И, устроившись на последней перекладине, надолго замер.

Эти тысячи рассеянных под его ногами и понятных только ему знаков он должен был сцепить друг с другом, выстроить друг за другом и, заставив двигаться так, как угодно ему, привести к единственно верному результату.

Это было трудно. Почти невозможно. Но это было необходимо.

Претендент номер один:

Личные качества.

Политическое окружение.

Личное окружение.

Рейтинг.

Поддерживающие сегодня и потенциально поддерживающие его в дальнейшем слои население.

Финансовые возможности сейчас. И в перспективе.

Потенциальные враги. Их сегодняшние и завтрашние возможности.

Характерологические и имиджные характеристики. Теперь в целом.

Умен. Тщеславен. Имеет хорошо читаемую, принадлежащую к национальному большинству внешность. Телегеничен. Но недостаточно четко излагает свои мысли. Опора на средние слои населения и армию. Армию — это очень важно. Конфликтен. Не всегда способен обуздать свои эмоции. Это можно использовать. Не имеет устоявшейся команды единомышленников. Это и хорошо и плохо. Плохо — потому что не сможет в одиночку противостоять натиску конкурентов. Хорошо — потому что эту команду ему можно помочь создать...

Пороки. Комплексы. Отрицательные качества характера. Компрометирующие факты биографии. Степень управляемости...

Семья. Состав. Характеры. Степень влияния на претендента. Имевшие место двусмысленные, за которые можно зацепиться, события. Вторая семья, оставленная двенадцать лет назад...

Дальше. Дальше. Дальше...

Претендент номер два:

Личные качества.

Политическое окружение.

Финансовые возможности.

Имеет два высших образования. Интеллигентен. Не уверен в себе. Не принимает многие правила политической игры. Партийный стаж... Комплексы... Семья... Компрометирующие факты...

Претендент номер три:

Окружение...

Возможности...

Семья...

Рейтинг...

Возбудимая психопатия в детстве... Тщеславен... Жесток... Сентиментален... Поддержка в силовых структурах... Умеет держаться на людях...

Претендент номер четыре:

Возможности...

Окружение...

Характеристики...

Претендент номер пять:

Шесть...

Семь...

Десять...

Тринадцать...

Бесконечно. По кругу одних и тех же вопросов. Во взаимосвязи со всеми прочими, нанесенными на бумагу претендентами, командами их поддержки, общим раскладом сил, сторонней поддержкой, личными качествами.

Снова: истеричен... выдержан... злопамятен... честолюбив... эмоционален... холоден... вспыльчив... лоялен по отношению к друзьям... склонен к национализму... пьянству... наркотикам... женскому полу... честен... состоял под следствием, но дело было закрыто...

Информация. Информация. Информация.

С ума сойти!

Изрезать старый лист. Перенести рисунок на новый. Но перетасовать, разместить по-другому. И еще раз разрезать и перетасовать.

Все ближе, ближе к истине. Все более упорядочивается картинка на полу. Все более приводится в соответствие с требуемым результатом информация в голове. Все ближе и ближе решение.

Еще раз перетасовать. Этого туда. Этого сюда. Этого отбросить. Так же, как двух других. В брак. В корзину. Они уже не пригодятся. Они бесполезны на листе и в реальной политической драке. Они ни на что не способны. За ними никто не стоит. Это стало ясно теперь, когда Аналитик взглянул на всех с высоты птичьего полета. Они пустышки. Они должны уйти, чтобы высвободить место для настоящих лидеров.

Вот они. Претендент номер один. Номер три. Номер пять. Девять. Двенадцать. Шестнадцать. Двадцать один...

Это они будут править бал. Это на них нужно обратить особое внимание. На них делать ставку.

Но на кого конкретно? Кто более перспективен? Более управляем? Пользуется наибольшей поддержкой? Кто более других скомпрометировал себя?

Кто?

И снова: перечислить достоинства и недостатки, определить взаимосвязи и взаимовлияния, перекроить, передвинуть по листу...

Номер один? Или пять? Или шестнадцать?

Кто конкретно? Без права на ошибку.

Кто из них?

Кто?

ГЛАВА 29

— Передайте Президенту. Я готов к встрече.

Президент не заставил себя долго ждать.

— Дело сделано?

— Дело сделано!

— И каков его результат?

— О результате говорить еще рано. Есть варианты сценарных разработок. И есть претенденты на исполнение главных ролей. Все остальное будет зависеть от умения продюсеров, режиссеров и декораторов. От суммы вложенных средств. И от игры случая.

— Случай не исключается?

— Случай не исключается никогда. Жизнь — рулетка. И происходит в ней всякое. Иногда и то, что не ожидалось.

— Значит, все, о чем вы мне будете сейчас рассказывать, может волей случая не получиться?

— Все не получиться не может. Возможен небольшой, по причине тех самых непредвиденных обстоятельств, люфт в ту или иную сторону. Но не полный сбой. Сбой исключен. Жизнь человеческая и окружающий его мир строятся по определенным, навсегда устоявшимся и потенциально просчитываемым формулам. Я эти формулы знаю. Теперь знаю. Не все. Но довольно, чтобы иметь возможность управлять некоторыми тенденциями развития общества.

Политика, как арифметика. Там, где к двум прибавляют два, в ответе не может появиться десять. Или шесть. Или восемь. Там должна появиться цифра «четыре». Только четыре! В противном случае пример будет считаться решенным неверно.

Если мы знаем противника, знаем, на что он способен, что им движет и что он будет делать в каждую следующую минуту, значит, мы знаем слагаемые и, значит, в ответе не может случиться неизвестная сумма. Дважды два всегда равно четырем!

— Вы очень образно говорите. Но вы не говорите о главном. О результате.

— Иногда результат менее значим, чем процесс его вычисления. Результат — частность. Процесс — механизм! Научившись находить результат — о результатах поиска впредь можно не беспокоиться. Он будет множествен и гарантирован всегда.

Возможно, он прав, подумал Президент. И если он прав, то наша страна получит в свое распоряжение новое, сравнимое по своей разрушительной силе с атомным, оружие. Если он, конечно, прав в своей авторской гордыне.

Установить истину. Узнать, так это или нет, можно только в процессе опыта. Опыта, произведенного над конкретной страной.

— Я проанализировал всех явных и скрытых лидеров, способных в той или иной мере помочь нам в достижении нами же поставленной цели. Я собрал о них все возможные сведения, систематизировал их, построил поведенческие модели в координатах действительной и предполагаемой политических ситуаций.

Я обобщил все эти модели и для упрощения оперирования ими выделил в четыре основные группы. Группы уже существующих и тех, что объявятся позже, лидеров.

Первая. Состоит из тех, кого я условно назвал «традиционалистами». Это ныне правящие в первом, втором и частично третьем эшелоне власти руководители. Они привыкли к системе, к своему положению. Они впитали официальные легенды строя, в котором живут. Они стали честью и оплотом этого строя. Они нам бесполезны, как позапрошлогодний снег для строительства снежной горки под нынешнее Рождество. Они сыты. И вялы. Им ничего не хочется. И даже не потому, что у них все есть, всего быть не может, а потому, что они не успеют прожить даже то, что уже имеют. Их невозможно искусить. Их устраивает сложившееся положение вещей. И они считают, что оно устраивает и всех остальных. Они неподвластны даже дьяволу.

На них ставить нельзя.

Вторая категория — голодные. Или, как я их называю, — прагматики. Это те, кто еще не наелся. Те, кто еще чего-то хочет. Вернее, хочет многого. Очень много. Гораздо большего, чем получат при нынешнем, уже сложившемся положении дел. Кормушки разобраны. Чужаков от них гонят или пускают на правах десятых номеров. На таких условиях — не разжиреешь. А аппетиты у них много выше, чем у предшественников. Они воспитывались уже по-другому. И к тому же они моложе. Им есть на что употребить деньги и власть.

Их самый надежный, самый многообещающий шанс — переустройство общества. Только замутив воду, они смогут выловить в ней всю рыбу. В смуте, в разжигании пожара — они союзники.

У власти — опасны. Потому что не любят делиться. Ни с кем. И ничем. Они лижут руку хозяину, пока он им за это дает косточку. И не задумываясь откусывают ее, когда косточка заканчивается.

Но тем же они и слабы. Тем и продажны.

Третья группа. Идеалисты. Они тоже рвутся к власти. Но не для того, чтобы попользоваться ею, урвать от общего пирога кусок пожирней. Они действительно хотят переустроить мир, как им кажется, в лучшую сторону. И им даже кажется, что они способны это сделать.

Их сила — вера в окружающих их людей и в лучшее завтра. Их слабость — в том же. И еще в излишней интеллигентности, в мягкотелости, в постоянно мучающих их сомнениях. Они не способны идти вперед, потому что они постоянно оглядываются, чтобы не оторваться от идущих сзади, постоянно смотрят под ноги, чтобы ненароком не задавить подвернувшуюся под башмак букашку. И поэтому они идут медленно и постоянно спотыкаются.

Они очень полезны как союзники в разрушении. И очень ненадежны в дальнейшем. Для реального переустройства мира они слишком слабы. Как ежики с выбритыми колючками.

Четвертая категория. Игроки. Они самолюбивы, тщеславны. Они вышли из глубинки, нередко из неблагополучных семей. Они всего добились сами. И это движение снизу вверх, или, как говорят они же, из грязи — в князи, не прошло для них безболезненно. На крутых подъемах они до мяса ободрали руки, бока и спины. Но более всего они изранили самолюбие. Эта их самая саднящая точка. И это их основной движитель. Результат, высота подъема им важнее последствий. Важнее того, чем они будут за это платить.

Чем все за это будут платить.

Таким был их вождь Ленин. Такими были другие их вожди. Таких руководителей они любят больше всего.

Их трудно использовать впрямую. Их сложно купить и почти невозможно запугать. Они фанатики. Но не образа жизни и не идеи. Они фанатики самих себя. Своей карьеры и своей борьбы.

Их невозможно принудить к чему-нибудь силовыми методами, но ими очень легко манипулировать исподволь. Их сила — вершина их слабости. Той, что они вынесли из своего прошлого.

На таких людей можно ставить.

— Но почему вы предлагаете ставить на трудноуправляемых и сложно прогнозируемых, если использовать вашу терминологию, «игроков», а не на «прагматиков», с которыми можно договориться?

— С «прагматиками» нельзя договориться. Они слишком себе и для себя на уме. Их можно использовать в качестве союзников вначале, но потом они непременно постараются использовать вас. И с гораздо большим наваром.

— Но их можно попытаться усмирить финансовыми выгодами. Их можно попытаться купить!

— Их невозможно купить.

— Купить, в конечном итоге, можно всех. По крайней мере политиков — точно. Если использовать не одни только деньги.

— Этих купить нельзя. Потому что нельзя предложить достойной цены. У них очень завышенные аппетиты. И они слишком хорошо умеют считать.

Больше, чем им может дать власть над таким государством, как то, которое они мечтают получить в свое единоличное пользование, им дать не может никто. Ни вы, ни я. Разве только господь бог. И то если очень сильно напряжется.

— Значит, наша опора...

— «Идеалисты».

Президент удивленно приподнял бровь.

— Процесс разрушения должны начать именно они. Они это сделают лучше всех остальных. И быстрее всех остальных. Потому что будут делать это самозабвенно. С верой в собственную миссию. Они будут разрушать, доказывая всем, но в первую очередь себе, что лишь проводят щадящий ремонт. Замену износившихся конструкций. Они смогут убедить в своей правоте всех. Им поверят. Им единственным только и поверят. И народ. И «традиционалисты».

А потом они неизбежно уберут оказавших им поддержку «традиционалистов». Потому что другого выхода у них не останется. Потому что два медведя в одной берлоге не уживаются, а, напротив, — грызутся насмерть. И их снова поддержат. Потому что они очень интеллигентны и симпатичны. И потому что они были инициаторами этой миссии. Их поддержат. А других бы не поддержали.

— А дальше?

— А дальше они исчерпают отпущенный им лимит доверия. Они совершат ошибки, которые им не простят. И они должны совершить эти ошибки! А если вдруг не совершат их сами, это поможем им сделать мы. Идеалистов легче, чем кого бы то ни было, подставлять под удар. Потому что они не умеют защищаться. Они не умеют отвечать на удар ударом.

— Наверное, вы правы. Обманывать должны те, которым верят.

— «Идеалисты» сделают то, что должны будут сделать. Они раскачают здание. И уйдут. А место займут другие.

— «Игроки»?

— Да, «игроки». Но и они придут не навсегда. А лишь на отпущенное им ходом истории время.

— Кто же придет за ними? Кто будет последним?

— Последним будет диктатор. Тот, который более всего устроит нас. Тот, который сможет держать эту страну в узде. И который не будет интересоваться, в чьих руках зажат ее дальний конец.

— Кто будет этим диктатором?

— Номер Семь. Или номер Шестнадцать. Или кто-то еще, кто выплывет на поднятой не без нашей помощи политической волне. Но в любом случае это должен быть человек, которого приведем к власти мы.

— Вы сказали мне о действующих лицах вашего сценария. Но вы ничего не сказали мне о происходящих в нем событиях.

— Развитие сюжета определяют персонажи.

— Персонажи известны. Вы сами распределили роли. Что они играют в отведенных мизансценах?

— Драму. Драму целого народа.

— А если подробнее?

— От начала — до конца?

— От начала — до конца!

— Акт первый. Разделение блока восточных союзников на самостоятельные государства.

Акт второй — воссоединение Германии.

Акт третий — борьба за независимость административных окраин. Создание целого ряда новых буферных государств. Территориальные, межнациональные и клановые распри.

Четвертый — развал экономики.

Пятый — конфликты с территориальными автономиями внутри страны.

Шестой...

— Вы рисуете коллапс. Нам не нужна страна, которая разваливается на мелкие государства, каждое из которых способно иметь атомное оружие и шантажировать друг друга и весь мир им. Нам не нужна победа такой ценой.

— Расчленяя целое на куски, не приходится удивляться, что края раны кровоточат.

— И все же, как можно сдержать процесс распада? Если вы умеете только разрушать, то зачем ваш сценарий?

— О полном разрушении речь не идет.

— Что его сдержит?

— Два диаметрально противоположных по отношению друг к другу рычага. Предложенная, если хотите, навязанная нами диктатура. И появившийся в стране класс средних собственников.

Первый будет удерживать в повиновении национальные территории и обуздывать преступный разгул. Второй — оказывать ему поддержку, потому что всякий здравомыслящий человек предпочтет жесткий порядок полному беспределу.

— Почему собственник будет поддерживать диктатора, если он по отношению к нему антагонистичен?

— Потому что ему есть что терять. Он получил то, чего у него не было раньше, — легальное богатство. Он вцепится в него всеми возможными силами. Но удержать он его сможет только в управляемом государстве. Пусть даже в управляемом одним только кнутом.

Средний класс — гарант равновесия.

Если мы создадим класс средних собственников и поставим во главе их подотчетного нам диктатора — мы получим зависимое государство. Зависимое от нас.

В этом и заключается наша главная стратегическая цель. Все остальное лишь тактика. Это и есть последний акт нашей пьесы.

— Вы уверены, что именно так все и будет?

— У меня нет полных гарантий, что будет именно так, как я сказал. Возможны варианты. Но очень близкие к тому, что я сказал! И вот в этом я уже уверен.

— Абсолютно?

— Абсолютно! Или я даром ел свой хлеб.

ГЛАВА 30

Через три недели в стране предполагаемого действия после тяжелой продолжительной болезни умер еще один Генеральный секретарь Коммунистической партии Советского Союза. Последний из старой гвардии.

ЧАСТЬ III

ГЛАВА 31

Мы передали результаты наших работ по инстанции. У нас не было другого выхода. С нас все равно бы его спросили. Ведь чем-то же мы занимались все это время. Что-то делали. А не только штаны просиживали подле казенных компьютеров.

— Выйдут нам эти итоги боком. Помяните мое слово, выйдут! — все каркал да каркал Александр Анатольевич.

Ему-то чего бояться? С его безнадежным диагнозом.

— Ничего, дальше того света не пошлют! Прорвемся!

Честно говоря, я тоже не ожидал от оценки нашей работы ничего доброго. Когда разом замахиваешься на всех — получаешь сдачи тоже от всех. С щедрыми процентами. Тем более когда замахиваешься на врагов заведомо более сильных.

Наши враги были не сильны — могущественны! Наши враги были первыми людьми государства. Это вам не с деревенскими парубками отношения выяснять. Здесь одними выбитыми зубами не обойдешься. Здесь их можно вместе с головой потерять.

Думать надо было, что делаешь, прежде чем схемки чертить. И в тех схемках фамилии проставлять. Самых сильных мира сего.

Теперь они, поди, сидят над этими самыми схемками и кумекают, что с их авторами сотворить. Ведь точно сидят! И точно кумекают! Голову на отсечение даю! Причем очень скоро...

Как они к ним попали? Просто. До противного просто!

Я передал бумаги Шефу-куратору, тот — своему начальству, тот, в свою очередь, своему. А то начальство — единственному главному начальнику — Президенту. Или кому-нибудь из очень приближенных к нему людей. Из тех очень немногих, кому доступна тайна существования Конторы.

И что дальше?

Президент все это почитал. И сделал выводы. Боюсь, свои выводы. Не совсем те, которые бы нам хотелось. И наверное, других сделать не мог. Если он здравомыслящий Президент.

Кому ему поверить? Людям, обвиняющим все его окружение в предательстве государственных интересов? Или этому окружению, с которым он работает рука об руку каждый день?

Даже если он согласится, что все они как один предатели, что он может сделать? Поставить им сей факт на вид с занесением в личное дело? Или броситься на кулачки? Так их больше. Скрутят и объявят на всю страну умалишенным. Так и скажут: ярко выраженный бред мании преследования — всех во всем, кроме себя, обвиняет, всех злодеями и предателями мнит. Очень похоже. Очень убедительно. Все поверят.

И вот тебе вместо государства — Канатчикова дача. И крики — отпустите меня, отпустите, я Президент. А я Наполеон Бонапарт. А в соседней палате Кутузов. Но с двумя вращающимися в разные стороны глазами.

А? Как такой оборотец?

Нет, ничего не сможет сделать Президент. Даже если захочет. Если, конечно, захочет...

А может и не захотеть, может наоборот рассудить. Может, рассудит так, что лучше это дело замять путем «отправки на скоропостижную пенсию» авторского коллектива. Потому что в той схеме не все места заполнены.

Не все! Черт возьми! Есть там еще пустоты.

А вдруг так? Об этом мы, когда списки готовили, не думали?

Не думали!

И первым, подобно римскому патрицию, наблюдавшему с трибуны бой гладиаторов, палец вниз загнет тот наш клиент, с которого все началось. А остальные поддержат. А Президент наложит резолюцию. «Наградить! Посмертно!»

Может, так все будет? Или еще хуже? Может, и хуже. Жизнь всегда превосходит самые мрачные прогнозы. Только не понять, отчего — то ли жизнь такая гнусная, то ли мы такие неисправимые оптимисты?

В общем, как говорится: надеясь на худшее, готовься к еще более худшему.

Что я и делал. Я предполагал самое худшее. И из того худшего еще более худшее: что нас четвертуют, гильотинируют, посадят на два стоящих друг против друга электрических стула или на один, по очереди, дубовый кол. Но я не предполагал того, что произошло в действительности. На это моего воображения не хватило. Слабовато у меня оказалось с воображением.

— Ну что, исследователи, доигрались? — спросил наконец объявившийся Шеф-куратор. — Поди, не раз памперсы поменяли, начальственной реакции ожидаючи. А?

Мы пожали плечами.

— Молчите? Подведения итогов своей кляузной деятельности ожидаете? Не зря ожидаете. Есть итог. Всем итогам — итог! Такой, что мог бы быть хуже, да хуже некуда...

Похоже, дело было действительно дрянь, если наш обыкновенно сдержанный начальник сошел на такой доверительный, если не сказать панибратский, тон.

— Удивляетесь, что я чуть не матом ругаюсь? — усмехнулся, словно мысли мои прочитал, Шеф. — А мне теперь можно. Мне теперь все можно. И матом ругаться, и водку с подчиненными пить. Я вам уже не начальник. И никому не начальник. А такой же, как вы. Безработный!

Вот как все обернулось.

— Неужели все так плохо? — напряженно спросил я.

— Нет. Гораздо хуже.

Я все еще не мог поверить в то, что он сказал. И в

то, что я услышал. Я напоминал недоумка-сапера, который, не заметив, наступил каблуком на мину, услышал характерный звук сработавшего взрывателя и даже подпрыгнул на взрывной волне, а все еще продолжает надеяться, что все как-нибудь обойдется.

— Так что же случилось?

— Случилось то, что должно было случиться. КОНТОРУ ЗАКРЫЛИ.

Судя по тому, что он сказал, по тому, что он при постороннем, пусть даже обреченном на скорую смерть наемном работнике назвал все своими именами, назвал Контору — Конторой, произошла катастрофа.

Небо упало на землю!

Вода превратилась в кровь!

Настал конец света!

— Мы расформированы?

— Нет. Пока только заморожены. Финансирование прекращено. Текущие дела приостановлены до выяснения.

— До выяснения чего?

— До выяснения «целесообразности субсидирования организации на существующих на сегодняшний день началах». Короче — реформация, плавно переходящая в смерть. Сейчас рассматривается вопрос о проведении полномасштабной ревизии оперативной и финансовой деятельности.

— Кто же нас может ревизовать?

— Вот это и есть самое неприятное. Ревизорские функции предполагается возложить на Безопасность, как наиболее компетентную в вопросах разведки. Они обкладывают нас со всех сторон. Как волков — сворой натасканных псов. Теперь, боюсь, нам не уйти.

— Как же нас можно ревизовать, если нас нет?

— Теперь объявимся. Того, кого нет, действительно ревизовать нельзя. С нас снимут шапку-невидимку и употребят в голом виде. То-то будет радости Безопасности потоптать бренные косточки покойного. О котором при жизни они ничего не знали. То-то будет удивления.

— А мы? Все мы?

— Пойдем в ассенизаторы. А в худшем случае на пенсию.

— Почему на пенсию в худшем? — искренне удивился Александр Анатольевич. — Чем вас заслуженный отдых не устраивает?

Мы, я и Шеф, одновременно усмехнулись. Не очень весело усмехнулись. Так что физиономии перекосило. Да так и оставило.

— Нет, ничего не имеем. Пенсия дело хорошее. Вечный покой на старости лет.

— О том я и толкую...

Александру Анатольевичу было простительно говорить глупости. Александр Анатольевич был чужак. Он не знал правил игры. Он не догадывался, какой отдых скрывается для работников Конторы за словом «отставка». Он об этом не догадывался, хотя это касалось в том числе и его.

В Конторе не уходят на пенсию. В Конторе выносят на пенсию. Вперед ногами. В нашем тайном деле, вслед за увольнением, а иногда и опережая его, неизбежно, как за ночью день, следует чистка. И очень щедрая материальная помощь родственникам. Щедрая — потому что родственников у конторских нет. Точно так же, как личных имен и биографий. Некому вручать ту помощь. И еще следуют награды. Посмертные. И тоже как из рога изобилия. Без счету. Потому что погибшие герои всегда предпочтительней живых и болтливых пенсионеров.

Не может Контора уйти на заслуженный... Слишком много знает Контора. Слишком многое знают ее работники. Слишком многих задевают эти знания за живое. С подобной выдающейся, во все стороны, эрудицией на этом свете долго не заживаются.

— Грустно.

— Да уж чего веселого.

— Может быть, можно что-то изменить?

— Можно. Можно пойти и застрелиться.

— Ну вы скажете тоже! — рассмеялся Александр Анатольевич. — Застрелиться!

А между прочим, зря смеялся. Мы же не шутки шутили, а варианты оговаривали. Варианты добровольной отставки.

— Сколько у нас есть времени?

— Думаю, недели четыре. Пока все утрясут. Документы подготовят. Пока на подпись Первому принесут. Как минимум четыре.

— И что нам эти четыре недели делать?

— Ждать, спать, развлекаться. Или водку пить. В общем, все что угодно. Что в голову взбредет.

— А дело?

— Нет у вас дела. Было да все вышло. Как вода из дырявой бочки. Осталось дно да дырка. От бублика. А чтобы вам не сильно скучалось, я вам развлечение привез.

— Развлечение?

— Ну да, в виде не очень молодого, но очень занятного для вас собеседника. И хорошего знакомого. Пригласить?

Такого в Конторе, чтобы с кем-то без особой нужды знакомить, не случалось. В той Конторе, которая была... Теперь уж точно была. Без вариантов.

— Кто это?

— Я же говорю: очень хороший знакомый. До последней складочки на пиджаке.

Не понравилась мне эта последняя фраза Шефа-куратора. Да поздно было.

— Заходите, Петр Савельевич.

Дверь открылась.

— Добрый день, — немного смущаясь, сказал вошедший человек.

Это действительно был знакомый. Более знакомых не бывает! Более знакомой бывает только собственная ладонь.

Я сел, где стоял. Хорошо, подоконник под седалище попался. Вечер кошмарных сюрпризов продолжался.

— Что же вы не приветствуете своего подопечного? — криво усмехнулся Шеф. — Это даже невежливо как-то. Что гость подумает?

— Здрасьте, — сказал ничего не понимающий Александр Анатольевич.

— Здравствуйте, — еще раз поздоровался гость.

Немая сцена из гоголевского «Ревизора». Только с меньшим количеством участников и гораздо большим ощущением идиотизма.

— Тебе что дать — воды или пистолет? — съехидничал Шеф.

— Гранату. Одну для всех.

Я видел того, кого не мог видеть. Ни под каким видом. Это не могла быть галлюцинация, но это не могла быть и явь. Это было нечто среднее.

Я видел разрабатываемого мной члена Правительства.

Я видел врага!

— Только не надо резких движений, — предупредил Шеф. — Это не предательство. Это реорганизация.

ГЛАВА 32

Европа. Штаб-квартира НАТО.
Распечатка стенограммы доклада
начальника Службы разведки
объединенных штабов. С комментариями.

ВЫДЕРЖКИ

Г р и ф : *только для высшего руководства.*
Г р и ф : *совершенно секретно.*
Г р и ф : *четыре экземпляра.*

— ...Из всего этого можно сделать вывод, что идет целенаправленный сбор информации по странам Восточного блока. В первую очередь это касается периодических изданий и литературы социально-политической направленности.

— Откуда поступила информация?

— Из моих источников в близких к посольствам кругах.

— Но мне ничего не известно о каких-либо указаниях моего Правительства, связанных с вывозом литературы.

— Значит, вам известно не все.

— Зачем им газеты?

— Сейчас на этот вопрос ответить затруднительно.

— Послушайте, стоит ли на этом заострять внимание? Собранные газеты — не похищенная атомная боеголовка. Надо ли нам здесь обсуждать проблемы сбора вторичного сырья?

— Это не сырье — это информация. Которая кому-то зачем-то понадобилась.

— Хорошо. Давайте считать, что мы приняли ваше сообщение к сведению. Что у вас дальше?

— По поступившей оперативной информации, в Восточной Германии происходит передислокация войсковых подразделений из района...

Конец цитаты.

Соединенное Королевство Великобритании.
Служба Британской разведки.
Отдел контрразведки.
Анализ оперативной сводки за...

ВЫДЕРЖКА

Г р и ф : *совершенно секретно.*
Г р и ф : *без права выноса из помещения.*

...В докладе начальника Службы разведки объединенных штабов среди прочей информации было упомянуто о сборе рядом посольств периодической печати стран Восточного блока. Цель сбора неизвестна. Однако, судя по контексту сообщения, данная акция не является эпизодической и носит планомерный и масштабный характер, что позволяет предположить ее определенную значимость для министерства иностранных дел США. На основании имеющихся сведений вывод о характере и целях проводящихся мероприятий сделать невозможно. Требуется дополнительная информация.

PS. Стенограмма доклада прилагается...

Конец цитаты.

Служба безопасности Франции.
Отдел внешней разведки.
Из служебной записки начальника
отдела внешней разведки от...

ВЫДЕРЖКА

Г р и ф : *совершенно секретно.*

...Приложить максимум усилий к исследованию вопроса о массовом сборе и вывозе посольствами США периодической печатной продукции из стран Восточной Европы. Доложить не позднее...

Конец цитаты.

Служба армейской разведки
Китайской Народной Республики.
Из расшифровки шифрограммы
военно-морского атташе КНР в Германии.

ВЫДЕРЖКИ

Г р и ф :   *совершенно секретно.*
Г р и ф : *допуск первой степени.*
Г р и ф : *один экземпляр.*

...Мною получены сведения об обсуждении на заседании начальников штабов НАТО вопроса сбора посольствами США на территории стран Восточного блока газетной и журнальной продукции...

Проведенная мною работа подтвердила факт сбора периодических изданий на территории указанных стран. Цели сбора неизвестны...

В настоящее время проводится сбор уточняющей информации по данному вопросу...

Конец цитаты.

Из шифрограммы военному атташе
посольства Германии в Москве.

ВЫДЕРЖКА

Гриф: *секретно.*
Гриф: *для прочтения только адресатом.*

...Необходимо уточнить факт сбора посольскими и консульскими службами США газетной продукции на территории страны вашего пребывания. Из имеющихся у нас сведений настоящая работа ведется по прямому указанию министерства иностранных дел США. Необходимо определить масштабы, характер и направленность данных работ...

Конец цитаты.

*Служба разведки и контрразведки
Израиля МОССАД.
Из шифродоклада руководителя французской
резидентуры командиру отдела контрразведки
МОССАД.*

ВЫДЕРЖКИ

Гриф: *один экземпляр.*
Гриф: *совершенно секретно.*
Гриф: *только лицам, имеющим
      соответствующий допуск.*

...Из доверенных источников во внешней разведке Службы безопасности Франции стало известно, что настоящая служба получила задание по выяснению причин сбора дипломатическими представительствами США периодической печати на территории отдельных европейских стран Восточного блока. Причины и цели данного сбора французской разведкой не установлены. Начато расследование. Работа по данному факту поручена ряду известных мне должностных лиц, что указывает на ее бесспорную значимость...

Конец цитаты.

*Служба безопасности Японии...
Служба безопасности Турции...
Служба безопасности...*

ГЛАВА 33

— Значит, вы и есть автор проекта? — спросил гость. — Значит, вы и есть тот человек, который попытался навесить на меня ярлык предателя? Очень приятно познакомиться.

С ума съедешь от такого изысканного обращения.

— Я никого ни в чем не обвинял. Я только собирал, анализировал и передавал по команде факты. Ярлыки — это не моя специальность.

— Да вы не кипятитесь. Я не отношения пришел выяснять. Я не покупатель, которого обвесили и который дома, обнаружив обман, возжелал мести. Мне вашей крови не надо.

Интересно, что же ему тогда надо? Моих слез? Или публичных извинений перед строем пионерской линейки? Так их не будет. Ни слез, ни покаяний.

Или он задумал что-то другое? Но тогда что?

— Хочу с вами поговорить. По душам.

Когда говорят «по душам» — бьют по почкам и по паху. Когда «за жизнь» — все больше по голове. Припомнил я свой печальный, связанный с подобными беседами опыт. «За жизнь» было бы предпочтительней. Не так больно. Да и череп, он попрочнее будет тех, других, не защищенных костью органов.

Неужели он сам будет «беседовать»? Лично? По нему не скажешь. Физически не развит, реакции никакой. Типичный канцелярский мешок. Или ему Шеф поможет? На правах бывшего друга семьи. Или сейчас откроется дверь и в комнату ввалятся два десятка профессионально обученных костоломов?

Ну, чей первый ход?

— Александр Анатольевич, а для вас у меня тоже сюрприз, — сказал мой бывший начальник. — В соседней комнате.

— Какой?

— Весточка из дома. Идемте. А они пусть поболтают. Им есть о чем поболтать.

Так, понятно, лишние уши убирают. Значит, будут

либо пугать, либо покупать, либо убивать. Впрочем, убивать — едва ли. Тогда бы Александра Анатольевича не уводили. Поставили бы рядышком. Для компании. Как одного из наиболее осведомленных свидетелей.

— Должен сделать вам комплимент, — начал за здравие Петр Савельевич. — Вы удивили меня предложенной вами концепцией. Информация из ничего, из пустоты. Это почти гениальный ход. Поздравляю.

Что я ему должен был ответить, своему врагу? Дежурно вежливое: «Спасибо. Не за что»? Но уж тогда потом, когда до печального исхода дойдет, обязательно: «Извините. Только после вас».

Я ничего не ответил. Я промолчал.

— И все-таки в вашей методологии есть один дефект.

— Какой?

— Она отображает фактическую сторону событий — кто, где, с кем. Но она не дает представления о скрытых пружинах этого внешнего действия. То есть зачем. С какой целью. Во имя чего. Вы режете вершки, как тот медведь из русской сказки. И оттого делаете неправильные выводы. Например, вот здесь. И вот здесь. И вот здесь...

Ну, это уже вообще ни в какие ворота не лезет! Он листает переданный лично мною из рук в руки Шефу рапорт. Листает так запросто, так совершенно между прочим, как купленную в киоске газетку.

— Да, действительно; я имел встречи с вычисленными вами людьми. Скажу больше: я догадывался, кто они есть на самом деле. А в некоторых случаях знал доподлинно. Но это политика. В ней приходится опираться не на кого приятно, а на того, кто крепко стоит в тот момент на ногах. В политике ценится опора, а не личные симпатии. Иначе можно упасть и сломать себе шею.

Да, я жал руки тем, кому мне, может быть, хотелось плюнуть в физиономию. Да, жал! И здоровьем семьи интересовался. И лобызался. И водку пил. И если бы надо было для дела — задницы немытые вылизывал бы. Языком.

— И расплачивались за предоставленные услуги...

— И расплачивался. В той или иной форме. Расплачивался за поддержку, за субсидии, за рекламу. За в нужном месте и в нужное время замолвленное словцо. В том числе и должностями расплачивался. И это вы тоже правильно вычислили. Но только неправильно истолковали.

Зачем я это делал? Чтобы карман набить? Чтобы тещу по знакомству в МИД пристроить? Желательно послом куда-нибудь в африканское племя воинствующих каннибалов? Нет. Чтобы делу помочь. Хочу надеяться, что не самому плохому.

Я, конечно, мог встать в красивую позу и, отерев ладонь платочком, больше ее никому не подавать. Но только кто бы от этого выиграл? Я? Вы? Государство? Вряд ли. Меня бы убрали и поставили на мое место еще более беспринципного и продажного человека. Не я придумал правила игры в большую политику. Хочешь управлять — мажься с ног до головы дерьмом. Иначе в круг избранных не запустят. В том кругу чистых не жалуют. Да и как там, каждый день с дерьмом дело имея, тем дерьмом не испачкаться? Приходится привыкать. По капельке, по капельке, пока под брови не подкатит. А кто слишком чистоплотный, уходит в самом начале пути. То есть происходит естественный отбор. Кто способен быть политиком, а кто нет. Вы меня понимаете?

— Не понимаю.

— А мне кажется, прекрасно понимаете. Потому что вы такие же, как мы. И методы у вас те же. Узнать, накопать, начерпать что-нибудь со дна погаже и в самый неподходящий момент сунуть оппоненту под нос. Как мне. Нате — вкушайте. И добиться угодного результата. Вынудить сделать так, как желается вам. Что, не так?

— Не так. Мы чужое дерьмо месим. А вы свое разбрасываете! Есть разница?

— Нет. Дерьмо, оно хоть в лоб, хоть по лбу, все одно — дерьмо. Ладно, давайте не будем ссориться. Вы считаете меня источником зла, значит, вы имеете к тому свои основания. Я действительно не ангел. Но и не черт с копытами. Я делал то, что мог делать, и то, что не мог не делать. Как мне кажется, баланс моих поступков положителен. Если вы считаете по-другому — это ваше дело.

Только все же позвольте вас спросить, как же так может быть, что предателями государственных интересов стали все? Без единого исключения? Если, конечно, судить по вашим выкладкам. Или все шагают не в ногу?

И что самое удивительное — предатели все и каждый, а государство стоит. Хоть подрагивает коленками, но стоит! Как такое может быть? И может ли?

Ну что ему на это ответить? Как с ним, искушенным в риторике, как горький пьяница в одеколонах, поспорить? Я ему плевок в глаза, а он — божья роса. Причем с неоспоримой аргументацией.

Ну стоит государство, стоит! Что тут возразить. Так и человек, которого вши сосут, тоже стоит. И будет стоять, потому что до конца они его не высосут, чтобы было чем и дальше питаться. Не с голоду же им на хладном трупе дохнуть.

— Что-то я не очень ваши построения понимаю. Как это так выходит: дерьмо, плюс дерьмо, плюс еще дерьмо, а в ответе получается сахар?

— А так и получается. Потому что это не просто арифметика, а политическая арифметика. Там не все так однозначно. Бывает и почище. Бывает сахар, плюс сахар, плюс еще сверху сахар с пастилой, а в ответе горькая хина. Да такая, что целому государству скулы сводит.

— Все равно не понимаю. Как можно, распродавая страну по частям, уберечь ее в целом?

— Для того и по кускам, чтобы не оптом. И не одному покупателю. Розница, она дороже выходит. И процесс продажи — продолжительней.

— А если не продавать?

— Значит, даром отдать.

— А если не отдавать?

— А нас не спросят.

— Кто не спросит?

— А вот это тот главный вопрос, который я хотел бы задать вам.

Я обалдел.

— Мне?

— Именно вам. И именно потому, что вы сделали то, что вы сделали. В одном вы были абсолютно правы. Без стороннего воздействия здесь не обошлось. Кто-то разыгрывает нашу страну, как козырную карту в большой игре. В очень большой игре. И все мы, того не желая, и я в том числе, в этой игре участвуем.

У меня было множество контактов, направленных, как я думал, на пользу отечеству. Я выбивал столь необходимые нам кредиты, отсрочки и погашения прежних долгов. Я просил новые технологии и гуманитарную помощь. И получал их. За все это я платил кабальными, но отсроченными на десятки лет процентами, сдачей бывших союзников, территориальными уступками, бессрочными арендами, демпинговым сырьем, обещаниями и унижениями. Унижениями я платил больше всего. И еще должностями.

И сейчас я не могу сказать, что был прав. Что оплата не превысила цену товара. Чем больше я получал, тем более зависимым себя чувствовал, тем на большие уступки шел, тем более нищим становился. Я не могу утверждать со стопроцентной уверенностью, но мне кажется, что все это не было моей случайной глупостью. Иногда мне кажется, что все это было чужим злым умыслом. Очень хорошо продуманным, учитывающим всю сумму факторов — от сложившейся политической ситуации до слабостей персонально моей психологии — умыслом.

У меня нет фактов ни в доказательство, ни в опровержение данного предположения, но у меня есть итог. Который не в нашу пользу. Как говорят сыщики — если хочешь узнать виновника преступления, найди того, кому оно выгодно.

— И кому оно может быть выгодно?

— В том-то и дело, что всем. И по ту, и по эту сторону границы. Слишком лакомый кусочек брошен на чашу весов истории.

— Всем — это никому конкретно. Это безадресно. Я допускаю, что заинтересованных в своей доле исполнителей может быть много. И даже очень много. Но заказчик, тот, кто все это затеял, все это организовал, — должен быть один.

— Или двое. Но действительно не одновременно все. Все присоединились потом. Когда колосс пал.

— Что же вы хотите от меня?

— Профессионального поиска. Я не сыскарь. Я не умею брать след и идти по следу. А вы, судя по вашим таблицам, по тому, как вы взяли меня за глотку, — умеете. И гораздо лучше других. Меня, уж во всяком случае.

— Моя организация умеет это лучше меня.

— Организации уже практически нет.

— Так верните ее к жизни.

— Это не в моих силах, я узнал-то о вас всего несколько дней назад. Принятие решений по подобным вопросам прерогатива Президента. А его окружают разные люди. И, видно, не всем из них ваша организация пришлась по нутру.

— Но как же я могу работать без приказа?

— На свой страх и риск.

— И на мой страх и риск, — крикнул из соседней комнаты Шеф-куратор. — На мой тоже. Семь бед — один ответ.

А я, наивный, предполагал, что нас оставили с глазу на глаз. А он, оказывается, только Александра Анатольевича от греха подальше увел.

— Вы все слышали?

— Я все слушал.

— Да, я знал об этом, — кивнул головой мой собеседник. — Но он был в курсе еще раньше. Это он привел меня сюда, к вам. Это он предложил вашу кандидатуру.

— Я вижу, вы тут без меня обо всем уже договорились? — легализовался на пороге Шеф.

— Еще нет! Лично я ни с кем ни о чем не договаривался.

— Зря. Я думал, ты просчитаешь эту ситуацию быстрее. Я думал, ты не захочешь уходить без боя. Ведь у тебя есть еще три-четыре свободные недели до... пенсии.

— Когда предлагают работу — говорят, что это за работа. А не призывают к любви к работодателю.

— Работа та же самая. Почему к тебе и обратились. Никаких изменений прежнего курса. Только акценты немного другие. Ты искал большой заговор внутри заданных координат. А теперь надо искать очень большой заговор снаружи. Широкое поле деятельности для пытливого ума.

— Всю возможную поддержку я гарантирую, — заверил Петр Савельевич. — В рамках моих возможностей.

— А если я по вашему наущению, за ваш счет выведу на чистую воду вас же? Что тогда? — злорадно ухмыльнулся я. — Может такое быть?

— Может. Если вы докажете, пусть даже косвенную, мою вину — я уйду в отставку.

— Ну что ж, такие правила игры меня устраивают. Если они, конечно, будут выполняться.

— Они не могут не выполняться, потому что все козыри будут в ваших руках. Моей отставки вы, если что-то найдете, сможете добиться и без меня. И даже вопреки мне.

— Тогда зачем вам все это нужно?

— По единственной причине. Я устал изображать попку в чужой клетке. Мне надо либо убедиться, что я нахожусь на свободе, либо перестать чирикать заказные песни.

— Каким образом будут строиться мои взаимоотношения с моей организацией?

— Это моя забота. За это пусть у тебя голова не болит, — успокоил Шеф. — Тем более что организации почти уже нет.

— Подумайте, что вам нужно для работы?

— Все то же самое — тихое место, компьютеры и мой напарник. Я к нему привык.

— Может быть, деньги?

— Не нужны ему деньги, — снова встрял Шеф. — Он же Резидент. Он их умеет добывать лучше и быстрее, чем все мы вместе взятые. Включая Центробанк.

— С помощью противозаконных методов?

— С помощью разных методов.

— В таком случае я бы не хотел...

— Сколько у вас наличных денег?

Петр Савельевич автоматически потянул руку к карману.

— Вот видите. Все ваши средства, кроме бесполезной нам мелочи, подотчетные. Задействовать их — все равно что вывешивать вдоль дорог указующие в нашу сторону знаки. Достаточно провести по счетам хоть один рубль, чтобы нас можно было вычислить с точностью до одного квартала.

В общем, так: место, страховку, информационную поддержку и часть средств я беру на себя. Твое дело работать и ни о чем прочем не думать. По рукам?

— И по ногам тоже. В том смысле, что повязали.

— Ладно, не злобствуй. Нервы тебе еще пригодятся. Будем считать производственное совещание законченным?

— У меня еще один вопрос.

— Какой?

— С чего вы собираетесь начать работу?

Я выждал паузу и сказал:

— С вас!

— С меня?

— Именно с вас. Я хочу знать, когда, где, с кем, при каких обстоятельствах вы встречались, о чем говорили и что за этим последовало.

— Но этих встреч были сотни! В сотнях городов! Едва ли я могу вспомнить о всех.

— Вы заинтересованы в результате?

— Конечно.

— Значит, вы вспомните все!

ГЛАВА 34

— Продолжаем? — спросил Александр Анатольевич, присаживаясь к компьютеру.

— Продолжаем!

— Что на этот раз?

— Все то же самое, но под другим углом зрения. Высеиваем места встреч, контакты, назначения, перемещения и все прочие сведения по следующим фамилиям...

Александр Анатольевич завис пальцами над клавиатурой.

— Не забудьте переключиться на латинский шрифт.

— Зачем?

— Затем, что это будут не наши фамилии. Это будут иностранные фамилии. Только иностранные.

— А наши?

— С нашими мы больше не водимся.

— Обиделись, что ли?

— Вот именно. Сколько можно растрачивать себя по мелочам. Мы меняем масштабы поиска. С оркестровой массовки — на дирижеров. Но еще более — на композиторов. Но более всего на тех, кто заказывает им музыку.

Стокгольм.

Женева.

Мадрид.

Нью-Йорк.

Лондон.

Москва.

Прага.

Оттава.

Снова Нью-Йорк.

Снова Лондон.

Разные годы, месяцы, числа. Разные люди. Да нет, пожалуй, не разные. Все чаще повторяются уже знакомые фамилии. В Стокгольме, в Оттаве, в Нью-Йорке... Что же они прыгают по миру, как блохи по бездомной собаке? Что же им дома не сидится? Или у них работа такая — связанная с постоянными переездами? Или они коммивояжеры и им надо распространить по свету, чтобы заработать себе на жизнь, полтонны нервущихся женских колготок? Или мазь для защиты от комаров?

Или это не коммивояжеры? Но тогда зачем они ездят? И куда? Ну-ка, отсмотрим этот блок информации.

«Конференция по проблемам разоружения...»

«Экологический симпозиум...»

«Встреча представителей стран Евро-Азиатского континента...»

«Обмен мнениями по проблемам утилизации промышленных отходов...»

«Праздник города...»

«Круглый стол» по проблемам Балтийского моря...»

«Прием в честь юбилея известного журнала...»

«Встреча журналистов...»

«Научно-практическая конференция...»

Еще конференция...

Еще встреча...

И все одни и те же фамилии. Подумать только, какие универсальные специалисты здесь подобрались. Что называется, и жнец, и швец, и на шотландской волынке игрец. По крайней мере если судить по списку гостей на праздновании юбилея старейшего шотландского оркестра. И судя по тому же списку приглашенных, среди наших властей предержащих тоже отыскалось несколько знатоков шотландской народной музыки. Какое трогательное совпадение музыкальных пристрастий!

А теперь систематизируем все фамилии. По месту. По времени. По участникам встреч.

Отсеем реальных специалистов, работающих в тех или иных областях науки и творчества и бывавших только на узкопрофильных по своей тематике встречах. Уберем ученых и общественных деятелей с мировым именем, которые заняты своим делом и в межгосударственных интригах не участвуют. Исключим известных журналистов, которые появляются везде, но которые имеют скандальную репутацию и на политический сговор без того, чтобы впоследствии о нем не раструбить по всему миру, не пойдут. Вынесем за скобки еще три-четыре категории случайных участников.

Итого получим в остатке около сорока фамилий. Тех, кто бывал везде, вне зависимости от профиля мероприятия, и встречался там с нашими, тоже не имеющими представления о теме дискуссии представителями.

А теперь этот поименный перечень прогоним через фильтры списочного состава иностранных диппредставительств и разведок.

Я обратился за помощью к Шефу.

— Мне необходимо узнать, имеют ли эти люди какое-либо отношение к спецслужбам иностранных государств. И если да — то какое.

— Мы подобными сведениями не располагаем. Мы работаем и всегда работали внутри страны. Данным контингентом занимаются МИД и внешняя разведка.

— Запросите сведения у них.

— Мы не можем ничего запрашивать, потому что мы не являемся официальной организацией.

— Обратитесь за помощью к Петру Савельевичу.

— Боюсь, такие запросы рано или поздно выведут Безопасность прямиком на нас. На наше негласное расследование.

— Но другого выхода все равно нет. Без этих сведений дальнейший ход дела невозможен.

Шеф только тяжко вздохнул.

Уж что он там делал, по каким сусекам скреб, я не знаю, но ответ пришел неожиданно быстро.

Никто из указанных нами фамилий в списках названных учреждений не значился. Все они служили в обществах Дружбы... Взаимопомощи... Содействия... Распространения... в различных фондах и общественных организациях.

Но все эти общества, фонды и организации странным и иногда очень замысловатым образом субсидировались... Внешней разведкой и министерством иностранных дел.

Круг замкнулся.

Люди, имевшие постоянные и очень плотные контакты с представителями высших эшелонов власти моей страны, люди, которые их консультировали на правах международных экспертов, были нелегальными, под крышами общественных организаций, работниками разведки. То есть людьми, меньше чем кто-либо заинтересованными в оказании реальной помощи стране своего потенциального противника.

ГЛАВА 35

Наверное, Шекспир был великий драматург, но Шекспиру было проще. Он писал о прошлом, интерпретируя его так, как было угодно его авторскому мировоззрению. И не нес за это никакой ответственности. Максимум, чем он рисковал, — это неприходом зрителя в театр или закрытием того театра.

Задача Аналитика была много сложнее. Он тоже писал пьесу, но он отвечал за каждый предложенный им драматургический ход. Он не мог ошибаться и не мог переписать набело сценарий после первого неудачного спектакля. Потому что премьера могла быть только одна.

Шекспир был велик, но он не шел ни в какое сравнение с Аналитиком. Он имел дело со сценой, десятком комедиантов и несколькими сотнями зрителей.

Аналитик разыгрывал свое действо в масштабах целого мира. Подмостками ему служили континенты, актерами и статистами — миллионы людей, зрителями — все прочее население земного шара.

На премьеру Шекспира зритель мог просто не явиться и никогда не узнать о содержании разыгранной пьесы. От действа, предложенного Аналитиком, зритель отказаться не мог. И чтобы наблюдать его, ему никуда не надо было идти. Эта пьеса сама приходила к зрителю — в каждый дом, в каждую семью. Даже если этот дом был на запоре. Данная пьеса обеспечивала гарантированный и стопроцентный аншлаг.

Такой трагический размах Шекспиру был не под

силу. Такой размах был бы не под силу даже Аналитику. Если бы он не имел в своем распоряжении неограниченный штат соавторов.

— Мне необходима помощь.

— Финансовая?

— Нет. Мне необходимы специалисты. Политологи. Экономисты. Психологи. Военные эксперты. Но только самые лучшие специалисты. Лучшие из лучших.

— Для чего это надо? — спросил Президент.

— Для деталировки сценария.

— Хорошо. Вы получите специалистов.

— Но только обязательно лучших.

— Об этом можете не беспокоиться.

К каждому из названных специалистов пришел заказчик, который попросил провести прогнозное исследование по интересующей его проблеме. Каждый из специалистов получил три варианта сценария, из которых лишь один требовал реального ответа. Два других были пустышкой. Отвлекающей мишурой.

Соавторам Аналитика не дано было узнать в целом содержание пьесы, в которую они вписывали свои отдельные страницы. Они знали только то, что им надлежало знать. Только то, что касалось их профиля.

Но все они, отвечая на поставленный перед ними узкоспециальный вопрос, суммарно отвечали на единственный и главный — что необходимо предпринять, чтобы в возможно более короткие сроки, с минимальными затратами, но максимальным эффектом дестабилизировать страну, располагающую всем необходимым для благополучного своего существования?

Аналитик свел все разрозненно предложенные приемы воедино, вписал их в варианты сценария и вышел на Президента.

— Для достижения наибольшего политического эффекта необходимо в первую очередь дестабилизировать экономику. В странах, где народ сыт, одет, обут и имеет крышу над головой, политическое переустройство невозможно. Даже если это не самая изысканная еда, не самая теплая одежда и не самая удобная обувь и жилье.

Для революционных преобразований необходим голод. Голод — лучший побудитель недовольства. Недовольство — предпосылка любого, в любую угодную сторону общественного переустройства.

— Это общие слова. Нам требуются рецепты. Что необходимо для того, чтобы экономика перестала существовать?

— Революция и гражданская война.

— Это исключается. Нам нужна страна, вставшая на колени, а не уложенная в гроб.

Аналитик отложил один из вариантов сценария.

— В таком случае следует дискредитировать и разрушить существующие механизмы хозяйственного управления. До того, как будут придуманы и заработают новые.

— Как это возможно сделать? Сделать так, чтобы противник не заподозрил злой умысел и не принял соответствующих контрмер?

— Например, предложить более прогрессивные методы управления экономикой. Но без адаптации к конкретным условиям конкретной страны.

— Но не случится ли так, что с их помощью они действительно оздоровят экономику? Не сыграем ли мы против себя?

— Нет. Мы предложим готовое блюдо, но не предложим рецепт его приготовления. Даже самые передовые технологические линии, когда их впихивают в не приспособленные для того помещения, перестают работать. И разрушают помещения. Это именно тот случай, когда прогрессивное новое являет свою противоположность.

— Почему вы думаете, что они согласятся на это?

— Потому что им будут предложены действительно передовые методы, оспорить которые невозможно. И еще потому, что их руководители услышат их в изложении неслучайных, хорошо подготовленных «экспертов».

— Которые будут нашими людьми?

— Нет. Которые в большинстве своем будут людьми, действительно верящими в то, что говорят. И именно поэтому они будут убедительны. Именно поэтому к ним прислушаются. Наша задача — всего лишь найти, прикормить и доставить их в нужное место в нужное время. И изолировать любых несогласных с ними оппонентов. Громко и везде звучать должна только одна теория. Тогда к ней привыкнут. Как к популярному шлягеру.

— Другими словами, вы предлагаете выписать больному реально полезное ему лекарство, но не указать дозировку и правила его приема и тем не вылечить, но убить его.

— И еще в придачу двух зайцев. С одной стороны, достичь желаемого, с другой — избежать негативного общественного резонанса. Как наверняка случилось бы, задействуй мы силовые методы. Следователи называют это — чистым убийством. Человек мертв, а доказательств злого умысла нет.

— Разумно. Что для этого требуется?

— Запуск механизма рыночной экономики. И как главное его условие — перераспределение собственности. В стране, где нет класса людей, конкурирующих по богатству с государством, и нет класса середнячков, подпирающих их, не может быть рынка. В уравнительной системе стимулов для товарного развития нет. Такой постулат предложили экономические эксперты.

— Он верен?

— Он верен для стран с устоявшимися правовыми и демократическими традициями. И абсолютно противопоказан тоталитарным системам в период их разрушения. Средние классы не будут стремиться лучше работать, чтобы перебраться на ступеньку выше. Они будут пытаться перераспределять блага противозаконными методами. Быстрый дележ всегда подразумевает драку. Они разрушат экономику. Они раздерут ее на лакомые для каждого, но убыточные для всех куски.

— Что еще?

— Мы должны завалить их дешевыми товарами. Настолько дешевыми, чтобы было невыгодно и невозможно выпускать свои.

— Это потребует компенсаций изготовителям продукции.

— Которые окупятся уже через два-три года. Когда у них не останется своих производителей, время дешевизны пройдет. Мы станем монополистами. Мы сможем поднять цены и тем компенсировать все убытки.

— Еще.

— Кредиты. Мы должны давать им кредиты. Но только под закуп наших товаров. Таким образом мы будем получать больше, чем давать. Мы предложим взаймы доллар, тут же вернем назад полтора, продав на него произведенный в нашей стране товар, и будем ждать выплаты причитающихся нам процентов. Чем больше они будут принимать помощь, тем богаче будем становиться мы и тем более нищими они. Требуя выплат процентов, мы, через подчиненных нам кредиторов, будем давать новые кредиты, с помощью которых они будут иметь возможность расплачиваться за горящие старые. Но новые кредиты будут иметь новые, более высокие процентные ставки. Из этой нарастающей как ком прогрессии долгов они не смогут выпутаться никогда. Отсюда появляется реальная возможность влиять на политические решения востребованием или отсрочкой долгов.

— Еще?

— Еще?

— Еще...

И еще пятьдесят семь пунктов.

ГЛАВА 36

— Дело дрянь, — сказал Шеф. — Сегодня на мне полчаса висел «хвост». Как пришитый.

— И куда он делся? — наивно спросил Александр Анатольевич.

— Отсох и отпал.

Я ничего не спросил. Я знал, как отваливаются «хвосты».

— Судя по их хватке, не сегодня-завтра они объявятся здесь.

— Безопасность?

— Не знаю. Может быть, и она.

— Что будем делать?

— Заныривать на дно.

— Когда?

— Немедленно.

Александр Анатольевич начал выдергивать из компьютеров шнуры.

— Оставьте, — придержал его за руку куратор. — Снимайте только «винты».

— А компьютеры?

— А компьютеры не работают. Компьютеры упали на пол. Случайно, — жестко ответил Шеф. — У вас пятнадцать минут.

— Они же новые, — то ли удивился, то ли возмутился программист.

— Нет, они уже старые, — сказал я и, сдвинув, уронил со стола ближний монитор. Экраном вниз.

Случайных в разведке людей лучше всего убеждать действием. Слова до них доходят дольше. И не всегда в полном объеме.

Александр Анатольевич на секунду замер, уставившись на разбитый монитор, и быстро, один за другим, начал открывать корпуса.

— Только «винты»! — напомнил я.

— Только их. Только. Я понял.

Машины на улице не было. Кроме той, на которой приехал наш начальник. Но ее можно было не считать.

— Шесть километров до железки и еще полтора до платформы, — огласил маршрут следования Шеф-куратор. — Пошли?

— Ногами? — ахнул программист.

— Нет. Пешком.

Шли напрямую, без дорог, через перелески и заборы чужих садовых участков. Шеф отрубал слежку. В первую очередь от нас. Если бы мы поехали на машине, нас вычислили бы на первом перекрестке. Жизнь — не детектив, где главные герои от погони на кабриолетах уезжают.

— Быстрее, быстрее! Через двадцать восемь минут прибывает электричка.

— Может, не будем надрываться? Может, лучше на следующей поедем? Не последняя же она, — вяло протестовал Александр Анатольевич.

— Для нас последняя!

Шеф страховался. Если за ним следили и если он не смог оторваться от «хвоста», то его преследователи наверняка уже шуруют в домике и в оставленной рядом с ним машине. Еще минут через пять они ринутся на ближайшую железнодорожную станцию. Но там нас не обнаружат. Потому что мы пошли не на ближнюю, а на дальнюю, стоящую на совсем другой ветке. Пока они сообразят, что почем, пока определят по карте все возможные маршруты ухода, пройдет время. Но не настолько много, чтобы они опоздали на станцию нашего назначения больше чем на полчаса. Значит, мы их сможем опередить лишь на полчаса. Отсюда следует, что других электричек для нас быть не может. Все более поздние поезда могут попасть под «просеивание». Где сеять будут, а потом перемалывать в кашу не крупу, а нас, грешных. Во главе с еле передвигающим ноги Александром Анатольевичем.

Конечно, может приключиться и другой вариант — что слежка за наблюдаемым не угналась, к дому не вышла и соответственно местность прочесывать не будет. И тогда брошенный автомобиль просто проржавеет на оставленном хозяевами участке, где в садовом домике кто-то позабыл несколько на вид совершенно новых компьютеров с одним случайно разбитым о пол монитором.

Вполне возможно, что будет именно так. Но рисковать, проверяя это на практике, слишком накладно. Возможное событие истолковывается как неизбежное. Без вариантов. А если с вариантами, то только за счет собственной жизни.

— Все. Пришли!

Сумрак. Непролазные кусты и лужи со всех сторон. Никаких признаков присутствия человека. Как в таежных дебрях.

— Скидавайте одежду, — приказал Шеф, расстегивая большую, повешенную на плечо сумку.

Я молча исполнил. А Александр Анатольевич только глаза округлил. Особенно когда увидел доставаемый из сумки косметический набор.

— Ну же! Время!

Я взял в охапку и развернул голову растерявшегося программиста к свету. Ну когда ему было рассказывать о приемах изменения внешности как одном из способов ухода от пассивной слежки. Тут не рассказывать надо — ноги уносить.

— Раскройте рот, — скомандовал наш начальник и тут же, оттянув ему щеку, запихнул за зубы одну, а затем еще одну специальные накладки.

— Зачем это? — запротестовал было программист.

— Затем, чтобы походить на образчик на фотографии, — пояснил Шеф, засовывая ему в карман новый паспорт.

— А образчик кто?

— Вы сами.

— Я же не фотографировался! Тем более в таком виде.

До чего же наивными бывают люди. Как будто трудно нормальную фотографию с помощью компьютерного моделирования превратить черт знает в какую. Хоть даже в женскую. Хоть даже с третьим глазом посреди лба. Причем в полном соответствии с реальным прототипом, если на нем впоследствии запечатлеть все те изменения, что отображены на фотокарточке. Ведь не фото делают по модели, а модель подгоняют под заранее набранное на компьютере фото. Старые гримметоды, когда вначале рисовали лицо, а потом его фотографировали на документ, давно канули в Лету. В общем, полный научно-технический прогресс в деле перелицовывания лиц.

С прочими присутствующими физиономиями проблем не было. Прочие физиономии к подобным метаморфозам были привычные.

— Далее я к Москве. Вы — в противоположную сторону, — распорядился Шеф. — Если не встретимся — вся необходимая информация в почтовом ящике на Самотечной. Все. Ваша электричка через четыре минуты.

— Куда он? — спросил Александр Анатольевич, наблюдая продирающуюся сквозь кусты фигуру.

Что ему было ответить? В Москву? Ближе? Или дальше? Тут можно только гадать. Конкретной станции назначения не было. Шеф ехал не «куда», а «откуда». Он ехал от нас, уводя за собой возможную слежку. Шеф вызывал огонь на себя.

— Мы его еще увидим?

— Как знать? Но надеяться хотелось бы.

ГЛАВА 37

*Из заключения экспертно-аналитической
группы Восточного отдела
Британской разведки.*

Гриф: *только для высшего руководства.*
Гриф: *совершенно секретно.*
Гриф: *один экземпляр.*

...На основании вышеизложенных соображений можно сделать вывод, что массовый сбор печатной продукции диппредставительствами США как в центральных, так и в периферийных регионах производится с целью выявления скрытых социально-политических тенденций в наблюдаемом обществе и установления потенциальных лидеров среди политических фигур второго и третьего планов...

...Подобная подготовительная работа допускает возможность подготовки попыток дестабилизации существующего строя через усиление позиций политических фигур второго круга...

...Считаем целесообразным провести дополнительный информационный поиск с целью подтверждения подготовки общественно-политических изменений в рассматриваемой стране либо опровержения подобного предположения...

...Для достижения данных целей следует сосредоточить внимание на изменениях в кадровом составе диппредставительств, географических передвижениях известных нам представителей иностранных спецслужб, контактах политических и хозяйственных руководителей государств Восточного блока с иностранными представителями, выяснить характер и направленность отбираемой для пересылки прессы, маршрут ее транспортировки и место конечного назначения...

Конец цитаты.

Из шифрограммы МИД Франции в посольство Франции в США.

ВЫДЕРЖКА

Г р и ф : *секретно.*
Г р и ф : *для личного ознакомления посла Франции в США.*

Необходимо выяснить отношение руководящих работников министерства иностранных дел США к возможности близких политических и социально-экономических изменений в странах Восточного блока. Особое внимание следует обратить на суждения и реакции руководителей, имеющих постоянный служебный контакт с посольствами и консульствами означенных стран. О любых выходящих за рамки общепринятых суждениях и прогнозах докладывать незамедлительно...

Конец цитаты.

Из рапорта командующего армейской разведкой КНР руководителям партии и правительства Китайской Народной Республики.

ВЫДЕРЖКИ

Гриф: *секретно.*
Гриф: *количество экземпляров ограничено.*
Гриф: *для ознакомления только высшим*
             руководством КП Китая.

...Китайская Народная Армия, стоящая на страже завоеваний Революции, готова...

...Широкомасштабный сбор информации социально-политической направленности может свидетельствовать о поиске социально-классовых слоев и отдельных лидеров, способных оказать поддержку милитаристским кругам США в их экспансионистских планах в отношении стран Евро-Азиатского континента...

...В том числе можно предполагать вмешательство Соединенных Штатов Америки во внутренние дела упомянутых выше стран. Данное вмешательство может проходить как в форме прямого силового давления, так и путем создания предпосылок к экономической и политической дестабилизации общества, а также разлагающего влияния на различные социально-классовые группы населения...

...Китайская Народная Армия готова дать достойный отпор на любую провокацию со стороны сил мирового милитаризма...

Конец цитаты.
Из доклада начальника Службы безопасности
и разведки Ватикана.

ВЫДЕРЖКИ

Гриф: *секретно.*
Гриф: *стенографировать в одном экземпляре.*

...Создает предпосылки для значительного продвижения наших идей в обозначенные выше страны и регионы. При этом центральной задачей должно быть изменение конституционного законодательства в сторону закрепления прав свободы вероисповеданий, упрочения позиций церкви, закрепления принадлежащих ей территорий и культовых сооружений...

...Следует ожидать конкурентного столкновения на данных территориях различных религиозных течений...

...Особое внимание следует уделить влиянию церкви на средства массовой информации. Из них в наибольшей степени телевидению и радио...

...В ситуации политически нестабильного государства позиции церкви тем сильнее, чем большую поддержку она окажет потенциальным, пришедшим в том числе и с ее помощью к власти лидерам...

Конец цитаты.

ГЛАВА 38

Наша новая база была шикарной. Отдельный особняк. Машинный зал с кондиционерами и защитой от электронного прослушивания. Два ряда колючей проволоки по периметру. Фонари. Скрытая сигнализация. Вооруженная до зубов охрана с собаками.

Одним словом, комфортабельная, с чистыми постелями и услужливым персоналом крепость. Все, которые только можно пожелать, удобства для творческой работы.

Только нас в этой крепости не было.

Вернее, мы были. Но не мы, а внешне похожие на нас дублеры. Так называемые «двойники». Они, как им и было предписано, по четырнадцать часов в день сидели в компьютерном зале и что-то такое там вычисляли. Вычисляли запрограммированную ерунду, но очень похожую на правду. Главное, чтобы машины работали.

Этот прием предложил Шеф. Он понимал, что Безопасность, если она села нам на хвост, так просто не отвяжется. Не та выучка. Не тот характер. Тем более если учесть их прокол на «даче». Теперь, реабилитируя сами себя, они будут землю рыть, чтобы отыскать упущенных клиентов. И рано или поздно что-нибудь такое выроют. Скрыться от них, взявших след, вряд ли удастся. А вот отвести поиск в сторону — почему бы не попробовать? Только этот тупиковый путь должен выглядеть очень аппетитно и очень убедительно.

И Шеф принялся за дело. Через подставных лиц он нанял этот оснащенный по последнему слову охранной техники особнячок. Нашпиговал его десятком суперсовременных компьютеров. Нанял охрану из числа бывших «афганцев»-спецназовцев, ныне подвизающихся в сфере полукриминального охранного бизнеса. Рассеял по ближним окрестностям дополнительные системы оповещения и слежения. В общем, такую пыль в глаза напустил, что правды в двух вершках от носа не углядишь.

Вылетел ему этот отвлекающий противника от направления главного удара маневр в копеечку. Ну вообще-то, если не кривить душой, то не ему вылетел, а одному столичному коммерческому банку, по неосторожности выдавшему незнакомому, но очень убедительному клиенту солидный, под немалые проценты, кредит. Натекающие проценты Шефа волновали мало. Впрочем, как и сам кредит. Возвращать их он не намеревался. Он намеревался выкинуть документы, удостоверяющие его личность и платежеспособность, на которые так легко купились банковские служащие. Выкинуть и исчезнуть как физическое лицо, отвечающее перед юридическим лицом за взятые на себя долговые обязательства. Ну не стало клиента. Умер клиент. Очень скоропостижно. И наследников не оставил. Не с кого требовать причитающиеся с него денежки. Что поделать. Банк должен быть готов к подобным сюрпризам. Потому он и проценты такие драконовские дерет, чтобы коммерческие риски закрывать.

В общем, средства у Шефа на операцию прикрытия нашлись. И еще даже остались. Не самые большие по нынешним затратным временам, но такие, что еще три подобных особняка прикупить можно было. Или десять.

Шеф лично, раза два в неделю, наведывался в свою резиденцию, чтобы за текущими работами проследить и заодно в сауне попариться. Откупив за такие деньги такой особняк, можно позволить себе вкусить хоть малую часть из предоставляемых им благ. Можно! И даже нужно. Если учесть, что, помимо потребления разнообразных бытовых благ, ты изображаешь подсадную утку, на кряканье которой должна слететься еще целая стая подобных ей пернатых.

Шеф парился в сауне, вкушал бутерброды с черной икрой с расписанного под гжель подноса и с удовлетворением отмечал концентрацию усилий противоборствующей стороны по периметру охраняемого объекта. То какая-то бабушка, спутав дорогу, прибилась к шлагбауму КПП. То вдруг поломались один за другим три охранных датчика. То на бреющем полете пролетел над запретной территорией сошедший с курса спортивный самолет.

Не зря были истрачены деньги, изъятые из хранилищ коммерческого банка. Не впустую.

Еще неделю они будут истирать животами и коленками окружающий рельеф в поиске наиболее подходящих для визуального и электронного слежения точек. Еще две недели пытаться подключиться к коммуникационным сетям и к компьютерам. Еще месяц перекупать охрану и обслуживающий персонал с целью получения прямой информации. Итого тридцать-сорок дней как минимум. И еще месяц, прежде чем после обработки и анализа всей суммы полученной информации они догадаются, что их водят за нос.

А вот так чтобы сразу, без этих ползаний носом по грязному грунту и попыток перевербовки обслуживающей челяди, понять, а тем паче принять лежащую на поверхности правду они не смогут. Слишком велик масштаб подсунутой им «куклы». Слишком значительны вложения и грандиозны развернувшиеся охранно-реставрационные работы, чтобы допустить хоть на мгновение, что это обман. Чтобы заподозрить, что это не основной, а лишь отвлекающий внимание от основного объект. Объект прикрытия.

А основной располагается совсем в другом месте и выглядит совершенно иначе.

— Вот здесь вы и будете трудиться, — сказал Шеф.

— Здесь?! — ахнул Александр Анатольевич.

— Именно здесь. Вас что-то не устраивает? Район, этаж, планировка?

— Все!

Мы стояли возле старого, явно и очень давно заброшенного за ненадобностью склада. Скорее даже сарая. Вид у него был соответствующий. Доски растрескались и почернели от времени. Краска слезла. Шифер с крыши повылетал целыми листами. На подходах к дверям стояли непролазные лужи.

— Вполне милое сооружение, в классическом деревенском стиле, экологически безвредный материал — дерево, чистенький, удаленный от городских труб район, зелень, свежий воздух, остановка автобуса в двух километрах, — расхваливал предлагаемый товар Шеф. — Небольшой косметический ремонт — и можно вселяться. Берете?

— Нет.

— Тогда пройдемте внутрь.

Внутри склада стоял такой же старый и замызганный, как и сам склад, строительный вагончик. Шеф открыл дверцу.

— Вытирайте ноги! Все-таки в дом заходите, — предупредил он, шаркая подошвами о еще более грязный, чем улица, коврик. — Прошу!

И открыл дверь.

В облупленном, обляпанном краской, мазутом и чуть ли не дерьмом строительном вагончике была воссоздана обстановка скромного европейского офиса. Тихо шуршал кондиционер, свисали самого современного дизайна светильники, по углам стояли роскошные кожаные кресла, на евростолах длинным рядом располагались новенькие компьютеры, в автоматической кофеварке кипел кофе.

— Ох! — единственно, что мог сказать при виде всего этого Александр Анатольевич.

— Там, — показал Шеф на еще одну дверь, — небольшая кухня со всеми необходимыми для домохозяйки приборами и с запасом продуктов, за ней спальня, за спальней туалет и душ. Ванна, извините, не поместилась.

— А как насчет охраны, кроме вот этих гнилых стен?

— Тут все в порядке. Можете не беспокоиться.

Охрана действительно была в порядке, хотя и без высоких, из двух рядов колючей проволоки заборов, без охранников-молодцов в пятнистой униформе с оттопыривающимися левыми подмышками, без прожекторов и гавкающих на всех и вся собак.

Но все же с забором — из одного ряда покосившегося от времени штакетника. И с военизированной охраной — в виде пяти сменяющих друг друга старушек пенсионного возраста. И с датчиками скрытой сигнализации. И с видеокамерами. И с прочими препятствующими проникновению на охраняемую территорию приспособлениями.

Забор — для отвода глаз. Бабушки — для того же. Но и для охраны тоже. Бабушки, в отличие от пятнистых молодцов, ночами на посту не дремлют. Бессонница у них, по причине преклонных лет. И природная бдительность на порядок выше, чем у молодой охраны.

А датчики? А датчики будем считать данью моде. И гарантией того, что электроника не пропустит любопытствующего прохожего, которого не заметят бабушки-сторожа.

Вот и вся охрана. Не такая навороченная, как на объекте отвлечения, но гораздо более надежная, потому что не привлекает внимания постороннего глаза. Ну кого он может заинтересовать — покосившийся сарай да дряхлые бабушки в вылинялых халатах со свистком на шее? Ну что они там такого ценного могут охранять? Веники? Или прогнившие половые доски? А если не веники и не доски — то здесь бы поставили совсем другую охрану. Посолиднее. Так подсказывает здравая логика.

Бесперспективность объекта с точки зрения небескорыстного интереса гарантирует ему гораздо большую защиту, чем полк вооруженных автоматами солдат. Потому что дольше всего сохраняется не то, что стерегут, а то, что никому не нужно.

А за остальное пусть болит голова у техники.

— Вот здесь, — открыл навесной шкаф Шеф, — мониторы видеокамер внешнего наблюдения. Всего их одиннадцать. Установлены на крыше по углам, на фонарных столбах, на подходах и возле ворот. Здесь — датчик индукционной сигнализации. Здесь рубильник, подающий напряжение на забор и стены склада. С регулятором от тридцати до тысячи вольт. Так что местные хулиганы сюда не сунутся.

— А если сунутся?

— Мало будет электричества — вот кнопка прямого вызова милиции. Сигнал подается на пульт местного райотдела.

— А если они не приедут? Или задержатся?

— Не задержатся. Эта милиция очень резвая, потому что очень прикормленная. Я им плачу за скорость. Как олимпийским спринтерам. Каждая минута опоздания сверх установленного регламента — минус десять процентов оклада, который раз в десять превышает основной. Так что задержки исключаются. Они скорее на официальный вызов не поедут, чем на ваш.

— А если милиция не справится?

— Тогда вступит в дело та, что от нечего делать стучит в домино, пьет водку, — тут же в отдельной сторожке живет «бригада шабашников». Она же группа быстрого реагирования. Небольшая такая бригада — из четырех, но стоящих иного взвода человек.

— Они сменяются?

— Нет, живут здесь безвылазно. Ждут работы, которую им все никак не могут определить. И уехать тоже не могут — старые деньги кончились, а новых еще не заработали.

— Бабушки о них знают?

— Знают. И очень жалеют бедолаг. Даже прикармливают с огородов.

— Вооружение?

— Достаточное. Вплоть до гранатометов и радиоуправляемых противотанковых ракет.

— Выучка?

— Соответствует. Думаю, что в случае развязывания открытых боевых действий смогут продержаться минимум пять минут против квалифицированных нападающих и неограниченно против любителей — милицейских ОМОНов или наехавших по причине нехватки карманных денег рэкетиров.

— О характере нашей деятельности осведомлены?

— Нет. Считают, что охраняют узел правительственной связи.

— Какие пути отхода?

— Три, кроме основного.

— Основной — это парадные ворота?

— Да. Другой — через забор с торцевой стороны сарая. Седьмая и восьмая доски от углового столба. Доски подпилены — достаточно несильного удара ногой изнутри, чтобы они сломались. Точечное отключение электрозащиты на этом участке — на общем щитке. Вот этот тумблер. С той стороны забора проходы затруднены искусственно устроенными завалами — фундаментными блоками, плитами перекрытий, битыми кирпичами и другим строительным мусором, что дает вам минут пять выигрыша во времени. Пока противник в этих лабиринтах разберется и через них перелезет, вы успеете выйти вот в эту точку. Обращенные к завалу улицы и проулки заминированы. Радиоуправляемые пускатели минных зарядов хранятся вот здесь. Эти — от мин дымно-шумового эффекта. Для психологической острастки. Эти — боевые.

— Так, это понятно. Другие выходы?

— Через верх. С крыши вагончика идет быстросъемная лестница на чердак. Электрический провод, идущий от ввода на крыше к столбу на соседнем участке, — муляж. Ток по нему не пропущен. Провод заменен на тонкий и очень прочный тросик. Рядом с вводом лежит «корзина» с роликовым зацепом. Наклон тросика положительный, рассчитанный таким образом, чтобы корзина шла самокатом. Возле столба, где вы приземлитесь, — сарай. В сарае автомобиль. Ключ зажигания в замке. Ворота можно легко выбить бампером. Выезд через огород по подстеленным доскам сразу на соседнюю улицу.

Последний путь эвакуации — тоннелем. Начало лаза — сразу из вагончика.

— Где?

— Совсем рядом. На том самом месте, где ты стоишь. Да не всматривайся и не прыгай, все равно ничего не почувствуешь. Люк усиленный, на шифрозамке, вписан в окружающий интерьер. Открывается с ручного пульта. Вот с этого. Отойди-ка в сторону.

Шеф нажал кнопку на небольшом, вроде телевизионного, пульте управления. С характерным щелчком откинулся вверх квадрат пола с размерами сторон шестьдесят на шестьдесят сантиметров. Открылся темный, дыхнувший землей и холодом провал. Еще одно нажатие — и люк встал на место, практически слившись с полом.

— Как это удалось осуществить такой инженерный проект?

— Трудно. Пришлось полдеревни для отвода глаз перекопать, два километра труб в землю зарыть.

— Теплоцентраль, что ли?

— Ага. Они тоже думают — теплоцентраль. Уже батареи покупают. На будущий год собираются устанавливать.

— Где выходит тоннель?

— Тоннель выходит на поверхность в двух местах. В ста пятидесяти и трехстах метрах отсюда. Один на восток. Другой на северо-запад. Заглушки открываются сигналом с того же переносного пульта. На выходах в специальных нишах я поставил по мотоциклу. На случай быстрого ухода. Можете их использовать, можете оставить.

Ну вот вроде обо всем рассказал. Готов выслушать замечания, предложения, пожелания.

Какие могут быть замечания! Классически оборудованное НП. С путями отхода и трогательной заботой о быте исполнителей. Как говорится — ни прибавить, ни убавить.

Можно только удивляться, что такая сложноподчиненная охранная схема со всеми ее загородными виллами, собаками, пятнистой охраной, покосившимися заборами, бабушками и скучающими от безделья «шабашниками», подземными и воздушными путями эвакуации, строительным вагончиком, машинами и мотоциклами создана исключительно для обеспечения нормальной рабочей обстановки для двух человек — меня и программиста.

— Ну тогда все. Вопросы есть?

— Есть! А как же охрана? — вдруг спросил совершенно невпопад Александр Анатольевич.

— Какая охрана? Бабушки, что ли?

— Нет, те, которые «шабашники». Которые нас должны защищать.

— Что они? Они будут исполнять приказ. Будут прикрывать ваш отход.

— Сколько прикрывать?

— Столько, сколько понадобится.

— Кому понадобится?

— Вам понадобится. Чтобы уйти отсюда подальше.

— Значит, они не уйдут с нами?

— Конечно, нет. Как они могут уйти, если они должны остаться? И отвлечь на себя силы и внимание наступающего противника.

— Но мы бы могли их дождаться.

— В узкие двери всей толпой не ломятся. Застрять можно.

Кажется, Шефа уже начала раздражать глупость моего напарника.

— Но это значит, это значит, что они погибнут?

— Да! — жестко сказал Шеф. — Они погибнут. Наверняка погибнут. Хотя лично для себя могут считать по-другому. У них нет шанса выиграть серьезный бой. И уцелеть в том бою. Но именно за это, за возможность ценой их жизни сохранить ваши головы и заключенную в этих головах информацию им платят деньги. Очень большие деньги. Это их работа. Если хотите — призвание.

У Александра Анатольевича заиграли на щеках желваки. Кажется, он посчитал подобный, по-английски, за счет чужой смерти, уход не вполне джентльменским.

Наивный идеалист. А если бы он узнал всю правду, о которой догадываюсь я? Если бы он узнал, что наши охранники рассчитаны лишь на десять минут боя и дальше должны или вырваться из окружения, из которого вырваться немыслимо, или умереть? Добровольно. Чтобы ни в коем случае не попасть в руки противника живыми. Что бы тогда сказал и подумал о нас мой напарник?

Посчитал бы жестокими? Наверное. И ошибся бы! Потому что на этот раз Шеф проявил удивительную по отношению к охранникам мягкость. Граничащую с безответственностью. В реальных боевых условиях, в которых живет и трудится Контора, закрытая нами последняя выводящая из тоннеля на улицу дверь скорее всего запустила бы механизм самоликвидации. Автоматически запустила. И спустя минуту или две весь объект, со всей ведущей героическую оборону охраной и всеми оставшимися и тем опасными уликами взлетел бы на воздух. И самое интересное, что охранники, если это работники Конторы, об этом знают. И это принимают. Потому что так их учили и воспитывали. И потому что это, с точки зрения сохранения всей Конторы, а не отдельных ее составляющих, наиболее рациональный и беспроигрышный путь.

— Тогда у меня тоже вопрос, — поднял руку я не для того, чтобы услышать ответ, я его и так знал, а для того, чтобы хоть как-то разрядить обстановку. — Число людей, вхожих в вагончик?

И я услышал ответ. Совсем не тот, который знал.

— Трое.

— Почему трое? Лично я насчитал четверых.

— Нет. Трое. Я, вы и программист.

— А-а?..

— А Петр Савельевич в это число́ не входит. Он даже не знает, где вы находитесь.

— Но почему? Ведь работа выполняется по его заказу.

— Потому что береженого — бог бережет. А всех остальных только случай.

ГЛАВА 39

Из шифрограммы министерства
иностранных дел США
в посольство США.

ВЫДЕРЖКИ

Г р и ф : *секретно.*
Г р и ф : *для высших руководителей.*

.,.Необходимо изыскать возможности для получения из официальных и неофициальных источников статистических, общих и (в некоторых пунктах) по отдельно взятым административным и территориальным образованиям данных за прошедшие десять лет по следующим позициям: 1. Валовой внутренний продукт. 2. Валовой национальный продукт... 8. Темпы роста национального дохода на душу населения... 10. Численность и структура населения... 12. Основные производственные фонды по следующим отраслям... 16. Параметры накопления и сбережения. 17. Состояние инвестиций... 21. Золото-валютные резервы... 27. Объем экспорта-импорта... 79. Средний уровень зарплаты, в том числе по отраслям и регионам... 93. Обеспеченность населения жилой площадью... 143. Количество членов партии, в том числе по регионам... 149. Количество первичных партийных ячеек с освобожденным руководителем... 188. Внутренняя миграция населения...

Всего триста четырнадцать пунктов.
Конец цитаты.

*Из шифрограммы начальника
Восточного отдела
Центрального разведывательного
управления резидентам стран
Восточного блока.*

ВЫДЕРЖКИ

Г р и ф : *срочно.*
Г р и ф : *совершенно секретно.*
Г р и ф : *для прочтения только адресатом.*

...Приказываю приложить максимум усилий к сбору информации, касающейся экономического и социального положения в стране вашего присутствия за последние десять лет. Особое внимание следует обратить на статистические, финансовые, социологические сводки, а также анкетные сборники и прочую документацию, основанную на ведении как систематических, так и фрагментарных статистических исследований, опросах и анкетировании различных категорий населения, проходящих под грифом «Секретно» и грифом «Для служебного пользования»...

...Разрешаю для решения настоящих задач использовать агентурную сеть и отдельных агентов, работающих в госучреждениях, а также в ведомственных издательствах, а также работников типографий, где данная документация печатается. Для чего допускаю перерасход средств до сорока процентов от ранее утвержденной сметы по статье «Оплата разовой информации»...

...Крайне важно выяснить вопрос покупки или любого другого способа получения закрытых докладов и отчетов спецслужб политическому руководству страны вашего пребывания, касающихся ее экономического и социального положения за последнее десятилетие. Необходимо выяснить наличие подобной информации у спецслужб наших потенциальных союзников и цену — в услугах, встречной информации или денежном эквиваленте, которую они хотели бы за нее получить...

...Всю перечисленную информацию незамедлительно переправлять специальными курьерами по известному вам адресу...

Конец цитаты.

ГЛАВА 40

Тревожный зуммер охранной системы. Тонкий и противный.

Что там такое? Что случилось?

Подбежать к охранному пульту. Поднять рычаг реостата подачи напряжения на внешний периметр на три деления вверх. Нажать кнопку общей тревоги, чтобы на всякий случай продублировать сигнал «шабашникам». Хотя они наверняка уже повскакивали с лежанок, поразбирали и поставили на боевой взвод оружие. Им собраться — только затвор передернуть.

Теперь осмотреться. Первый, третий и седьмой видеомониторы. Легковая машина с трех обзорных точек. Сзади, сбоку и сверху. Открылась дверца. С переднего сиденья поднялся человек.

Черт возьми! Не было печали — так купила баба порося! А этот откуда здесь взялся?

— Александр Анатольевич, кажется, к нам гости.

Программист ничего не понял. И даже от экранов не оторвался.

— Какие гости? Разве мы кого-то ждем?

— В том-то и дело, что не ждем. А они пришли. Вот что, заглушите-ка пока компьютеры.

— Зачем?

— Затем, что не след дорогого гостя принимать в процессе работы и как бы между прочим. А вовсе даже наоборот: в непринужденной домашней обстановке, с чаем-сахаром-маслом и баранками.

Второй, четвертый, пятый, шестой, восьмой мониторы. Нет, на подходах чисто. Гость явился в единственном числе.

Совершенно ничего не понятно!

Подошел к вахте. Что-то такое говорит бабушкам.

Бабушки тянутся во фрунт пред приехавшим на такой дорогой машине гостем, но на территорию не пропускают. Молодцы бабульки. Понимают солдатскую службу. Гость горячится, что-то такое говорит, какие-то бумажки показывает.

Что делать? Или ничего не делать?

Дискуссия зашла в тупик. Бабушки разводят руками, говоря, что здесь никогда таких не бывало, а в сарайке лежит позапрошлогоднее, семь раз сопревшее сено.

Но гость не уходит. Гость поворачивается лицом к седьмой камере и что-то говорит. Говорит зря — я его все равно не слышу, а вот поворачивается очень даже со смыслом. Значит, он знает, где располагается эта камера, и, значит, знает, что эти камеры существуют. А о видеонаблюдении осведомлены только три человека. Я, программист и Шеф-куратор. Мы гостю об этом ничего не говорили. Значит, сказал Шеф. А раз так, то, значит, этот визит с его согласия, равного разрешению.

Я открыл дверь вагончика и крикнул:

— Баба Валя, кто там? А то я какие-то голоса слышу.

— Да мужчина чей-то. Иванова ищет. Я ему говорю, что здесь таких нет, а он не уходит. Сердится.

— Пропустите его. Я с ним сам поговорю.

Скрип калитки. Шаги. И в полуоткрытые двери сарая протискивается Петр Савельевич. Вот уж действительно — здрасьте — не ждали.

— Я к вам. От вашего начальника. У нас ЧП. И очень мало времени.

— Эвакуация?

— Да, именно так он и сказал. Эвакуация.

Дискутировать я не стал. Раз большой босс здесь, значит, действительно что-то случилось. Раз он узнал адрес, который ему никто, кроме Шефа, открыть не мог.

Выходит, опять передислокация. И опять в самом спешном порядке.

Я шагнул в вагончик. К Александру Анатольевичу.

— Пятнадцать минут на сборы?

— Пять!

— Только «винты»?

— Только.

Те же обстоятельства, те же слова. Отличие лишь в участвующих в мизансцене лицах. С одной стороны, я и Александр Анатольевич. С другой — Петр Савельевич.

— Как вы нас нашли?

— Это неважно.

— Где Шеф?

— Потом скажу. Быстрее. Пожалуйста, быстрее.

— Вы уверены, что знаете, что делаете?

— Да. Я выполняю просьбу вашего начальника. В случае высказанных сомнений он просил показать вам вот это.

Клочок бумаги с рядом цифр. С рядом цифр, обозначающих код Конторы за прошлый год. Устаревший, но не ставший от этого менее секретным. Да, его мог назвать только Шеф. Большой начальник не блефует.

— Куда нам следует двигаться?

— Он сказал, в смысле сообщил, что адрес знаете вы. Ну, то есть так было написано.

Я все понял. Я понял, о каком адресе идет речь. Я действительно его знал. Только это была не конспиративная квартира, как наверняка предположил наш спаситель, а аварийный, на случай вот таких непредвиденных случаев «почтовый ящик». Там должно было ожидать меня сообщение. Как и что дальше делать. В том числе, возможно, и очередной перевалочный адресок.

— Ходу!

— Куда?

А действительно — куда? Чтобы не сразу волку в пасть.

Основной вход-выход наверняка блокирован.

Черный ход? Протискиваться через заборы некогда. И громко. Шумового прикрытия нет. Бой еще не начался, значит, слуховое и зрительное внимание нападающих, если таковые есть, никто не отвлечет. Услышат, засекут стук шагов и треск ломаемого дерева, перекроют все отходы еще до того, как мы успеем выбраться. Этот путь закрыт.

Значит, воздушный? Нет. Тоже нет. «Корзина» рассчитана только на двоих. Третьего пассажира она не выдержит. Заест или оборвется в самый неподходящий момент.

Остается тоннель.

— В лаз!

Сбросить снятые «винты» в спортивную сумку. Нажать кнопку на пульте-замке. Услышать звук сработавшего запора. Отодвинуть крышку дальше. Шагнуть в узкую квадратную яму. Как бы гость с его комплекцией в ней не застрял. Нет, все удачно. Видно, испуг способствует похуданию.

Закрыть крышку. Снять со стены с правой стороны фонарь. Теперь, пригибаясь и царапаясь плечами о земляные стены, а макушкой о низкие плиты перекрытия, — вперед. Сто метров — сто семьдесят пять шагов. Поворот. Куда — направо или налево? Ладно, направо, чтобы подальше уйти. Тупик. Наружный выход. Прислушаться. Наверху тишина. Какая-то уж слишком подозрительная. Нажать на пульт. Высунуться. Еще раз прислушаться. Гробовая тишина. Никаких признаков боя. Значит, мотоцикл лучше не заводить, чтобы он своим ревом не привлек внимания к своим седокам. Значит, пешком. Через заранее изученные лабиринты чужих дворов. Дальше, как можно дальше.

— Там же моя машина осталась, — вдруг вспомнил ошарашенный стремительным развитием событий гость. — Давайте я ее пригоню.

— Забудьте о машине.

— Как забыть? Она же казенная.

— Сейчас забудьте. Получите ее после. Через милицию. Скажете, что был совершен угон. Ясно?

— В общих чертах.

Поворот направо, еще направо. Улица. Еще поворот. Проходной проулок. Никаких признаков погони. Что за ерунда?

Секундная передышка.

— Теперь вы можете сказать, что случилось?

— Теперь могу.

— Что?

— Беда. Нападение на первый адрес.

— Где в это время был Шеф?

— Там.

— Где он сейчас?

— Не знаю. Он был ранен. И сказал, что будет выбираться сам. А меня направил к вам. Больше я ничего сказать не могу.

— Как вы узнали, где искать нас?

— От него. Он заранее, еще несколько дней назад, указал место, где будет спрятана тревожная информация. Ну, которая на случай провала.

Предусмотрительный Шеф. На недели вперед бдит!

— Когда все это случилось, он позвонил и сказал, что время пришло.

— Именно так сказал или как-то по-другому?

— Нет, именно так. Слово в слово. Он сам предложил эту фразу в качестве сигнала.

— В качестве пароля.

— Ну да, пароля. Я нашел этот пакет, вскрыл его и прочитал его указания.

— Где пакет и записи?

— Я сжег их. Он так в записке велел.

— А пепел?

— Размял и рассеял. Все, как там было написано.

— А что вам делать дальше, там не было написано?

— Нет.

— Тогда так. Сейчас вы добираетесь домой. Звоните начальнику вашей охраны и говорите, что упустили автомобиль. На милицию он выйдет сам. Только придумайте какое-нибудь более или менее правдоподобное объяснение и заранее осмотрите место действия. Чтобы чего-нибудь не напутать.

Никакой бурной, отличающейся от текущей деятельности не развивайте. Но постарайтесь узнать через ваши каналы, кто конкретно имел отношение к нападению — Безопасность, ГРУ или МВД. И куда делся Шеф.

— А информация?

Я остановился. И вдруг подумал о том, о чем раньше совершенно не задумывался.

— Какая информация?

— Которая была в компьютерах.

— Она останется у меня. Можете считать это моим ноу-хау.

— Но как же так? Я тоже имел к ней некоторое отношение.

— Может быть. Но я вынужден страховаться.

— От кого?

— От всех. В том числе и от вас.

— От меня?!

— Естественно. А вдруг все это — нападение, ваш приезд и наше поспешное бегство — только спектакль? Инсценировка с целью изъять у нас компрометирующий материал? Могу я сделать такое предположение?

— А главный инсценировщик, получается, я?

— А почему бы и нет? Я с вами в одних окопах не сидел. И кто вы такой, на самом деле доподлинно знать не могу. Вас знает Шеф, но он с ваших слов куда-то подевался.

— Но это же смешно. Просто какая-то детская игра в казаки-разбойники. Если бы мне так нужна была эта информация, я бы мог просто навести своих людей на ваш адрес. Зачем мне было приходить самому?

— Затем, чтобы получить информацию, а не пепел. Вы же понимаете, что подобные сведения без надежного присмотра не остаются. Что каждый жесткий диск каждого компьютера сторожит, как цепной пес, самоликвидатор. И мне нужна доля секунды, чтобы привести их в действие. И я бы привел их в действие, если бы увидел на экране охранного видеомонитора кого-то, кроме вас, или не одного только вас.

— И все же вы говорите глупость. Ведь если бы я хотел заполучить эту информацию без вашего согласия, я бы мог это сделать сейчас.

— Не могли бы.

— Почему?

— Потому что ее у меня нет!

— Как нет?!

— А вот так. Я что, недоумок, таскать с собой то, за чем готова охотиться половина руководящего состава страны? Я же говорю, что не исключаю, что случившееся может быть талантливо разыгранной мистификацией.

— Я не верю вам.

Я молча расстегнул и распахнул бывшую при мне сумку. В которой, кроме дна, ничего не было.

— Как видите, пусто. Стерильно пусто.

— А где же диски? — удивленно спросил Александр Анатольевич.

— По дороге обронил. Случайно, — ответил я. — Вот так вот шел, споткнулся и обронил. Сам, может быть, найду. А другие — вряд ли.

— Зачем вам эта информация?

— Затем, чтобы выжить. Физически. Пока она у меня, меня трогать поостерегутся. Как того лесного клопа, что может очень сильно развоняться. И еще затем, что собирал ее я. И значит, принадлежит она мне.

— Вы хотите продолжить дело?

— Я не получал приказа о его завершении.

— Но вы не получали приказа и о его начале.

— Получал.

— От кого?

— От себя. И от своего непосредственного начальника.

— Но его нет.

— Пусть мне продемонстрируют его тело. А лучше пусть покажут его живого и пусть он отменит свой приказ. Тогда я подумаю.

— Вы не сможете обойтись без поддержки со стороны. Хоть даже с моей стороны.

— А вдруг? Может, я хочу попробовать. Может, я по натуре единоличник. Может, я делиться не люблю.

— Вы не единоличник. Вы — безумец. Невозможно в одиночку воевать против системы.

— А я, знаете, предпочитаю другое определение безумства. Безумец — тот, кто торгует своей Родиной, прикрываясь сомнительного свойства рассуждениями на тему, что лучше я, нежели другой. Потому что я менее жадный. Прощайте.

— Когда и как мы с вами встретимся?

— А мы встретимся?

— Я надеюсь.

— Надейтесь. Надежда — это единственное, что нам осталось в этой жизни. Нам и нашей стране. Александр Анатольевич, вы со мной?

Александр Анатольевич только глазами моргал. Он решительно ничего не понимал.

— А что будет, если я останусь?

— Ничего хорошего.

— А если пойду?

— То же самое.

— Тогда я с вами. Между ничем хорошим в одиночку и ничем хорошим в компании я выбираю компанию.

— Ну тогда оставшимся — счастливо оставаться.

Большой начальник только обреченно махнул рукой.

Я не знаю, правильно ли я поступил, лишаясь последнего своего союзника. Не могу с уверенностью сказать, вел ли он свою игру или она мне только пригрезилась. Наверное, не вел, раз нам позволил уйти живыми. Или вел, раз спросил о том, о чем не должен был спрашивать. А может быть, вел, но какую-то совсем другую, мне совершенно непонятную.

В любом случае рисковать я не мог. Я привык работать только с теми, кому доверял абсолютно. А ему я не доверял. Потому что фамилия его была — Политик. И потому, что заказывал информацию он. А для чего — я не знаю. Может, чтобы шантажировать своих коллег. Может, чтобы с ее помощью сделать очередной виток должностной карьеры. Может, еще для чего.

А то, что нас не повязали здесь же, на его глазах, —

можно расценить как случайность, как оплошность охраны, не знавшей о подземном лазе. Или, наоборот, разумным ходом, попыткой выйти на утраченные диски, которые я по «рассеянности» потерял и в том месте, где потерял, — постараюсь найти. Сам по себе я им зачем? Им информация нужна.

Может быть, так. А может быть, и иначе. Гадать без толку.

ГЛАВА 41

Ситуация сложилась безнадежная. Вроде вечного шаха в шахматах. Ни поражение, ни победа. И в то же время бесконечное переставление с места на место фигур.

А я вам шах. А я — сюда. А я вам снова шах. А я снова — сюда. А я опять...

Сдохнешь со скуки. Если раньше боевики противника не найдут.

— И что мне делать сегодня?
— То же, что вчера.
— А что я делал вчера?
— То же, что позавчера. То есть ничего.

Александр Анатольевич вздыхал и шел к компьютеру играть в электронные игрушки.

А я, в очередной раз изменив внешний облик, отправлялся в традиционный обход точек реализации печатной продукции. Нам было необходимо постоянно пополнять банк данных. Ведь жизнь не стоит на месте и каждый прошедший день добавляет новые, со старыми персонажами события. Новые встречи, новые поездки, новые назначения. Информация — не антиквариат, где ценность тем выше, чем старее вещь. Информация — очень скоропортящийся товар.

Моя задача усложнялась тем, что я не мог в одном и том же месте покупать более трех-четырех газет одновременно. Времена изменились. Раньше можно было целые подшивки таскать без опасения, что кто-то что-то заподозрит. А теперь, если исходить из предположения, что за нами идет охота, лишней газетки не прихватишь. Даже если вдруг потребуется использовать ее не по прямому назначению. Потому что если нас и будут ловить и если нас и можно поймать — то только через информацию. Вернее сказать — через интерес к информации, к тем самым, будь они трижды неладны, периодическим изданиям.

Подойдешь к киоскеру, спросишь все газеты за сегодня и сразу попадешь под хорошо оплаченное противной стороной подозрение. А другой раз придешь, так уже и не уйдешь. Припрут с боков бравого вида молодцы и возьмут под белы рученьки, в которых зажата очередная партия прессы.

Нет. Только в удаленных друг от друга точках и только по нескольку газет. Утомительно, но другого выхода нет.

— Заряжайте, — протягивал я Александру Анатольевичу очередную партию периодической прессы.

— Готово!

И новая проблема — куда и каким образом сбыть накапливающиеся горы макулатуры, чтобы не привлечь к себе внимания? Излишки бумаги — это второй след, по которому нас можно вычислить. Достаточно только опросить пару тысяч мусорщиков, чтобы установить подъезды, где мусоропровод или мусорные баки систематически перегружаются старыми газетами и журналами. И проверить эти адреса.

Это только кажется, что подобная работа неподъемно тяжела, а на самом деле — самая типичная для Безопасности. Именно таким образом они всегда и находили самые махонькие иголки в самых больших стогах сена. И диссидентов, и фальшивомонетчиков, и всех прочих. Походят, поспрашивают работников коммунальных служб, а потом соседей по дому, а потом по подъезду и лестничной площадке — и нет диссидента, который читал ночами запрещенную литературу.

Вот и приходится, как заключенным, копающим в тюрьме подземный ход, выносить газеты в карманах и рассовывать по городским урнам.

И самое обидное, что от всех этих моих героических усилий пользы — дохлый кот наплакал. Нет региональной прессы. Нет прессы на национальных языках. Нет ведомственных изданий. Гигантский пласт информации отсутствует. А как можно построить целое здание, если в его фундаменте не хватает пусть даже нескольких блоков? Никак нельзя. Рухнет здание. От первого же хлопка входной двери.

— Готово!

Еще одна партия периодики, которую я, можно сказать, по всему городу собирал, обработана. Чуть не за несколько десятков минут. Вот что значит опыт. И снова можно играть в игрушки. И откуда он их только берет? Практически не выходя из дома.

— Откуда игрушки, Александр Анатольевич?

— Из телефона, вестимо, — смутился программист.

— Из какого телефона?

— Да вот из этого. Это я от нечего делать к сетям подключился и периодически таскаю что поинтереснее. Не надо было?

— К каким сетям?

— К компьютерным. Они же, компьютеры, через телефонные сети друг с другом соединяются. Посредством модема. Ну дешифратор такой, плата дополнительная...

— И сколько компьютеров в таких сетях может быть?

— От двух до бесконечности.

— Скажете тоже. До бесконечности!

— Да я точно вам говорю. Ведь вот этот телефонный провод, «лапша», как его называют монтеры, он же из нашей квартиры в подъездную коробку идет. Так?

— Так.

— А к коробке еще три кабеля подходят еще от трех телефонов.

— Ну?

— А если к ним подключить компьютеры, то нам будет доступна записанная на них информация. Например, те же игры.

— Так-так, понимаю. А с нашей этажной коробки провод на нижний и на верхний этажи уходит?..

— Да, и в соседний подъезд. И в следующий...

— И в следующий дом. И соседний квартал. И улицу...

— Ну да. И если в тех подъездах и домах к тем телефонным проводам свои компьютеры подключить, то и с ними можно общаться. Вот это и есть компьютерные сети. Если, конечно, примитивно объяснять.

— А с той улицы — на следующую. И в другой район. И город, — продолжал я вслух размышлять о своем. — А в том районе или городе есть учреждения, а в учреждениях архивы, а в архивах телефоны и компьютеры. Так что же вы раньше молчали?

— О чем?

— Об играх.

— А вы что, играми заинтересовались?

— Теперь — да! Но еще больше способом их получения.

Больше я за газетами не ходил. И в мелкую лапшу, чтобы опознать было нельзя, не нарезал. И по карманам и урнам не распихивал. Зачем? Если есть редакции газет. Библиотеки. И госучреждения. И... компьютерные сети.

Ай да Александр Анатольевич! Ай да золотой программист!

Я наметил жертвы, накупил полную сумку модемов и пошел по адресам.

— А вы знаете, черт вас возьми, что вы своим компьютером наводите помехи на два этажа? — строго говорил я в очередной редакции.

— Да вы что? — удивлялись они.

— Вот вам и что! Вы думаете, другим работать не надо? Только одним вам?

— Извините ради бога. Мы не знали.

— Не знали! У вас что, программиста своего нет? Который за порядком бы мог смотреть?

— Нет.

— А кто компьютеры обслуживает?

— Никто. Сами. Если что-то ломается, мы мастера вызываем.

— Вот и довызывались. Мастеров-ломастеров.

— И что теперь делать?

— Вам — ничего. Делать буду я. Сейчас кое-что перенастроим, поставим глушитель помех, и жалобы прекратятся.

— И сколько это будет стоить?

— Ничего не будет стоить. Соседи ваши все оплатили. Но если в следующий раз... По вашей вине... То тогда по полному прейскуранту, — и я называл умопомрачительную цифру. — Ну, показывайте, где аппарат. А то мне некогда.

Я снимал крышку с компьютера и долго, с чрезвычайно умным видом копался у него в потрохах. И все лишь для того, чтобы установить очередной модем и программное обеспечение.

— В общем так, смотрите на экран. Сюда и сюда не лазить. И сторонних мастеров не допускать. Категорически. Иначе я ни за что не ручаюсь. На случай возникновения очередных помех я присоединил ваш компьютер к телефонной сети. Если что произойдет, он даст мне сигнал. Сам. Без всякого вашего вмешательства. Ясно?

— А что, уже и такая техника существует?

— Разная существует. И такая тоже. И смотрите, чтобы больше без глупостей. А то покупают, понимаешь, электронику, а как с ней обращаться — не знают...

В более солидных организациях я и действовал более солидно.

— Фирма «Внедрение», — представлялся я, одергивая изысканный, с визиткой на лацкане, пиджак. — Подключаем ваши компьютеры к сетям. Обеспечиваем наладку, гарантийное обслуживание, бесплатные консультации...

— Нет, нет, — махали руками сотрудники. — Не надо. У нас сейчас со средствами напряженка.

— Вы меня совершенно не поняли, — широко улыбался я. — Мы не предлагаем вам купить наши услуги.

Мы предлагаем воспользоваться ими. Бесплатно! На взаимовыгодной основе.

— Как бесплатно? — ахали сотрудники. — Разве такое возможно?

— Возможно. Но только в нашей фирме!

И я объяснял, что в рамках проводимой нами рекламной кампании мы подключаем потенциальных пользователей к сетям и полгода даем им возможность пользоваться ими бесплатно. А вот через полгода клиент вправе решить — нужна ему подобного рода услуга или нет. И либо заключить с фирмой контракт, либо... Но обычно такого не случается.

— Это просто какая-то сказка! — удивлялись потенциальные потребители.

— Это не сказка — это цивилизованный бизнес, — скромно расшаркивался я.

— Давайте мы напишем о вас в газете! Как о совершенно новом явлении на нашем диком рынке услуг.

— Нет, нет. Пока не надо. Пока это только эксперимент. Вот когда он будет завершен, тогда с удовольствием. Тогда непременно...

Вот и еще один модем стоит там, где ему надлежит стоять. И еще один. И еще полсотни.

— Ну что, работаем, Александр Анатольевич?

— Теперь конечно! Теперь работаем!

Так-то. Это вам не игрушки из чужих компьютеров таскать...

ГЛАВА 42

Теперь информация текла рекой. По вездесущим, вхожим в любое помещение телефонным проводам.

Редакция газеты «Вечерний телетайп». Дневной выпуск. Верстка.

Снято!

Информационное агентство «Новости». Папка текущих сообщений.

Сканировано!

Статотдел Министерства сельского хозяйства. Сводка за прошедший месяц по сорока позициям.

Уворовано! Хорошо, что у них компьютер сломался. А я починил. И хорошо, что они о характере этой починки не догадываются. Радуются бесплатному, согласно гарантии, устранению поломки.

— Куда еще?

— Теперь давайте вот в этот архив. Покопаемся там. Сможете?

— Попробую.

Запрос. Ответ. Еще запрос. Пауза.

— Информация закрыта.

— В каком смысле?

— В прямом. На интересующих нас файлах повешен пароль.

— Вы можете узнать, какой?

— Может быть слово. Может быть ряд цифр.

— Я имею в виду: можете ли вы его взломать?

— Если многосложный — то нет. А если простенький, как на играх, — можно попытаться.

Запрос — отказ.

Запрос — отказ.

Запрос — отказ.

Запрос — уточнение — разрешение.

— Есть доступ! Какая конкретно информация нас интересует?

Ну что за программист. Что за умница!

И еще один архив.

И еще пять редакций.

И три министерства...

День.

Второй.

Третий.

Неделя...

И вдруг непонятная тревога в глазах программиста, застывшего перед экраном монитора.

— Что такое?

— Нет, нет, ничего. Наверное, померещилось.

— Что померещилось?

— Да ерунда какая-то.

— За самой малой ерундой, уважаемый Александр Анатольевич, обычно скрываются самые грандиозные провалы. Что случилось?

— У меня такое ощущение, что кто-то параллельно нам проделывает ту же самую работу.

— Какую «ту же самую»?

— Ну в смысле сбора информации.

— Вы это знаете?

— Я это чувствую. Можете считать, интуитивно.

— А если не интуитивно? Если фактически?

— Понадобится специальная программа. И несколько зафиксированных на конкретные адреса компьютеров.

— Так в чем же дело?

— В программе. Ее еще надо придумывать.

— Ну так действуйте. А я попробую прокачать информацию по своим каналам.

— По каким своим?

— По таким, которых я еще тоже не знаю.

Я не мог рассуждать как компьютерщик. Я рассуждал как работник Конторы. Как Резидент с двадцатилетним стажем работы.

Итак, у нас есть определенного рода подозрение. Подозрение, основанное на предположении, которое, в свою очередь, подкреплено только интуицией. Можно им пренебречь? Можно. Но не нужно. Интуиция есть продолжение разума. В той ее части, где логика уже не способна справиться с поставленной задачей.

Что насторожило программиста? Неизвестно. И вряд ли это «неизвестное» поддается просчету. Возможно, какой-то случайный сбой в работе машины. Возможно, элементарная логика человека, выполняющего какую-то работу, — если ее делает он, почему ее не может делать другой? В любом случае высказанное подозрение очень здраво. Если нас и будут искать — то по аналогам работ. По действию. По тому, что мы должны и будем делать. А это, кроме уже напечатанных газет, прямой выход на редакции и архивы.

Нас будут ловить там, где мы должны непременно появиться!

И как мы можем установить, так это или не так? Идет слежка или нет?

Да точно так же! Но только с точностью до наоборот. Нам надлежит ловить противника там, где он ловит нас! Нас ловят на источниках информации, а мы будем — на чужом интересе к этим источникам.

Так?

Именно так!

Я снова надел униформу телефонного монтера и прошел, в сильно измененном виде, по адресам, где не так давно устанавливал модемы.

— Профилактическая проверка телефонных сетей. Как у вас аппараты, не барахлят? Нареканий к связи нет? Дополнительные отводы не устанавливали? Компьютеры не подключали?

Ах, подключали? И кто подключал? Фирма. В рекламных целях? Нет, нет, ничего криминального в этом нет.

А больше никто? А компьютерным подключением никто не интересовался? А то, знаете, бывает, две конкурирующие фирмы дерутся, а страдает от этого владелец телефонного номера. Есть у них такие, ниже пояса, приемчики.

Нет? Никто не приходил, ничего такого не спрашивал? Ну тогда все в порядке. Можете пользоваться.

Но если кто-нибудь все же придет и поинтересуется, вы позвоните мне вот по этому телефону. Я обслуживающий вас монтер. А то они друг другу пакостить начнут, а крайними выйдете вы. И лишитесь телефона. А без телефона сейчас, сами понимаете...

И таким или подобным образом, со стремянкой и сумкой с инструментами, я прошел еще по десятку адресов.

Нет, все чисто. Никто не был. Ничего не спрашивал. А если и качает информацию, то через установленные нами модемы. Так сказать, загребают жар чужими, натруженными на ниве обслуживания телефонных линий руками.

Стоп! А если посмотреть там, где эти руки не трудились? По аналогии. По местам вместилищ информации, где мы еще не копались. Куда только планируем запустить свои электронные щупальца. Вдруг нас опередили?

Ну-ка, что у меня там по списку? Еще одно министерство? С него и начнем.

— Здравствуйте. Где вы покупали компьютеры? Ну, значит, все точно, значит, у нас. Профилактическая проверка техники. Ах, у вас гарантия кончилась? У вас-то она, может, кончилась, да мы-то ее продлили! Вот так вот! Такое обслуживание. Такое внимание к потенциальному клиенту.

Сейчас все посмотрим, почистим, что надо, заменим, что требуется, поправим. А вы пока распишитесь вот в этом направлении. У нас порядок. Учет и контроль. Сделал работу — принеси подтверждение начальству. А как иначе? Командиры у нас строгие, но справедливые. Как в армии.

Вот здесь распишитесь и здесь. А я пока, с вашего разрешения, технику посмотрю...

Вот компьютер. Вот начинка. А вот то, что я искал, — «жучок-паучок»! Вот он, притаился среди хитросплетений микросхем. И значит, где-то рядом, на чердаке, в подвале или электрощитовой, должен находиться принимающий сигнал промежуточный передатчик и подключенный к сети модем. «Жук» снимает электрические колебания с кабеля, идущего от компьютера к монитору, передает на модем, а тот, в свою очередь, транслирует на принимающий компьютер. И всякая картинка, возникающая на экране монитора, автоматически дублируется на экране другого, удаленного на десятки метров или сотни километров монитора. Монитора слежения. Вот такая премиленькая схема.

— Вы компьютеры к сетям подключать не думали? Нет? А чего же так? Дорого? Это вы верно сказали, теперь все недешево.

А кроме меня, кто-нибудь машины смотрел? Смотрели? С полмесяца назад? И что сказали? Что все в порядке. А как выглядел тот ремонтник? Такой высокий, седой? Нет? Наоборот, низенький, пухлый, с залысинами здесь и здесь. И прихрамывал? А, ну тогда знаю я его. Это Сергей Петрович с соседнего участка. У нас прорыв тогда был и всех перемешали. Видите, как получается. Знал бы, что компьютеры уже смотрели, так не беспокоил бы вас лишний раз.

Ну ничего, техника, как женщина, лишнего ухода не боится. Только лучше становится. Ну счастливо вам оставаться. Пошел я...

Вот и результат! По аналогам. Видно, не одни мы такие ушлые. Кто-то еще, параллельно нам, в ту же самую игру играет. Из тех же самых источников черпает. Кто? Знать бы!

Я зашел еще по трем десяткам адресов и выявил еще два «левых» и три официальных модема.

Вот как все интересно получается...

Дома мой электронный напарник, обхватив голову руками, сидел возле включенных мониторов. И разве только зубами с досады не скрипел.

— Ну, что у вас такого хорошего?

— Ничего хорошего, кроме самого плохого, нет. Не идет программа. Хоть тресни! Я уж и так и эдак. Ничего не получается. Уже начинаю подозревать, что она в принципе невозможна.

— В мире ничего невозможного, кроме вдавливания зубной пасты обратно в тюбик через то же самое отверстие, не бывает.

— Вы что-то узнали?

— Узнал. Узнал, что вы были правы. Не подвела вас интуиция, Александр Анатольевич! Кто-то работает параллельно нам. Тонко работает. И в очень похожем стиле.

— Как вы это вычислили?

— Посетил наших потенциальных клиентов. И нашел там модемы.

— Ну и что? Может, они там и должны были быть?

— В том-то и дело, что не должны, потому что их там либо никто никогда не устанавливал, а они тем не менее есть, либо устанавливал на безвозмездной основе, так сказать, в виде благотворительной помощи. В которую я не очень-то верю.

— Но это значит...

— Это значит, что либо таким образом пытаются выловить нас, либо кого-то еще, кроме нас, интересует информация точно той же направленности.

— Но кого именно?

— А это и есть самый трудный, но и самый интересный вопрос. И если мы на него ответим, то, считайте, мы ответим и на все остальные...

ГЛАВА 43

Из архива документов «Для служебного пользования» канцелярии Президента США.

Выдержки из стенограммы рабочего совещания от...

Г р и ф: *совершенно секретно.*
Г р и ф: *один экземпляр.*
Г р и ф: *личная папка Президента.*

На совещании присутствовали: глава ЦРУ...
Начальник отдела технической
разведки ЦРУ...
Начальник Восточного отдела ЦРУ...
Представитель Президента...
И далее, посписочно, еще шесть человек.

...— Развитие ситуации требует от нас постоянного ее отслеживания. Причем отслеживания в динамике. Любой упущенный сегодня момент завтра может в корне изменить положение дел. Если мы не будем успевать за событиями, если не сможем просчитывать их хотя бы на день, на час вперед, ситуация выйдет из-под контроля. Она уже выходит из-под контроля...

...Отсюда следует, что использованные нами ранее каналы снабжения интересующими нас сведениями исчерпали себя. Нам необходимо ежедневное, ежечасное пополнение банка данных. При этом крайне важно получение информации из первоисточников. Существуют ли еще какие-нибудь технические или иные средства для бесперебойного снабжения ею?

— Мы задействовали все имеющиеся в наличии технические возможности.

— Существует ли вероятность решить данную проблему в ближайшие дни или недели?

— Исходя из имеющихся у нас на сегодняшний день ресурсов — нет. Все наши каналы работают в чрезвычайном режиме. Выжать из них больше, чем они дают, — затруднительно. Техника просто посыплется.

— Я не спрашиваю вас о ваших возможностях. О них мы уже знаем, я спрашиваю о потенциальных возможностях. Какие дополнительные, возможно, не подчиненные вам впрямую мощности мы могли бы использовать?

— Ну, если вопрос ставится так. В целом...

— Именно так.

— Тогда это может быть простаивающая из-за неполной нагрузки техника союзников. Тех, что ближе всего располагаются к границам рассматриваемых стран. Если бы они согласились, пусть даже в усеченном объеме, предоставить в наше распоряжение существующие мощности...

— Еще?

— Практически полностью мог бы снять названную проблему запуск дополнительных спутников с соответствующей сканирующей аппаратурой на борту. Либо перепрофилирование уже находящихся на орбите космических объектов.

— Хорошо, мы свяжемся с НАСА. Возможно, они смогут пересмотреть цели ближайших запусков. Но в любом случае это потребует времени. А нам нужен результат уже сейчас. Что еще вы можете предложить?

— Наверное, специализированный компьютерный поиск. Если не оглядываться на правовые акты и соглашения, регламентирующие использование международных компьютерных сетей.

— Если возможно, раскройте этот пункт подробнее...

Конец цитаты.

ГЛАВА 44

— Все, пас! Больше того, что я сделал, я сделать не могу. Просто не в состоянии! Я и так на порядок превысил свои возможности. Я специалист по программированию, а не по компьютерным сетям. Этот барьер мне не перепрыгнуть.

— Докуда вы дошли?

Александр Анатольевич показал на лист бумаги с распечатанными столбцами электронных адресов, состоящих из мешанины цифр, букв и графических значков. И с точно такими же столбцами расставленных против них телефонных номеров.

— Вот досюда. Они там таких паролей понавесили, что сам черт свихнется.

— Чьи это телефоны?

— Откуда я знаю. Я шел по цепочке и дошел до них. А что это за телефоны, кому принадлежат, где располагаются — я знать не могу. У меня и так чуть мозги не заплелись, пока я их с адресами идентифицировал. А уж абонентов устанавливать — это и вовсе не мое дело.

— Хорошо, будем считать, что это мое дело, — согласился я, перечитывая и запоминая цифровые комбинации.

На бумажке я ничего записывать не стал. Потому что на память не жаловался. А не жаловался, потому что память мне раз и на всю оставшуюся жизнь натренировали специалисты еще в первой учебке. Очень драконовскими и оттого очень действенными методами. Академика Павлова методами. Теми, которые вырабатывают у собак и курсантов устойчивые условные рефлексы. Запомнил — пряник зачета. Не запомнил — кнут электроудара. И еще одного. И еще. С постепенным повышением напряжения. Теперь вспомнил? И уже не забыл? И не забудешь никогда.

Необходимые справки я навел довольно быстро. По означенным, где были установлены телефоны с известными мне номерами, адресам проживали на съемной площади иностранцы. В одних случаях журналисты, в других представители торговых фирм и обслуживающий персонал посольства.

Все это было очень интересно.

— А если поднатужиться, Александр Анатольевич? А?

— Если сильно поднатужиться, то можно родить! — ответил программист. — И уйти в декретный отпуск. А это не входит ни в мои, ни в ваши планы. Ну не в состоянии я больше ничего сделать. Я же вам говорил.

— А кто в состоянии?

— Кто в состоянии, тот свои таланты не рекламирует. Такие способности — сродни дару вскрывать сейфы. С ним и болтливым языком в придачу на свободе долго не живут.

— Но вы таких людей знаете?

— Не знаю!

— Но хотя бы предполагаете, где их можно найти?

— Предполагаю. В милицейских сводках.

— Не понял.

— А что здесь понимать? Если человек умеет взламывать пароли и коды, он рано или поздно добирается до банковских сейфов.

— Какая связь компьютерных сетей и банковских сейфов?

— Прямая. Расчет банковских операций и движения денег сейчас производится только на компьютерах. Арифмометры, счеты и калькуляторы давно выброшены в мусор за ненадобностью.

— А банки имеют телефоны, — догадался я.

— Даже больше. Почти все банки подсоединены к

специализированным сетям, чтобы более оперативно осуществлять двустороннюю связь с клиентами. Это гораздо проще и удобнее, чем выписывать и возить туда-сюда платежки, выписки и прочую финансовую документацию. Нажал несколько клавиш в головном офисе, и в удаленном на десятки кварталов или даже сотни километров филиале клиент без проволочек и изматывающей душу бюрократии получает живые деньги. И даже зад от стула отрывать не надо. Удобно?

— Удобно.

— Но если это возможно делать из центрального офиса, почему это нельзя сделать с любого другого телефона, включенного в данную сеть? Отчего не влезть в их документацию и не переписать на свое имя пару-тройку миллионов долларов? А на следующий день получить их наличными?

— Но тогда получается, что всякий имеющий доступ к сетям и имеющий компьютер человек может в любой момент поправить свое финансовое положение?

— В принципе может, но пусть попробует. Подходы к специализированным сетям и уж тем более к информации перекрыты десятками хитромудрых паролей. Точно так же, как доступ в сейфы — номерными замками. Попробуй подбери из сотен тысяч комбинаций единственную требуемую.

— Но сейфы тем не менее взламывают.

— Компьютерные сети тоже. Но если только человек, надумавший это сделать, обладает умением, вернее — даже талантом профессионального «медвежатника». Только талантов таких — днем с огнем...

— Такая безнадежная ситуация?

— Я думаю, даже более безнадежная. Те, кто на свободе, — сидят тихо. А те, кто сидит в тюрьме, — сидят в тюрьме.

— Но сидят?

— Конечно. Раз есть банки и есть компьютерные сети, не может не быть людей, которые не попытались бы их использовать в своих корыстных целях. Я помню, даже читал что-то о подобных процессах в прессе.

— Когда читали?

— Год назад. Или полтора. Был там какой-то умелец, который взломал коды чуть ли не Британского национального банка.

— Их умелец?

— Нет, в том-то и дело, что наш умелец. Откуда-то с периферии. Может, из Новгорода, может, из Пскова. Но умудрился. С домашнего телефона и с помощью чуть ли не первых выпусков компьютера! Правда, кто-то ему там помогал. То ли международные телефонные счета оплачивал, то ли какую-то информацию раздобыл. Честно говоря, я не помню всех подробностей.

— Но вы точно читали об этом в газетах? Или слышали то, что соседка с пятого этажа сказала подруге с третьего, а той кто-то что-то такое поведал в очереди за квасом?

— Нет. Из газет. Точно. Сам читал.

— Тогда это меняет дело.

И я снова засел за прессу. На этот раз за желтую и за колонки криминальной хроники.

Убивают. Грабят. Мошенничают. Насилуют. Снова убивают. И опять убивают. И снова грабят, а потом непременно убивают. И почти ничего из области высокоинтеллектуальных преступлений.

Впрочем, нет. Вот что-то очень похожее на то, что рассказывал Александр Анатольевич. Выпускник политехнического института, умный мальчик, отличник, медалист, победитель математических олимпиад, так и не смог после выпуска из родной альма-матер найти работу. Трудился грузчиком, дворником, сторожем. Разочаровался в жизни. Потом случайно сблизился с друзьями, имеющими связи с криминальным миром. Помог в одном деле, в другом. Потом на какой-то вечеринке, шутки ради, высказал идею о возможности бескровного изъятия денег из банковских хранилищ. Ему не поверили. Над ним посмеялись. Он обиделся и поспорил на какую-то чисто символическую сумму, что вскроет какой-нибудь частный счет в любом указанном ему банке. И вскрыл. И получил свои выигрышные копейки.

А дальше талантливого мальчика взяли в оборот плохие дяди. Он по их заказу выпотрошил один банк, потом другой, потом третий. Причем так, что эти пострадавшие банки ничего не заметили. А может быть, и заметили, но предпочли покрыть недостачу, не поднимая лишнего, способного отпугнуть выгодную клиентуру, шума.

Споткнулся компьютерный самородок на втором или третьем (!) иностранном банке. Слишком понадеялся на свои силы, слишком на большие суммы замахнулся. Хотя сам с тех уворованных с чужих счетов сумм имел жалкие крохи. Его, как видно, интересовал сам процесс. Было в нем что-то творческое, из серии тех задач, что давали на математических олимпиадах. Только те были теоретическими, а эти очень даже прикладными.

В общем, компьютерного воришку вычислили, поймали и посадили, чтобы другим неповадно было. На пять лет с конфискацией!

Вот такая трагическая и одновременно поучительная история. Особенно для меня поучительная.

Кстати, этот малец в мировой практике был не единственным примером достижения очень значительных результатов очень незначительными средствами. Другой, почти его ровесник, но уже за океаном, умудрился со своего домашнего компьютера влезть в информационный банк Пентагона. Чуть войну не начал, поганец. Хотя и вундеркинд.

Я поехал в Новгород.

— Ну как ваш сынок, пишет? — спросил я найденную с помощью местных журналистов его мамашу.

— А вы кто? Вы из милиции?

— Нет, я из школы. Я его учитель. По физике. Вы уж меня, наверное, и не помните. Каким талантливым мальчиком был ваш сын!

— Да, был. Именно был... — заплакала, запричитала женщина.

— Ну так как он?

— Плохо. Вот просит прислать сигарет. А зачем они ему? Ведь он никогда не курил! И еще теплые носки.

— Мерзнет?

— Конечно. Там такие холода. Такие метели...

— Где там?

— На Севере.

И тронутая сочувствием мамаша показала адрес на конверте.

Действительно, не близко. За три дня не обернуться.

А придется.

ГЛАВА 45

— Заключенный Баранников по вашему приказанию явился!

— Вот это и есть наш герой.

Дохловатый на вид герой. Одна башка только здоровая. А все остальное — как высушенный гороховый стручок. Не просто, видать, далась парню тюрьма.

— Что же это ты, Баранников, над нами издевался? Чего горбатого лепил? Интеллигента из себя корчил. Очки носил. А того не сказал, что за тобой не одни только финансовые грешки числятся. А кое-что и похуже.

— Избините, не понял.

— Извините! Не понял! Ты дурочку-то не ломал бы. Вот за тобой следователь специально из Москвы приехал. Говорит, «мокрое» за тобой тянется. Ну очень «мокрое».

— Это какое-то недоразумение.

— Недоразумение или нет, это мы разберемся, — встрял в разговор я. — А пока собирайтесь.

— Куда?

— Вас забирает Центральная прокуратура. А если персонально, то я — следователь по особо важным делам Егоров Андрей Григорьевич.

— Вот так, Баранников, до «важняка» доигрался. Теперь добра не жди. Теперь зеленку жди промеж глаз.

— Здесь какая-то ошибка!

— Ничего, разберемся, — строго сказал я. — Готовьте заключенного к отправке.

— У вас конвой где?

— В машине. А машина — во дворе.

Конвой был. Причем самый натуральный. Без всякого блефа. В гимнастерках, сапогах, при погонах и «черном воронке». Да, и еще с автоматами с полным боекомплектом.

Я их тут недалеко, в соседней области, за пять ящиков водки прикупил. Увидел, подошел и сторговался. С солдатами срочной службы, если с правильным подходцем, всегда столковаться можно.

— Смотаемся туда-обратно, возьмем человечка — и всех дел. А потом пир горой, — по-простому объяснил я.

— А сейчас?

— И сейчас тоже, — и я вытащил из карманов аванс.

Что и решило исход затянувшихся было переговоров.

— Главное дело — кто вам что сделает. Вся ответственность на мне. Скажете, он документы показал. Вот эти. Видите? Все как положено, с печатями и подписями. Все чин-чином. Ну что поделать, если у меня своего транспорта нет. Сломался по дороге.

Максимум, что вам грозит, — гауптвахта за самовольную отлучку. Да и отлучки не будет. Кто вас за эти несколько часов хватится? В крайнем случае скажете, колесо меняли.

— Ох, мужики, что-то мне это не нравится, — засомневался один, наверное, наименее пьющий. — Как бы не влетело нам.

— Да ладно ты, что — первый раз, что ли? Проскочим, — приструнили его более пьющие. — Когда девок-зэчек катали, тоже думали, в дисбат загремим — и ничего, до сих пор служим. В общем, кончай ломаться, заводи машину. А то водка стынет.

— А вы говорите, где взять конвой? Да там же, где и

зэкам водку. И чай. И наркоту. В тех самых внутренних войсках.

— Вот сопроводительные документы, вот личные вещи, — показал зам начальника колонии по режиму, — а вот здесь распишитесь. И здесь.

Это сколько угодно. Хоть левой, хоть правой рукой. Я этих росписей за время своей службы по стране наоставлял — сотни. И ни одна на другую не похожа. Но зато очень похожи, ну просто один к одному, на те, что в липовых документах проставлены. В том числе и на этих, по которым я нужного мне заключенного из-за колючки достал на три года раньше истечения срока.

— Шагайте, Баранников! И не вздумайте сотворить какую-нибудь глупость. Конвой будет стрелять без предупреждения!

(Если он, конечно, после употребления внутрь аванса еще во что-то способен попасть.)

— Давай, давай, вундеркинд дерьмовый. Топай! И больше не возвращайся!

— Не вернется, — пообещал я. — Уж это я гарантирую.

На том мы и расстались с «учреждением а/я номер...». Вот только в самом конце начальнику колонии чем-то конвой не понравился. Какой-то уж очень он разболтанный был и даже отдельными местами наглый. И сапоги с той войны не чищены.

— Ну, тут уж что поделать. Кто есть, с такими и приходится работать.

— И то верно. Распустили солдатню. А другой все одно нет. Ну, прощевайте.

— И вам того же.

И поехал Баранников из мест очень отдаленных в гораздо более близкие. Ну не оставлять же вундеркинда, математика, медалиста и просто хорошего человека на съедение не отличающим формулу бесконечных величин от теоремы Ферми рецидивистам. Они его отличных от прочих способностей все равно не оценят.

А я оценю. Потому что мне без них — полный зарез!

Солдат с машиной и водкой я отпустил за первым же поворотом. Они свое дело сделали — массовку обеспечили.

— А кто его охранять будет? — все-таки не удержались, спросили на прощание они.

— Я сам. Или вы думаете, что я с ним без вас не справлюсь?

Солдаты внимательно посмотрели на задохлого математика и успокоились.

— Справитесь. Конечно, справитесь!

— Нет, если вы сомневаетесь — можете сопроводить нас еще, — предложил я.

— Нет, нет, — дружно отказались солдаты, кося глазами на загруженные в машину ящики. — Нам некогда. Нам в часть надо возвращаться. Сами понимаете — служба.

— Понимаю.

Я остановил первую попавшуюся машину, усадил туда не осознающего, что с ним происходит, зэка и сел рядом сам.

— В аэропорт.

— Кто вы? — спросил Баранников.

— Ангел-спаситель.

— Но вы следователь?

— В некотором смысле да.

— Вы сказали... Вы сказали, что я убийца...

— Точно. Убийца.

— Но кого, кого я убил?!

— Себя. Себя ты убил. И почти насмерть!

В аэропорту я протянул освобожденному заключенному паспорт.

— Держите документ — Козловский.

— Почему Козловский?

— Чтобы легче было запомнить. По ассоциации с прежней фамилией.

В паспорте на имя Козловского была вклеена фотография Баранникова. Только чуть более молодого. Другой фотографии при просмотре его семейного альбома я не нашел.

— Ну что, перебираемся в самолет?

— Я ничего не понимаю. Кто вы? Что вам от меня нужно? Откуда паспорт? С моей фотографией. Я никуда не полечу, пока вы со мной не объяснитесь.

— Не полетите?

— Нет.

— Ну хорошо. Тогда я не настаиваю. Тогда мы вернемся обратно, — и я шагнул от стойки регистрации в глубь зала.

— Нет, — вскричал Козловский-Баранников. — Нет!! — И лицо его исказила гримаса страха.

Нет, все-таки тюрьма ему чем-то не нравилась. По крайней мере нравилась меньше, чем поданный на взлетную полосу самолет.

— Ладно, я скажу вам то, что вы хотите от меня услышать. Я не преступник и не следователь. Я нечто среднее. Вы мне нужны как специалист, быть может, единственный в своем роде. Когда вы выполните свою работу...

Козловский-Баранников напрягся.

— Я отправлю вас за границу. В любую страну, которую вы выберете на карте мира. Я не хочу, чтобы ваш талант загиб где-нибудь вблизи параши. Вы заслуживаете большего. Возможно, спасая вас, я делаю одолжение цивилизации. Персонально мне, как вашему спасителю, это еще придется доказать. Докажете — ваше счастье. Нет — отправлю обратно на нары. Потому что помогать непризнанному гению — это одно. А сбежавшему зэку — совсем другое. И совсем по-другому оценивается обществом. Так что у вас есть самые прямые стимулы для ударного труда. Вы все поняли?

Козловский-Баранников судорожно кивнул.

— Тогда, надеюсь, мы больше к этой теме не возвращаемся.

ГЛАВА 46

— Ну что, потрудимся во славу отечества?

— Потрудимся, — ответил Александр Анатольевич. — Нам не привыкать.

— Так потрудимся? Или как? — громко повторил я.

— Конечно, конечно, — закивал Козловский-Баранников. — Что надо делать?

— Все то же самое, что вы делали раньше. Только с
большей пользой для народа. Ломать буржуинские
коды. Справитесь?

— Я постараюсь.

— Вы уж постарайтесь, а то на Севере зимы холод-
ные, а телогрейки худые, — напомнил я и тут же пожа-
лел о том, что сказал.

— Хорошо, хорошо. Я сделаю все, что в моих силах.
Я сделаю...

Похоже, с шоковой педагогикой пора заканчивать,
пока я взамен грамотного «взломщика» не получил ни
на что не способного истерика.

— Ладно, работайте и ни о чем таком не думайте. Не
будет больше в вашей биографии тюрьмы. При любом
исходе не будет. Вы свое отсидели. Амнистия! Александр Анатольевич, давайте первый телефон.

Запрос — отказ.

Запрос — отказ.

Запрос — отказ.

Пауза.

Отказ.

Запрос — пауза — пауза — и первая цифра.

Есть первая цифра!

— Как он это делает? — спросил я единственного
бывшего под рукой консультанта.

— Вам подробно или доступно? — уточнил Александр Анатольевич.

— Доступно.

— Тогда представьте замок. С единственным закры-
вающим его кодом. Чтобы его открыть, надо перебрать

тысячи комбинаций цифр. Что в принципе невозможно. Или...

Я пожал плечами.

— Или сломать его механизм. Что и делает наш юный друг. Он запускает в память компьютера специальный вирус и с помощью его разрушает системы защиты. А как он это делает, я, честно говоря, и сам понять не могу. Возможно, и он до конца не понимает. Но, что интересно, делает! Потому что талант!

Запрос — отказ.

Запрос — отказ.

Запрос — уточнение.

Пауза.

Вторая цифра...

Через десять часов первый пароль пал.

— Пошла! Пошла информация! — радостно сообщил Александр Анатольевич.

Цифры. Факты. Фамилии. Географические названия. И снова цифры, названия... Сотни и сотни страниц!

Как все похоже на то, что мы уже делали. Похоже и в то же время не одинаково! Есть отличия. Здесь. Здесь. И здесь. Немного иной подход к сбору информации. К ее систематизации.

Другой и в то же время очень подобный! Как два рожденных от одной матери и от одного отца брата. Не близнецы. Но братья!

Кто же повторяет наши шаги? Кто идет шаг в шаг с нами?

Второй номер. Запрос — отказ. Запрос — уточнение. Запрос... Новые десять часов.

Взломано!

Опять фамилии, цифры, географические названия. Из других источников. Но подбор тот же. Те же года, те же числа, те же фамилии.

Дальше, дальше!

Третий телефон!

Это что-то новенькое! Это такое новенькое, что дух захватывает! Документы «ДСП» и «Совершенно секретно». Самых разных учреждений. Государственного стату правления, Министерства иностранных дел, таможни, других министерств.

— Неужели можно пробраться и туда?

— Как видите, можно. Принцип взлома — он одинаков что для банков, что для сверхсекретных архивов.

— Вы можете узнать, куда эта информация пошла дальше?

— Если куда-то ушла — возможно. А если была сброшена на дискеты — то нет.

— Попробуйте.

Запрос — отказ.

Запрос — отказ.

Уточнение.

Уточнение.

Отказ.

— Проникнуть не могу. Но могу назвать номер.

— Какой?

— Вот он.

Номер был пятнадцатизначный.

— Что это за номер? Какая атээска?

— Это не наш номер. Это иностранный номер. Я имел с такими дело, когда работал банки. Ну тогда, раньше...

— То есть получается?..

— Да, информация была сброшена через границу.

— Но как же так? Ведь во время передачи ее могли засечь. Невозможно, передавая такой гигантский объем информации, не привлечь ничьего внимания!

— Возможно. И даже несложно. Они сархивировали все внесенные в память сведения, ужав их раз в сто, зашифровали, защитили паролем и сбросили в несколько заходов в телефонную сеть в форме совершенно не читаемых со стороны помех. Никто ничего не заметил. А если даже и заметил — не придал значения. А если придал — не смог снять пароль. А если даже снял — не смог расшифровать. Но, даже расшифровав, — не разархивировал. Все это возможно, только когда знаешь, что и в какой последовательности делать.

— Именно поэтому ты не смог войти в банк информации?

— Именно поэтому. Я смог взломать пароль, но не смог одолеть шифрозащиту и открыть архиватор.

Все точно — как с записанными и переданными на места радиосообщениями. Сверхкороткий визг прокрученной на больших скоростях магнитофонной пленки — и часы ее последующего принятого, зафиксированного и дешифрованного звучания. Тот же принцип.

— Но это возможно?

— В принципе возможно, но потребует гораздо большего времени.

— Внимание! — сказал, почти крикнул Александр Анатольевич.

— Что такое?

— Смотрите! — показал он на точку, пульсирующую в одной из рамок на экране.

— Что это?

— Я не знаю. С подобными вещами я дела не имел. Я увидел только изменение на картинке и привлек к нему ваше внимание.

— Зачем же вы так громко кричали?

— Черт его знает. Как будто что-то показалось.

В этой пульсирующей, бьющейся в замкнутом пространстве рамки точке было действительно что-то тревожное. Что-то мешающее отвести от ее пульсации и колебаний взгляд.

— Он правильно кричал, — тихо сказал Козловский-Баранников. — Эта точка обозначает, что нас обнаружили. Что нас ищут.

— Кто ищет?

— Хозяева информации. Или кто-то еще. Меня так же вылавливали, когда я забирался туда, куда забираться не следовало.

— И что вы делали?

— Немедленно отключал компьютер.

— А если не отключать?

— Тогда в зависимости от того, в каком режиме идет поиск. В автоматическом или ручном. Если в автоматическом, возможно, убедившись в отсутствии дальнейших движений с нашей стороны, «сторож» затихнет. Если, конечно, и мы затихнем.

А если в ручном, то непременно запустят более сильную программу и рано или поздно вычислят посторонний сигнал, узнают, откуда пришел чужак.

— И что будут делать дальше?

— Это вам лучше знать. Может, придут и оштрафуют и отберут компьютер, чтобы не баловались. А может, чего хуже.

— Значит, хуже.

Точка билась и металась в узкой для нее рамке, все увеличиваясь в размерах.

— Они приближаются. Надо уходить.

— Вы сможете снова найти этот адрес?

— Наверное, смогу. Но придется начинать все сначала. После обнаружения постороннего присутствия, пусть даже это будет расценено как случайность, они непременно сменят все пароли.

Точка росла. Как приближающаяся к глазам шаровая молния.

— Все, уходим!

Щелчок тумблера, и экран погас.

— Но ведь так нас смогут вычислить всегда!

— Совершенно верно — всегда. Потому что мы всегда будем входить в сети с какого-то конкретного телефона.

— И это значит, что вести постоянный, планомерный поиск мы не можем. Нас просто-напросто поймают за... провод.

— Поймают.

— А если менять телефоны?

— Тогда нам придется менять их каждый день.

Тупик. Если каждый день менять квартиры, перетаскивая с места на место компьютеры, засветишься еще быстрее. Полный тупик! Сидеть на месте нельзя. Бегать с места на место — тоже нельзя. Надо так, чтобы бегать и одновременно оставаться на месте. То есть совершать взаимно противоречащие действия.

Возможно такое?

Нет!

Разве только...

И я внимательно посмотрел на своих коллег-подчиненных.

ГЛАВА 47

Из доклада дежурного по пункту спецсвязи
посольства США в Турции. От...

ВЫДЕРЖКИ

Г р и ф : *совершенно секретно.*
Г р и ф : *без права выноса из помещения.*

...Я заступил на дежурную вахту с...

...Никаких сбоев в работе электронных систем при приеме-сдаче дежурства не наблюдалось...

...Между 17.07 и 17.12 местного времени на пульте компьютерной связи загорелся сигнал сбоя. Это могло обозначать либо помехи в системе, либо попытку выхода на нашу базу данных постороннего адресата. Я включил программу активного подавления помех, так как в это время шла передача информации одним из наших респондентов. И одновременно запустил тест проверки на постороннее присутствие. Через две с половиной минуты сигнал сбоя погас.

Я не могу сделать однозначного вывода о причинах, вызвавших срабатывание датчика сбоя системы, так как времени для точного установления причины сбоя было недостаточно. Проверочный тест прошел лишь половину необходимого для завершения его работы времени. Считаю наиболее вероятным, что сбой произошел в результате возникновения неизвестного происхождения помех, которые и были устранены в результате включения программы активного подавления помех. Не исключаю также сбой в электронной схеме одного из используемых в работе электронных приборов. О чем я направил соответствующий рапорт в службу обслуживания и ремонта...

Конец цитаты.

Из заключения Службы технического обслуживания пункта спецсвязи посольства США в Турции.

ВЫДЕРЖКА

Гриф: *секретно.*
Гриф: *без права выноса из помещения.*

...Проведенная (месяц, число, время) по вызову дежурного по пункту связи проверка электронной основной и вспомогательной аппаратуры, задействованной в указанный день и час в работе, не выявила каких-либо отклонений в ранее заданных параметрах. Сбой систем датчиками слежения за соблюдением заданных характеристик — не зарегистрирован. В целях более детального исследования нами была изъята часть аппаратуры с заменой ее на новую. Результаты проверки будут известны и доложены через тридцать шесть часов.

PS. Список изъятой аппаратуры прилагается.

Конец цитаты.

ГЛАВА 48

Машину я подогнал прямо к подъезду.

— Выходи строиться, — по-армейски сообщил я своим соседям по конспиративной квартире.

— Съезжаем?

— Съезжаем. Пора менять обстановку.

— Совсем съезжаем?

— Безвозвратно. Умные нелегалы в одной и той же квартире два раза подряд не появляются.

— Куда теперь?

— Никуда конкретно.

— Ну хотя бы район?

— Никакого конкретно.

— Да ладно вам. Что за глупые игры. Все равно же через час-два узнаем.

Обиделись. А между прочим, зря. Я их не интриговал и не обманывал. Я говорил чистую правду. Насчет того — что никуда конкретно.

— Готовность через четверть часа? — уже привычно спросил Александр Анатольевич.

— Через четверть.

— Только «винты»?

— Нет, на этот раз можно и компьютеры. У меня машина.

— Большая?

— Большая. Влезет все, что нужно. Еще и место останется.

Со сбором уложились в двадцать пять минут. Но эти не укладывающиеся в нормативы минуты я своим гражданским коллегам простил. Погони за нами не было. Можно было слегка расслабиться.

— Готовы?

— Готовы.

— Ну тогда на выход.

Вышли все разом, держа перед собой объемные спортивные сумки. В каждой — по компьютеру. А те, что не влезли, — оставили на подоконнике, предварительно выдернув из них диски. То-то хозяевам будет радость. Пока они во всем не разберутся.

Подъездную дверь пришлось открывать ногами, потому что руки были заняты.

— Ну и где обещанная машина?

— Да вот она.

— Где?

— Перед вашими носами.

«Перед носами» легковых машин не было.

— А это что?

— Это холодильник.

— Вот она эта наша машина и есть.

— В ней же мясо возят.

— Вы тоже не флора. Не фрукты-овощи.

— Мы, может, и нет, но кое-кто — точно фрукт, — попытался пошутить Александр Анатольевич.

Я молча открыл заднюю, похожую на ворота дверь.

— Бросайте сумки сюда.

— А сами?

— А сами, так и быть, в кабину. Выедем за город, там разберемся, кому какие авто по чину.

Я сел за руль, положив рядом мною же «нарисованные» права, путевки и накладные на несуществующий груз.

Выехав за город, я завернул в первый же встретившийся по пути лесок и заглушил двигатель.

— И что дальше?

— Дальше? Я за баранку. Вы — в кузов.

— А не замерзнем?

— А вы не раздевайтесь.

Я снова открыл рефрижераторную дверь.

У входа висели мороженые говяжьи туши.

— Нам навешиваться между ними? На крюки?

— Нет. Вам пробираться за них.

Я отодвинул одну из висящих туш, затем покрытую инеем полиэтиленовую пленку, затем открыл небольшой люк в сплошном монолите от пола до потолка мороженого мяса.

— Прошу!

За тушами было еще одно, гораздо большее, чем первое, помещение. С удобными креслами, откидным диванчиком, микрокухней, несколькими полками под аппаратуру и утепленными многими слоями пенопласта и пенопропилена стенами.

— Вот здесь вы и будете жить.

— А куда же в туалет ходить? — удивился Козловский-Баранников.

— А ходить, извините, вот в эти полиэтиленовые

мешки. А потом выносить их на мороз. Благо он тут у вас под боком. А потом, когда все это застынет, — выбрасывать. Понятно?

— А какой-нибудь квартирки получше не нашлось? — спросил Александр Анатольевич. — Готов терпеть даже комнату в коммуналке.

— Вам квартирные удобства нужны или результаты нашей работы?

— А какая связь?

— Самая прямая. Вы утверждали, что на стационарной квартире со стационарным телефоном нас смогут легко вычислить. Так?

— Так.

— А если мы будем менять адреса каждый день, то вероятность быть пойманными за руку, набирающую очередной номер абонента, уменьшается? Верно?

— Ну, верно.

— А если мы меняем адреса каждый час?

— То вычислить нас будет практически невозможно! — докончил за меня фразу Козловский-Баранников.

— Ну вот видите.

— А где же в холодильнике телефонная линия? — удивился Александр Анатольевич.

— А телефонная линия есть на каждой улице. В любом квартальном распределителе. Помните такие высокие металлические «шкафы», в которых любят копаться монтеры с телефонными трубками? Или в любом колодце связи. Достаточно подцепить к ним все ту же «лапшу», и вы в релейных сетях ближайшей АТС.

— А ведь действительно, — хлопнул себя по лбу Александр Анатольевич. — Как это я сразу о «шкафах» не подумал?

— Потому что вы «сразу» о другом подумали. О теплом, со всеми удобствами туалете. И ванной.

— Точно. Был грешок.

— Ну что, поехали?

— Поехали. Куда деваться. У говядины, к которой нас приравняли, нет права собственного голоса.

— А вот здесь вы не правы. И право есть, и голос, и каналы его передачи. Вот здесь, обратите внимание, — кнопка срочного вызова. От нее сигнал идет ко мне в кабину. Это — динамик ретранслятора. Все, что я буду говорить в кабине, — вы будете слышать в салоне. Это микрофон обратной связи. Но сразу я по нему могу не ответить, только когда будет подходящее, без посторонних ушей и глаз место. Так что вы напрасно глотки не рвите. И не пугайтесь, если я не буду реагировать на ваши запросы. И, наконец, самое главное — лампочка тревоги. Если она загорится, вы должны, что бы в эту минуту ни делали, замереть, не двигаться, не разговаривать и желательно даже не дышать.

— Сколько не дышать?

— Пока лампочка не потухнет. Все понятно?

— Все.

— Ну тогда по коням?

— Скорее по... морозильным камерам.

Я вырулил на автостраду. По ней на Кольцевую дорогу. С нее на проспект. С которого свернул в малоприметный переулок. У первого же «шкафа» связи я затормозил.

Встал я очень расчетливо, чтобы длинным корпусом рефрижератора перекрыть подходы к телефонному распределителю. Открыв отмычкой «шкаф», подсоединился к ближним клеммам.

«Контакт?»

Я закрыл «шкаф», залез в кабину и приложил к уху наушник.

«Есть контакт!» Пошла связь!

Измученный долгим перегоном водитель рефрижератора, загнав машину в первый встретившийся на пути переулок, спал, навалившись головой на рулевую баранку. Он даже не нашел в себе сил расстелить на спальном месте постель. Он даже не успел снять с уха плейерный наушник. Так и дремал под тихое перекручивание давно кончившейся кассеты.

Такую кинематографически классическую картинку

из нелегкой жизни водителей-дальнобойщиков наблюдали идущие мимо прохожие.

Вот только водитель был не водителем, наушник подсоединен не к плейеру, а о сне вообще разговор не шел.

— Я начинаю. Вторая, третья, четвертая, пятая, шестая машина — готовы...

— Программа пошла...

— Не могу открыть файл.

— Попробуй в другом режиме.

— Не могу открыть файл!

Запрос — отказ.

Запрос — отказ.

Отказ.

Отказ.

Отказ.

Час. Второй. Третий.

Все, дальше тянуть нельзя. Три часа — критический срок.

Водитель просыпается, выбирается из кабины, зевает, почесывается, ходит вокруг машины, пинает скаты. А заодно отрубает связь.

Улица. Еще улица. Еще одна. Переулок. «Шкаф».

Остановка.

И снова завершивший дальнюю дорогу водитель засыпает на баранке, забыв в ухе наушник.

Запрос.

Запрос.

Запрос.

«Не могу открыть файл».

Отказ.

Отказ.

Отказ.

Час. Второй. Третий.

И новое перемещение.

— Эй! Ты чего это тут встал?

Гаишник. Этого только не хватало!

Нажать кнопку тревоги. Слегка потянуть кабель, чтобы провод соскочил с клемм. Теперь все недоказуе-

FEDERAL...

мо. Просто болтающийся, скорее всего зацепившийся на дороге провод. И просто открытый «шкаф». Два разных, не связанных (именно не связанных — в самом прямом смысле слова) факта.

— Ты чего, не слышишь? — удар жезлом в кабину.

— А? Чего? Что случилось?

— Да уж случилось. Ты полдороги своим динозавром перегородил! Как людям ходить?

— Ой, командир, извини. Сморило что-то. Не заметил, как уснул.

— Сморило его. Сейчас проснешься. Права, путевку!

За права, путевку и прочие сопроводительные документы я не опасался. Сам подписи и печати рисовал. С помощью школьной перьевой ручки, ластика и умения, преподанного еще в первой учебке. За «рисование» у меня всегда «отлично» было.

— Как же тебя сюда занесло, когда тебе совсем в другом конце города надо быть?

— Заплутал малость.

— Заплутал! Ну-ка, пошли посмотрим, что у тебя там, внутри?

— Так в накладной же написано — мясо.

— В накладной могут и дерьмо написать, а везти золото. Пошли, пошли.

— Там же пломба.

— Вот только не надо держать меня за дурака. А то я не знаю, как вы, водилы, с пломбами обходитесь. Или ты хочешь по всей форме — с задержанием, протоколами, препровождением в отделение? Я могу...

— Нет, я же понимаю. Служба...

Еще раз нажать тревожную кнопку. Выйти из кабины. С грохотом открыть рефрижераторную дверь.

— Действительно, мясо.

— А это вам, — вытащил я заранее нарезанные и расфасованные в полиэтиленовые пакеты куски. Именно на такой случай.

— Да ладно, зачем? Да у меня и денег при себе нет.

— Не надо денег. Это от всего сердца. Я же понимаю, служба.

— Да, это верно, служба — не сахар...

Сегодня точно не сахар. Сегодня — мясо, подумал я.

— Ну ладно, будь. Но в следующий раз все-таки проезжую часть не перегораживай. Отдыхай на специально отведенных стоянках.

— Все, все, уже уезжаю.

— Можешь не спешить. Сонный водитель то же самое, что пьяный водитель. Отдохни часок-другой. Чтобы не создавать на улицах города аварийных ситуаций...

Ну ты подумай, опять заботливый блюститель попался. Если и дальше такой наплыв добряков пойдет, мне придется снова на рынок за мясной вырезкой ехать.

А теперь — от греха подальше.

И снова: улица, переулок, «шкаф», провод, запрос — отказ.

Отказ.

Отказ.

Отказ.

День. Второй. Третий.

— Эй, в кузове, как у вас дела?

— Как сажа. Никак не можем пробиться сквозь защиту.

— Почему не можете?

— Возможно, она у них слишком мудреная, возможно, мощности наших машин не хватает. А может, и то и другое, вместе взятое.

— Вы что, о двигателе внутреннего сгорания говорите? Какой мощности?

— Судя по всему, у них стационарная машина. Суперкомпьютер. А у нас — бытовые персоналки. Они в минуту перерабатывают информации больше, чем мы в час. Это все равно, что пытаться велосипедом перетянуть трактор. Мы просто не тянем.

— И что можно сделать?

— Теоретически?

— Хотя бы.

— Искать узкое место в их обороне. Или равный по возможностям компьютер.

— Хорошо, давайте найдем такой компьютер.

— Найти-то можно. Да пользоваться ими нельзя. Машин подобного класса в стране — единицы. И все в секретных, за семью замками, ведомствах. Но и это полбеды. Беда — что они просчитываются на «раз». А в холодильник их, между говяжьими тушами, чтобы по городу туда-сюда развозить, не впихнешь. Так что остается обходиться тем, что есть. И надеяться на то, что даже в самой продуманной обороне встречаются плохо охраняемые лазейки...

— Я могу вам чем-то помочь?

— Только если еще компьютерами. Включая их параллельно, мы хоть как-то выигрываем в мощности и в быстродействии.

— Сколько?

— Что «сколько»?

— Сколько вам еще надо компьютеров?

— Штук пять. А еще лучше десяток.

— Хорошо, будут вам компьютеры.

И я отправился за оптовыми закупками. Из шестидесяти разных магазинов я на разных машинах и разными маршрутами привез шестьдесят самых наиновейших, которые только смог разыскать в розничной сети, компьютеров.

— Сколько?! — ахнули мои технические напарники.

— Пока шестьдесят. Но если понадобятся еще — привезу еще. Был бы результат.

Кресла из салона автомобиля выбросили. Откидной диван — сняли. На их место водрузили компьютеры. Рядами — друг над другом, друг рядом с другом и друг на друге. Так что повернуться было негде. Сидели на компьютерах. Ели на компьютерах. Спали на компьютерах.

— Ну что? Запускаем?

— Запускаем.

Шестьдесят компьютеров одновременно загудели своими внутренностями, загрузились, вышли на рабочий режим. Десяток экранов мониторов замигали картинками.

— Первый блок есть. Второй блок есть. Третий блок...

— Начинаю поиск. Поиск пошел.

Запрос — отказ.

Запрос — уточнение.

Уточнение.

Уточнение...

Согласие.

— Первый файл открыт.

— Второй файл открыт.

— Третий файл...

— Пошел по цепочке...

Запрос — уточнение.

Уточнение.

Согласие.

— Так, здесь проскочили. Поехали дальше.

Я сидел в кабине, привычно упершись лбом в руки, лежащие на баранке. Я давил на руки так, что пальцы немели.

Ну же! Ну!

Отказ.

Отказ.

Запрос — уточнение.

Отказ.

— Черт! Ничего не понимаю. Здесь какая-то совершенно незнакомая мне комбинация шифров. Что-то совершенно новое. Принципиально новое.

— А если так?

— Давайте попробуем.

Запрос — отказ.

Запрос — отказ.

Отказ.

Отказ.

Отказ.

— Безнадежно. Не хватает быстродействия. Мы не

успеваем перебирать требуемый объем комбинаций цифр.

Они что, с ума сошли? Я не могу больше ходить по магазинам, скупая компьютеры, как алкоголик водку. Да их просто некуда больше впихивать. Свободных объемов в машине почти не осталось.

Вызов обратной связи.

— Начальник, у нас ничего не выходит. Не хватает мощности.

— Я слышал.

— И что вы предлагаете?

— Отдыхать. Вы работаете уже двадцать часов. Отрубайте аппаратуру и ложитесь спать. Я отъезжаю на стоянку.

— А дальше?

— А дальше вы проснетесь. И будете снова работать.

— Сколько?

— Столько — сколько нужно. Сколько нужно для получения положительного результата.

— Послушайте...

— Все, конец связи.

Я выдернул подвод к «шкафу» и завел мотор.

Опять тупик. Больше полусотни компьютеров, и все равно тупик! Количество не переходит в качество. Или для нового качества это слишком малое количество?

А где взять большее? Приобрести еще один реф, набить его аппаратурой и поставить рядом с этим? Два холодильника поперек улицы? А как мне их одному обслуживать? Привлечь еще водителя? А как ему объяснить эти странные, в пределах двух-трех улиц перемещения? И эти зависания вблизи «шкафов» и колодцев связи? Рано или поздно он начнет обо всем догадываться.

Вот положеньице!

А если все-таки попытаться проникнуть на суперкомпьютер? Кого требуется — подкупить. Кому надо — пригрозить. Просчитают противники? Ну и дьявол с ними. Компьютер не наш, значит, и шишки — не наши. Может, так?

Может, один стационарный компьютер лучше полутысячи персональных?

А если действительно их будет полтыщи? Или тысяча? Вне зависимости от того, в какую машину я их смогу собрать. Абстрактно. В принципе. Вообще.

Мы имели пять компьютеров и не могли почти ничего. Мы добавили шестьдесят, и на порядок возросли наши возможности. А если компьютеров будет еще больше? Например, в десять раз? Значит, ровно в те же десять раз вырастет их суммарная мощность? Так на мой не умудренный в вычислительной технике ум.

Сможет ли тысяча велосипедистов перетянуть один трактор? Вряд ли. Пупки развяжутся. У всей тысячи.

А если их будет больше? Например, вдвое? Или еще больше? Да если разом напрягутся? Да с «Дубинушкой», как те поволжские бурлаки?

Пожалуй, что и смогут! Почему бы и нет?

Возможно, даже наверняка в реальности все это будет выглядеть не так просто. Не так примитивно: чем больше — тем лучше. Но то, что не хуже, — это точно! Это даже с кашей, в которую масло льешь, не хуже.

Я включил лампочку тревоги и вылез из машины. Кажется, я знал, что надо делать.

ГЛАВА 49

Через полторы недели я завершил подготовительные работы.

— Вставайте, засони, — сыграл я по внутренней трансляции побудку. — День в разгаре. Работа не ждет.

Технари, вздыхая и проклиная свою судьбу, заворочались на жестких поверхностях компьютерных лежаков.

— Может, они, конечно, и умные машины, но до обыкновенных матрасов им далеко. Как до них же счетным палочкам, — дал оценку современной вычислительной технике Александр Анатольевич.

— Через пятнадцать минут подключаюсь к сети, — объявил я. — Обслуживающему персоналу быть готовыми.

— Всегда готовы! — демонстративно радостным пионерским рапортом ответили технари.

И затихли. Видно, снова попытались прикорнуть на своих электронных ложах.

— Эй, на палубе! Почему не слышно топота голых пяток по корабельным лестницам? Или команда не услышала сигнала боцманской дудки? В чем дело?

— Дело в усталости. Все равно ведь ничего не выходит. Так хоть выспаться вволю.

— А вы попытайтесь еще разочек.

— Мы пытались уже сто разочков. И все с одним и тем же безнадежным результатом.

— А вы попробуйте в сто первый. И в сто второй. И в сто третий...

Переулок, «шкаф», уже привычная процедура подключения. Только место подключения необычное. Под боком одного неприметного склада. Готовой продукции.

Интересно, что выйдет на этот раз?

— Запуск. Первый блок к работе готов. Второй готов. Третий...

— Пошла программа...

Голоса были нерадостные. Примерно как у Сизифа, в шесть тысяч шестьсот семьдесят девятый раз вкатывающего свой злополучный камень на вершину горы.

— Первый файл открыт.

— Второй файл открыт.

— Третий файл. Активная защита.

Отказ.

Отказ.

Отказ.

— Все. Система слетела. Загружаемся по новой.

— Первый файл. Второй. Третий...

Отказ.

Отказ...

— Внимание! Они начали встречный поиск!

— Сколько у нас времени?

— Минута, может быть, две.

— Поиск активизируется. Возможно переключение в ручной режим.

— Выключаюсь.

И опять в самом начале пути.

— Что случилось?

— Все то же самое. Они давят нас своим авторитетом. Мы ничего не можем им противопоставить.

— А если попытаться еще раз?

— С тем же результатом?

— А если с другим? Ладно. Следующее включение через двадцать минут. Конец связи...

— Кажется, он решил нас загнать. Кажется, это его главная цель, — услышал я обрывок фразы.

К машине подходил человек. Малоприметный ночной вахтер того самого, возле которого встал рефрижератор, склада.

— Ну что?

— Готово. Куда подключаться?

— Вон к тому кабелю. Ты все помещения соединил?

— Все.

— Проверил?

— Проверил.

— Ну тогда суй «папу» в «маму».

— Слушай, а ты мне, часом, здание не спалишь?

— Дядя, ты получил, если исходить из твоей ежемесячной зарплаты, пожизненное содержание. Если жить до ста двадцати лет. Чего же тебе переживать по поводу своего рабочего места? Но, если ты боишься, мы можем вернуться на исходные позиции.

— Чего?

— Я говорю, мы можем совершить обратный обмен — ты мне деньги, я тебе — провод. И разойдемся, как в море подводная лодка с самолетом. Только я не уверен, что точно такой же размен согласятся совершить привлеченные тобой к исполнению вспомогательных монтажных работ грузчики. Грузчики, если их лишить честно заработанных и уже на четверть использованных в известных целях средств, могут очень осерчать. И, очень осерчав, очень ушибить. Ну так что? Подключаемся или опротестовываем сделку, как не устраивающую одну из договаривающихся сторон?

— Нет, я ничего. Я просто так сказал.

— А раз просто так — стыкуй провода и иди в сторожку досматривать прерванный сон. И пусть тебе приснятся Канарские острова, на которых ты, дядя, в лучших пятизвездочных отелях можешь отдыхать теперь безвылазно почти год. Впрочем, тебе, наверное, милей твой однозвездочный топчан. Все, не утомляй меня подозрениями, пока я не обратился в арбитраж. Или к грузчикам.

Пятясь, спотыкаясь и подобострастно улыбаясь, «дядя» отбыл в сторожку.

— Начало работы через две минуты, — объявил я. — Готовы?

— Запускаем.

— Первый блок... Второй... Третий...

— Открываю файлы.

— Что за черт!

— Что такое?

— Быстродействие!

— Что «быстродействие»?

— Ты посмотри, что творится!

— Мамочку твою!

— Не хочу вмешиваться в вашу беседу, но должен сообщить, что в настоящий момент к нам подключены еще около полутора тысяч компьютеров.

— Сколько?!

— Полутора тысяч. Так что не теряйте время и используйте предоставленные вам новые возможности с максимальной пользой.

— Как вам это удалось?

— Это к делу не относится. Это моя кухня.

Это действительно была моя кухня. С известными

только мне рецептами. Которыми я с потребителями моей «выпечки» предпочитал не делиться.

В складе, предназначенном для хранения завезенной из далекой юго-восточной азиатской страны вычислительной техники, на стеллажах, от пола до потолка, вплотную друг к другу стояли полторы тысячи новеньких персоналок. К каждой подходил кабель. И от каждой уходил кабель. К соседнему компьютеру. А от того — к следующему. И к следующему. И так от первого — до последнего. Полторы тысячи первого.

Все очень просто. Мне необходимо было раздобыть полторы тысячи компьютеров? Я их раздобыл.

Найти место скопления требуемой техники труда не составило. Довольно было отсмотреть рекламу фирм оптовой торговли и выбрать наиболее подходящие по местоположению, подъездам, количеству и составу обслуживающего персонала. Сложнее было приобрести, так чтобы не вызвать вокруг своей персоны опасный ажиотаж, транспортировать и подсоединить «полторы тысячи штук кабеля» и шнуры сетевого питания к каждому из полутора тысяч компьютеров. Но и эта проблема худо-бедно разрешилась. Спасибо, подмогла усиленная технарями-электронщиками бригада местных грузчиков. Трудились они очень ударными, потому что очень щедро оплаченными, темпами весь вечер, всю ночь и часть утра. Чем и высвободили для работы еще два, гарантировавших отсутствие хозяев товара, выходных дня.

Программное обеспечение, гарантировавшее одновременную согласованную работу полутора тысяч компьютеров, превратившихся путем «арифметического» сложения в многопроцессорный суперкомпьютер, предложила группа разработчиков-программистов, сформированная из участников очередной научно-практической конференции по проблемам вычислительной техники. О которой я узнал из газет. «Халтуру» через цепочку доверенных лиц заказал какой-то то ли наш, то ли не наш, то ли вовсе брунейский шах, толстосум, который решил воплотить в жизнь свою очередную безумную идею. За что ему большое спасибо от сумевших поправить свой семейный бюджет ученых.

Воплощали программу в жизнь уже не эти программисты, уже совсем другие программисты. Привлеченные со стороны.

Разглашения своей тайны и последующего скандала я не боялся. Потому что разглашать и скандалить было некому.

Грузчики будут держать язык за зубами, опасаясь потерять теплое, прибыльное место. Отсюда и пломбы на складе останутся нетронутыми, и коробки обратно запечатанными. Грузчики складов ответственного хранения на такие фокусы большие мастера. Можете поинтересоваться у тех грузчиков.

Ночной вахтер — тот вообще до конца жизни дар речи потеряет, пересчитав дома всю денежную компенсацию, которую он, за вычетом аванса, получит за предоставленные им услуги.

Программисты, после закрытия конференции, вернутся в свои периферийные НИИ.

Консультанты-электронщики, обеспечивавшие наладку, рассеются по странам и весям. Я их с таким расчетом и подбирал, чтобы без местной прописки. Тем более они так и не смогут понять, в каком деле и для чего они участвовали. «Ну подключили, а зачем — кто его знает? Может, хозяева решили таким оригинальным образом проверить вновь поступившую к ним партию товара. А может, в суперигру какую-нибудь сыграли. А может, еще чего. Это их проблемы. Нам платили — и лишнего не говорили. Мы получали — и лишнего не спрашивали».

Да, собственно говоря, все они — и компьютерщики, и грузчики ничего и не видели. Всех их, после выполнения порученных им работ, сторож со склада удалял. Таково было условие нашего с ним трудового соглашения — пустой склад, подключенные компьютеры и ни единого человека ближе десяти метров от склада!

Но даже если дело вскроется — дирекция склада постарается его замять, чтобы не лишиться богатого кли ента. Но даже если клиент что-то разузнает, то тоже предпочтет бузы не поднимать. Ему еще этот новый, но уже, оказывается, использованный товар сбывать потребителю. Ему скандал тоже не в прибыток.

В общем, тишь да гладь устраивает всех. А меня так в первую очередь. Мне бы только дело сделать и тихо удалиться. А авторство за грандиозных масштабов электронно-вычислительную операцию я готов уступить кому угодно. Хоть даже сторожу. Я не тщеславен.

— Файл открыт.
— Файл открыт.
— Открыт...
— Открыт...
— Открыт...
Отказ — уточнение — согласие.
— Вошел в сети.
Телефонный номер. Фиксирую. Следующий. Фиксирую. Вошел в локальные сети. Открываю файл. Файл системный.
Мимо.
Мимо.
— Есть информационный файл. Файл архивирован. Начинаю подбор программ.
Не подходит.
Не подходит.
Не подходит.
— Есть!
— Файл разархивирован. Сканирую информацию. Ввожу в память. Сравниваю с аналогом.
Запрос — ответ. Надпись на экране.
Информация повторная. Дублирует уже существующую в памяти. Информацию сохранить? Информацию уничтожить?
Нажатие кнопки — информацию не сохранять.
Информация стерта.
— Закрываю файл. Ухожу в сети. Двигаюсь по каналам передачи информации...
Запрос — ответ.

Запрос — ответ.

Еще один телефонный номер. Пятнадцатизначный. Вошли в сети другой страны.

— Какой?

— Боюсь, не скажу.

— А если по международному коду?

— Они наверняка пользуются не своим кодом. Какой-нибудь «третьей страны». Или несуществующим, придуманным. Чтобы не выводить корреспондентов непосредственно на себя.

— Еще один телефонный номер.

— Прошел. Все. Дальше хода нет.

— Начинаю работать. Пытаюсь открыть файл.

Запрос — отказ.

Запрос — отказ.

Отказ.

Отказ.

Отказ.

Активная защита.

Повторяю запрос.

Запрос — отказ. Отказ. Отказ.

Надпись на экране:

«Я вас не знаю. Введите пароль опознавания. В противном случае файл будет заблокирован. В вашем распоряжении пять минут».

Начинаю отсчет:

Пять минут.

Четыре минуты пятьдесят девять секунд.

Четыре пятьдесят восемь.

Четыре пятьдесят семь...

Примерить уже взломанные пароли. Один за другим. Один, второй, третий.

Не проходят.

Четыре минуты.

Три минуты пятьдесят девять секунд.

Три пятьдесят восемь.

Три пятьдесят семь...

Теперь все пароли вместе в сотнях миллионов различных комбинаций.

Осилить такое в такие короткие сроки возможно только с помощью компьютеров.

— Ну же, ну же. Давайте, машинки! Трудитесь!

Полторы тысячи процессоров, соединенных в единую электронную сеть и ставших единым суперкомпьютером, совместными усилиями просчитывали тысячи вариантов цифровых комбинаций в секунду. Каждый — по своей позиции. Все вместе — по всем.

Две минуты.

Одна минута пятьдесят девять секунд.

Одна пятьдесят восемь...

Первый миллион комбинаций — ответ отрицательный.

Второй миллион комбинаций — ответ отрицательный.

Третий миллион...

Четвертый...

Тысячные доли секунды на просчет каждой комбинации. Минуты — на все.

— Не успеваем. Не успеваем! Проработано только тридцать семь процентов информации! Еще минута, и машина заблокирует файл. И поднимет тревогу. Тогда все. Тогда не пробиться. Они просто отрубятся от сети.

Одна двадцать пять.

Одна двадцать четыре.

Одна двадцать три...

— Что делать? Александр Анатольевич!

— Не знаю. Не знаю! Может, выключиться? Может, уйти?

— Безнадежно. Отсчет все равно идет. Отсчет все равно будет продолжаться. Пока машина не убедится, что файл требует открыть кто-то из своих.

— Что еще может ее заставить прекратить отсчет?

— Ума не приложу. Поломка системного блока. Или угроза поломки, если запущена программа самосохранения или сохранения информации. И если эта программа приоритетна перед проникновением чужака.

Одна минута.

Пятьдесят девять секунд.

Пятьдесят восемь...

— Стоп! Угроза! Именно угроза. Для сохранения информации. Где у нас вирусы?

— Какие вирусы?

— Самые обыкновенные. Которые разрушают память компьютеров. Те, которые ты применяешь для взлома.

— Черт возьми! Точно! Как я не догадался! Вирус для нее приоритетен. Вирус для машины смерть! Она должна переключиться на программу защиты. Она не может не переключиться!

— Ну же! Осталось двадцать пять секунд! Давай скорее. Давай самые убойные!

— Файл-вирусы. Вызов. Готовность. Запуск! Вирусы в сети...

Двадцать один.

Двадцать.

Девятнадцать.

Девятнадцать...

— Есть! Подавилась, зараза! Переключилась на большую опасность. Теперь, пока распознает и не уберет все вирусы, будет висеть.

— Сколько у нас времени?

— Минут пятнадцать. А может, и меньше. Я не знаю возможности их машины. И не знаю быстродействие их защитных программ.

— Делим компьютеры!

— Делим!

Первому блоку компьютеров — продолжать сброс информации.

Второму и третьему — взлом пароля.

Четыреста персоналок скачивали в сети вредоносные вирусы. Все новые и новые. Один опаснее другого. Опаснее, чем раковая опухоль для человека.

Тысяча сто компьютеров перебирали, перебирали, перебирали цифровые комбинации, высеивая одну-единственную, являющуюся паролем. Тысячи — в секунду.

Сто сороковой миллион комбинаций.

Сто сорок второй.

Сто пятидесятый...

— Есть первый уровень защиты.

Есть второй.

Есть третий...

Пароль распознан.

— Отключаю вирусы.

— Отключай.

«Продолжаю отсчет»:

Восемнадцать.

Семнадцать.

Шестнадцать...

— Ввожу пароль! Пошел пароль!

Пятнадцать.

Четырнадцать. Четырнадцать. Четырнадцать...

Замерли бегущие цифры.

«Пароль узнан. Спасибо».

— Есть доступ! Открываю файл.

Вот оно где — главное хранилище.

Я откинулся на спинку водительского сиденья. С моего лица на мои колени капал пот. Как будто это не компьютеры, а я лазил по сетям, искал цифровые комбинации и запускал во все стороны вредоносные вирусы. Как будто это я взломал сейф со столь необходимой мне информацией.

Ай да Козловский-Баранников! Ай да Александр Анатольевич! И, конечно, я.

— Эй, в кабине. Начальник! Какую информацию скачивать?

— Какая есть?

— Папка статистики. Папка имен. Географических названий. Папка сценариев...

— Как вы сказали?

— Сценариев.

— Вот с нее и начните.

— О'кей! Приступаю к считыванию информации.

Полторы тысячи наших компьютеров, бульдожьей хваткой вцепившись в мозги чужой супермашины, качали информацию. Как кровь по сообщающимся сосудам. Каплю за каплей. Каплю за каплей.

Александр Анатольевич следил за экранами. За всеми сразу.

— Десять процентов информации прошли.

Двадцать.

Сорок.

Шестьдесят.

Шестьдесят пять...

— Кажется, нас засекли! Точно. Они активизируют защиту. Они нас ищут!

— Качать! — гаркнул я в микрофон.

— Семьдесят пять процентов информации.

Восемьдесят.

— Они нашли нас!

— Качать! Теперь уже все равно.

— Восемьдесят пять процентов... Сбой. Они вытолкнули нас. Все. Вход в систему блокирован.

— Уходим.

— Сколько процентов информации успели взять?

— Порядка девяноста двух — девяноста трех.

— Они вычислили нас?

— Они поймали наш номер.

— Сколько им потребуется времени, чтобы установить страну передачи, город и телефон?

— Секунды. Они его уже знают.

Значит, теперь, если они не лохи, а они не лохи, пойдет мгновенная шифрограмма в посольство, в Резидентуру. А Резидентура попытается установить, кто и каким образом вел передачу. Это часы. А если их очень прижмет — десятки, в зависимости от того, где стоит это посольство, минут. А прижмет их очень. Посторонний с установленного телефона влез в святая святых. Пожалуй, они могут и рискнуть. Могут пренебречь безопасностью. Выкатят пару спортивных машин и рванут по известному адресу, не оглядываясь на слежку со стороны Безопасности. Чего им опасаться — это не их адрес. Это наш адрес. Этим своим продвижением никого и ничего они засветить не смогут. Ни человека, ни почтовый ящик. А увидеть могут многое. Увидеть могут нас.

— Все. Сворачиваемся. Мы свое дело сделали. Убрать помещение здесь смогут и без нас.

Я нажал на клаксон автомобиля. Из сторожки пулей выскочил ночной вахтер.

— Вот деньги тебе и бригаде. Вызывай всех. Немедленно. К утру склад должен блестеть, как кастрюля у доброй хозяйки. Чтобы ни одной лишней пылинки. Чтобы все запаковать и разложить по местам. Понял?

— Будет исполнено!

— И чтобы никому ни единого слова. Кто бы что ни спрашивал и чем бы ни угрожал.

— Это уж как водится...

— А чтобы у тебя лучше держался язык за зубами, я тебе признаюсь, что я шпион! Одной очень влиятельной страны. Въехал, дядя? Понял, кому ты помог?

У сторожа отпала челюсть. Вместе с надеждами на безоблачное завтра.

— Я вижу, ты все правильно сообразил. Так сообрази еще кое-что. Что поможет сберечь тебе шкуру в относительной целостности. Меня, кроме тебя, никто не видел. Ты единственный свидетель. А я — единственный шпион. Нас двое, знающих друг о друге. Я сегодня отбуду в свою дальнюю-предальнюю страну. В свое семейное бунгало. Ты — останешься. И, как ты догадываешься, спрос будет с тебя. Одного.

Если ты расколешься, если скажешь, кто я и чем здесь занимался, — тебе дадут вышку, как за измену Родине, причем с отягчающими обстоятельствами, с конфискацией и без права на помилование.

А если ты все возьмешь на себя — тебя только посадят. Надолго. Но без конфискации, если ты успеешь спрятать то, что я тебе дал. Отсидишь — выйдешь — и заживешь кум королю. Так что тебе прямой смысл молчать, как глухонемой партизан на допросе в гестапо. Или молоть любую чушь насчет парней, которые приехали и хотели обокрасть склад, для чего вытащили компьютеры из коробок. В чем ты им и помог.

— А для чего вытащили-то?

— Для того, чтобы сподручнее уволочь можно было. Чтобы места меньше занимали. Ну все, что ли? Будем прощаться?

— Все! — обреченно кивнул головой произведенный в предатели сторож. И челюсть его встала на место.

— Ну тогда я поехал. А то мне до своей свободной демократической страны еще долго добираться. Гуд бай, дядя.

И я нажал на стартер. Пока действительно мои коллеги и соплеменники из ближайшей подворотни не вырулили. Очень мне нежелательно было с ними встречаться. И очень недосуг. Хватит им одного полупарализованного страхом сторожа, который, увидев машины с иностранными номерами и вылезающих из них «не наших», разговаривающих с акцентом дипломатов, и вовсе дара речи лишится. И окончательно и бесповоротно уверует во все те глупости, которые я тут ему наплел.

ГЛАВА 50

Папка «Сценарий».
Файлы Д-1, Д-2, Д-3, Д-4... Д-107
(всего 107 файлов).
Для дальнейшего пользования необходимо
ввести пароль.

Гриф: *совершенно секретно.*
Гриф: *неофициальный документ.*
Гриф: *частная собственность.*
Гриф: *единственный экземпляр.*
Гриф: *без права распечатки.*
Гриф: *без права копирования.*
Гриф: *доступ строго ограниченного круга лиц...*
      (далее список из шести фамилий).

ВЫДЕРЖКИ

Документ 1. (Файл Д-7.)

...Персональный список работников посольств, спецслужб, внештатных и разовых агентов (условно — агенты действия), разрабатывающих агентов влияния в странах X, Y, Z... Шифрокоды, присвоенные агентам действия...

Далее поименный список фамилий агентов действия, присвоенных им шифрокодов с указанием разрабатываемых ими агентов влияния...

Всего 397 фамилий.
Документ 2. (Файл Д-7.)

...Персональный список разрабатываемых агентов влияния и занимаемых ими на день заполнения должностей в правительственных учреждениях стран X, Y, Z...

Далее поименный список агентов влияния с указанием прикрепленных к ним агентов действия и присвоенных им шифрообозначений.

Всего 212 фамилий.
Документ 3. (Файл Д-13.)

...Смета средств, направленных на оперативную разработку агентов влияния. В том числе:
...6. Проезд агентов действия до пункта назначения, визы, размещение, проживание... 9. Оплата медицинских страховок... 15. Прямая оплата услуг агентов действия... 19. Представительские траты... 29. Траты, связанные с вызовом, приездом и приемом агентов влияния... 33. Прямая оплата услуг агентов влияния... 47. Приобретение подарков и сувениров агентам влияния... 59. Оплата развлечений агентов влияния... 99. Создание фондов для оплаты издания книг и другой ав-

торской продукции агентов влияния... 112. Средства на гонорары за телевизионные и радиовыступления и интервью...

Всего 243 пункта расходов...

...Ведомости выдачи финансовых средств агентам действия...

В списке 397 фамилий...

...Ведомости выдачи средств по прочим статьям расхода.

Всего 915 закрытых ведомостей
и прочих финансовых документов...
Документ 4. (Файл Д-3.)

Сценарные рекомендации. Конспективное изложение. Отрывки.

Отрывок 1.
...Решение о выборе наиболее перспективных, с точки зрения поставленных задач, агентов влияния следует принимать, исходя из комплекса их всесторонней оценки. В том числе:
— Физического состояния.
— Психического состояния.
— Детских и подростковых комплексов.
— Доминирующих характерологических черт.
— Политического веса.
— Наличия поддержки населения в целом и отдельных социальных слоев.
— Наличия финансовых предпосылок.
— Наличия компрометирующих (на него) материалов...

Всего 155 пунктов...

Отрывок 2.

...Необходимо всячески способствовать продвижению на наиболее значимые государственные должности, особенно в законотворческой, исполнительной, финансовой и военной областях, агентов влияния, вступивших в прямой сговор с агентами действия, и агентов влияния, на которых имеется компрометирующий их материал...

...Следует приложить максимум усилий к вытеснению с политической арены политических деятелей и влиятельных должностных лиц, способных оказать реальную конкуренцию продвигаемым нами во власть агентам влияния. В том числе путем дискредитации их перед лицом общественности, компрометации с привлечением средств массовой информации, шантажа, оказания влияния через близких родственников, усиления детских и подростковых комплексов, провоцирования на неадекватные действия, организации лжезаговоров против действующих политических фигур, прямого подкупа и т.п. способов...

Отрывок 3.

...Не следует дожидаться благоприятных, с точки зрения воплощения в жизнь настоящего сценария, политических и экономических событий. Необходимо организовывать подобные события либо всячески усиливать потенциально возможные...

...Особое внимание надо обратить на политическую, экономическую и социальную дестабилизацию административных и в еще более значительной мере национальных территорий. Для чего установить прямые контакты с политическими, национальными, религиозными и прочими оппозиционными к существующей власти движениями и оказать им максимально возможную моральную, консультационную и финансовую помощь...

Отрывок 4.

...Крайне важно для выделения положительных сторон продвигаемых агентов влияния, их политических и пропагандистских программ, их личного имиджа — создать политиков «отрицательного образа». Либо выделить таковых из уже существующих и находящихся под нашим безусловным влиянием политических фигур, максимально усилив их «отрицательное обаяние» путем корректировки политических программ и личного имиджа. Либо подсказать данный стратегический ход продвигаемым агентам влияния, всячески оказывая им помощь в подборе кандидатов.

В разговоре с агентами влияния в защиту данного приема можно привести следующие аргументы: 1. Наличие «политиков отрицательного фона» позволяет проще манипулировать настроениями различных слоев населения и навязывать им, концентрируя либо ослабляя значение потенциальной угрозы прихода к власти данного лица, свою волю. 2. Создание управляемых, карманных «политиков страха» препятствует появлению реальных политических фигур, стоящих на близких к ним политических платформах. 3. Присутствие в политической жизни страны подобных фигур облегчает, в случае необходимости, введение чрезвычайного положения...

Всего шесть миллионов семьсот пятьдесят тысяч бит информации. Или 3750 страниц машинописного текста. В том числе по следующим отдельным разделам:

— Внешняя политика. Силовые, прямые и косвенные возможности влияния на рассматриваемую страну через формирование международного общественного мнения, международные организации, военные и политические союзы, «третьи страны»...

— Внутренняя политика. Перечень желаемых законных и подзаконных актов, направленных на политическую, экономическую и социальную дестабилизацию страны в целом и отдельных регионов, в частности...

— Национальная политика...
— Экономика...
— Оборона...

Всего 89 разделов.

ГЛАВА 51

Дело было сделано. Информация была получена.

Но толку от этого дела и от этой информации было ноль целых ноль десятых процента.

Потому что передавать ее было некому. Все потенциальные потребители, выдавшие заказ на данного рода интеллектуальную продукцию, сняли свои кандидатуры. Бесследно исчез Шеф-куратор. Скомпрометировал себя единственный известный мне член Правительства.

Я имел первоклассный товар и не имел достойного покупателя.

— Ну и что будем делать? — в который раз спрашивал Александр Анатольевич.

— Пока все то же самое — пополнять банк информации.

— А зачем пополнять?

— Чтобы уже имеющийся в наличии «товар» не пропал. Информация — продукт скоропортящийся. Если его каждодневно не обновлять — сгниет на корню.

А что я еще мог сказать? Что я ума не приложу, что делать, и просто выгадываю время, загружая работников уже привычной для них работой? Чтобы не разучились кнопки нажимать.

— Ладно. Сейчас перекушу и приступлю.

Александр Анатольевич качал информацию из уже известных, где моими стараниями были установлены модемы, источников. Козловский-Баранников — грустил. И рассуждал:

— Интересно, чем тогда отличается мое недавнее заключение в тюрьме от того, что я имею сегодня? Там не мог выйти за забор и здесь — за пределы квартиры. Там стены и отсутствие свободы перемещений и здесь стены и отсутствие свободы перемещений.

— Здесь питание другое. И отношение. И параша со всеми удобствами и только на трех человек, — комментировал Александр Анатольевич.

— Только что.

Все-таки очень быстро человек привыкает к лучшему и забывает о худшем. Чем его снова и приближает. То ли глуп человек. То ли беспамятен. То ли и то и другое вместе.

— Начальник обещал за границу отправить и все тянет, тянет...

Ну в какую заграницу я мог отправить так много знающего Козловского-Баранникова? В Европу? В США? В Канаду? Чтобы он там рассказал о своих выдающихся способностях на примере одной отдельно взятой компьютерной операции?

Не было специалисту по взламыванию компьютерных паролей Козловскому-Баранникову ходу за границу.

И не было жизни беглому зэку Баранникову в своей стране. Все равно, несмотря на все липовые документы, его рано или поздно словят и обратно в кутузку засадят, добавив лишних пять лет. Да его и ловить не надо будет. Он сам себя поймает, наведавшись как-нибудь в гости к маме или друзьям. Где его и будет поджидать бдительный участковый инспектор с группой дружинников.

Не жить Козловскому в этой стране.

Не жить Козловскому в другой стране.

Не жить Козловскому-Баранникову.

Должен я, следуя незыблемым правилам конспирации, отправить отыгравшего свою роль зэка-компьютерщика не за кордон, а совсем в другое, где его ни милиция, ни иностранные спецслужбы не достанут, место. Должен! Но как-то рука пока не поднимается. Уж больно хороший парень Козловский-Баранников и умный не по летам.

Что — те самые лета и ум — и делает его вдвойне для меня опасным. Не сможет он умереть своей смертью, унеся в небытие известную ему тайну, как Александр Анатольевич. Потому что молодой и здоровый. Не сможет он находиться постоянно при мне и под моим присмотром, как комнатная, ничего не понимающая и не способная никому и ничего рассказать собачка. Потому что умный. И с хорошо развитой человеческой речью.

Ну как распутать такой безнадежный узел потенциально опасных проблем? Только перерубить!

Что я и должен сделать! А уж потом — все остальное.

Через два дня я велел ему собираться.

— Куда? За границу?

— За границу...

— Ну наконец-то!

Я посадил его в машину и привез... на кладбище. Я отвел его в самый дальний, не посещаемый ни родственниками, ни случайными ротозеями квартал. Туда, где закапывают безымянные, неопознанные тела и умерших, и не востребованных близкими заключенных. И всех прочих, которых желают укрыть от посторонних глаз, безвременно почивших покойников.

Я подвел его к срезу свежеотрытой могилы.

— Загляни туда, — попросил я.

— Зачем?

— Загляни, загляни!

Козловский-Баранников наклонился над обрывом. Я вытащил пистолет с глушителем.

— Видишь?

— Но там ничего нет.

— Там должен быть ты.

Баранников отшатнулся. И увидел пистолет.

— Но почему? Но за что?

— За то, что ты сбежал из тюрьмы, за то, что познакомился со мной, за то, что ты лазил по сетям и влезал туда, куда влезать не следует.

— Но об этом просили меня вы!

— Да, просил я. Но таким было мое задание. А теперь я должен тебя устранить. Как очень опасного свидетеля.

Баранников не бежал. Он как зачарованный смотрел на черное дуло пистолета. Как кролик на черный провал пасти наползающего на него удава.

— У меня нет другого выхода, — сказал я, — и у тебя нет. Здесь ты угрожаешь Безопасности, которая проводила эту, о которой тебе и о которой ни единому человеку знать нельзя, операцию. За границей тебя тоже не ожидает ничего хорошего. Там ты очень крупно насолил их Безопасности, выпотрошив их секретные папки.

— Но там они меня посадят в тюрьму. Пусть лучше в тюрьму...

— Они не посадят тебя в тюрьму. Потому что ты выпотрошил папки, о которых официальные лица ничего не ведают. Ты знаешь о них. И тем смертельно опасен. На их территории ты не проживешь и суток. Ты погибнешь. Потому что не можешь не погибнуть. Хоть там. Хоть здесь. Я просто сокращаю твою агонию. Извини.

Я поднял пистолет. И выстрелил. Баранников схватился за голову и упал. В отрытую персонально для него могилу. Теперь должен был прийти могильщик, забросать яму землей и воткнуть в холмик дощечку с обезличенным, тысяча каким-то номером. С номером неопознанного и невостребованного трупа.

Я подошел к могиле.

Баранников был жив. Пуля прошила ему правое ухо. На воротник, на плечи толчками текла кровь. Мне нужна была кровь. Мне нужно было много крови. Кровь и боль убеждают лучше всех прочих аргументов.

Баранников ждал второго, на этот раз окончательного выстрела.

— Теперь слушай. Слушай внимательно, — сказал я. — Я даю тебе шанс. Один на миллион. Сегодня ты уедешь за границу. Не в Америку и не в Канаду. Туда тебе путь заказан. Там ты погибнешь еще вернее, чем в этой могиле. Ты уедешь в Африку. Я от твоего имени подписал пятилетний контракт с одной фирмой. Ты будешь работать в этой стране безвылазно и безвыездно десять лет. Я не обещаю, что жизнь твоя будет сахаром, но это будет жизнь. Любые попытки выхода за означенную зону будут пресекаться. Смертью. Вот твои документы. Вот контракт. Вот билет на самолет.

Я бросил в могилу папку с документами и бинты.

Наверное, я ошибался, допустив подобную непростительную для профессионала мягкотелость. Но за мной было столько безымянных могил, что добавлять без крайней на то необходимости еще одну не хотелось.

Нет, я не пощадил его. Я только передоверил функции чистки другим. Я надеялся, я был уверен, что в малоприспособленных для долгой жизни джунглях Центральной Африки, в стране, где чуть не каждый месяц происходят военные перевороты и местного масштаба революции, — десять лет он не протянет. А если протянет, то забудет обо всем. Я оставлял ему жизнь. Но я оставлял ему жизнь, которая мало отличалась от смерти.

— Подымайся. Самолет отлетает через три часа!

Я отвез его в аэропорт. Я проследил, чтобы он сел в самолет. Я убедился, что самолет взлетел.

Прощай, Козловский-Баранников, талантливый самоучка из российской глубинки. Может быть, тебе повезет. Дай бог, чтобы тебе повезло. И дай бог, чтобы мы никогда больше не встретились. Чтобы могила номер тысяча какой-то на кладбище для неопознанных трупов, твоя могила, так и осталась невостребованной.

ГЛАВА 52

Перечень всей имеющейся у нас информации мы перебросили на компьютеры нескольких помощников Президента. И оставили контактный адрес. Для тех, кто захочет узнать подробности.

Мы ждали месяц.

Два.

Три.

Мы ждали полгода.

Информацию никто не востребовал.

А потом в стране все пошло как по писаному. Как по писаному и хорошо известному нам сценарию.

ЧАСТЬ IV

ГЛАВА 53

— Bы радио слушаете? — спросил Александр Анатольевич.

— А что такое? Очередной переворот? Или повышение цен на водку? Или объявление Москвы пятьдесят первым штатом Америки?

— Нет. Только информационное сообщение.

— Какое?

Александр Анатольевич кивнул на лист бумаги, куда он списал информацию. Информацию об уходе в отставку по состоянию здоровья и личной просьбе одного ответственного чиновника Правительства.

Хорошо знакомого нам чиновника. Того, который дал нам заказ на работу.

Как же это его угораздило? На вид вроде здоровенький был. Жизнерадостный. Жить собирался до ста сорока лет. Что же это с ним такого приключилось, что он так быстро сдал?

Очень занятно. Но не очень понятно.

— Ну-ка, давайте пошарим по закрытым каналам информации. По тем, которые для «служебного пользования».

Александр Анатольевич «набрал» нужный номер. И еще один. И еще...

Так. Приказы о назначениях и перемещениях. Дальше.

Сводки происшествий по Центральному региону. Пролистываем.

Сообщения об имевших место в последние двое суток особо тяжких преступлениях.

Стоп!

А вот и он. Наш подопечный. Теперь понятно, отчего у него так неожиданно здоровье пошатнулось. Оттого, что в его здоровье в упор засадили пять пуль вблизи подъезда собственного дома. А вначале три — в телохранителя.

А что ж не убили-то? Работали, судя по всему, профессионалы. Телохранитель из трех пуль получил два смертельных и одно тяжелое ранения. Без осечки. А этот — из пяти пуль — все пять в мягкие ткани и не угрожающие смертельным исходом органы.

Что же они в одном случае промахнулись, а в другом попали в точку? Те же самые люди, из того же самого оружия! Или они в обоих случаях попали туда, куда хотели? Или так все и было задумано?

Очень интересный расклад.

Был телохранитель — и нет. Был член Правительства — и весь вышел. Может, в том и суть?

Тогда понятно, отчего пять пуль и все мимо.

— Вот что, Александр Анатольевич, соберите-ка всю возможную информацию по данному происшествию. Все факты, гипотезы, суждения, комментарии, сплетни. В общем, все.

— А вы?

— А я, пожалуй, больного навещу. С визитом вежливости.

Вначале я осмотрел место происшествия. В бинокль и очень издалека. Ближе из-за обилия мельтешащего служилого, в форме и без, народа пробраться было невозможно. И лишний раз утвердился в своих подозрениях. С такого расстояния, когда никто, по причине трех смертельных ранений, полученных в корпус и голову, уже не мешает, промахнуться невозможно. Если ты хотя бы один раз в жизни держал в руках хоть какое-нибудь оружие. Хоть даже пневматическую винтовку в тире.

А это значит, что покушения на убийство не было. Было покушение на испуг. Что бы потом ни утверждали следователи и ни повторяли верящие им на слово журналисты.

Большого Начальника не убивали. Большого Начальника запугивали и предлагали уйти в отставку. Что он и сделал. Едва только перебинтовав раны.

А зачем его таким невежливым способом убирали из обоймы действующих правителей? Кто на это может ответить? Пожалуй, только тот, кто его убирал. И еще, возможно, он сам.

Получается, мне надо с этим переставшим быть Большим и переставшим быть Начальником пациентом обязательно встретиться. Слишком сильно и замысловато, причем не по моей охотке, переплелись наши судьбы. Раньше он был велик и недоступен, а теперь прост и достижим для ходоков из народа, желающих рассказать о наболевшем. То есть для меня.

В больницу я проник с черного хода под видом доставившего из прачечной постельное белье медбрата. Для чего пришлось это белье, целую машину, по сходной цене приобрести. У обслуживающего персонала той же самой больницы. Чтобы рисунок, колер и печати на наволочках не отличались от оригинала.

Чуть сложнее было пройти на правительственный этаж. Пришлось забивать канализацию и действовать уже под видом слесаря-сантехника, пока настоящий, после двух употребленных внутрь бутылок водки, спал у себя в мастерской.

— Ну где течет? Тут? Тогда это колтун в трубе на верхнем этаже. Там его искать надо.

— Ну так посмотрите.

— Это не мой участок. На этот колтун у вас свои работники должны быть в наличии.

— Наш не может.

— Это почему?

— Заболел он. Неожиданно.

Пришлось согласиться. За дополнительное вознаграждение.

— А пропуск где у него? — спросил охранник.

— А раз так, а раз меня не пускают, то я и не пойду. Зачем мне это надо? Я слесарь аварийный, а тут работа текущая...

— Вот именно. По стенам, — добавил мой провожатый.

— Что по стенам? — не понял охранник.

— По стенам текущая. Прямо в палаты. Я о фекаль-
ных водах.

Охранник понюхал носом воздух и махнул рукой.

— Ладно, идите.

Не очень-то стерегут опальных начальников. Я бы
даже сказал: формально стерегут.

В туалете я быстро исправил канализацию и переоделся. Я даже внешность почти не менял. Только
причесался немного да другое выражение лица «надел».
Рабочая одежда — вначале слесарная роба, а потом
белый медицинский халат — обезличивает лучше любого грима.

Я вошел в нужную, даже не охраняемую палату.

— Процедуры. Пожалуйста, ложитесь на живот.

Но перевернуться Петр Савельевич не смог. Он был
перебинтован и загипсован с ног до головы.

— Вы! — ахнул он.

— Я. Подрабатываю в свободное от основных заня-
тий время. На хлеб не хватает. И патроны.

— Я думал, вы давно...

— Нет, как видите, живой и здоровый. Что не скажешь о вас.

— Да, так получилось. Уже и до членов Правительства бандиты...

— Только давайте не будем вести детские разговоры. Я не верю в случайные покушения. Оставьте эту ле-
генду для журналистов. Кто и зачем попросил вас выйти из состава Правительства? Причем таким убедительным образом.

— Зачем вам это?

— Затем, что теперь я знаю гораздо больше, чем
знал раньше. Но хочу знать еще больше.

— Я вам ничего не скажу.

— Вы скажете все. Вы забываете, что в настоящий
момент вы — пациент, а я — медицинский работник,
пришедший сделать вам укол. Согласно данной мною
клятве Гиппократа. И я его сделаю. С помощью вот
этого шприца. А знаете, что в шприце? Не витамины и
не глюкоза. А «сыворотка правды». Слышали о такой?

Очень действенное лекарство. Так помогает, что пациент не может три дня рот закрыть. Все вспоминает, что он еще такого стыдного, от самых пеленок, в своей жизни сотворил. Ничего не забывает: ни про уворованные из бабушкиного буфета сладости, ни про семейные измены, ни про взятки, ни про свои сексуальные наклонности. И все это в подробностях рассказывает. Вот такое безотказное, испытанное еще в кабинетах НКВД средство.

А то, что вы скажете, я запишу вот на этот диктофон.

Или не запишу. Если вы согласитесь дать показания добровольно, без посторонних, в ягодицу, вливаний. Ну, что мы выберем? Очищающую исповедь или медицинское вмешательство?

— Что вас интересует?

— Кто на вас покушался?

— Те же люди, что сказали мне о существовании вашей Организации.

— Вы выполняли их указания?

— Вначале — да. Они предполагали с вашей помощью собрать компрометирующий материал на прочих, не подчиненных им руководителей государства. Лишний козырь в политике никогда не помешает. Иногда от него может зависеть весь ход игры. Особенно если его вовремя выложить на стол. А ваш козырь оказался всем козырям козырь.

— И вы решили приберечь его для себя?

— И я решил приберечь его для себя.

— В еще большие начальники потянуло?

— Только для пользы государства.

— Эту теорию я уже слышал — лучше мое дерьмо, чем чужое. Хотя народу один черт, чье дерьмо нюхать. Все одно — не одеколон.

Петр Савельевич пожал плечами.

— В общем, кому-то ваша двойная игра не понравилась и вас предупредили? Пятью пулями в корпус.

— Примерно так.

— А что же не убили?

— Не знаю. Возможно, из-за опаски разглашения

компромата в случае моей смерти. Я тоже подстраховался. На подобный непредвиденный случай.

— Как вы приручили моего начальника?

— Я его не приручал. Он ничего не знал. Он выполнял приказ.

— Чей?

— Тех людей, которые знали о вашей Организации.

— Где он сейчас?

— Его нет. Он умер.

— Когда, где, при каких обстоятельствах?

— Еще тогда. На отвлекающей внимание вилле. Он застрелился, когда понял, что объект отстоять не удастся.

— Кто-нибудь еще погиб?

— Нет. Только он. Он сам отдал приказ о прекращении сопротивления. И покончил с собой.

Это было похоже на правду. Работники Конторы никогда не сопротивлялись «до последнего патрона», рискуя попасть противнику в полон. Они кончали с собой задолго до наступления этого момента, тогда, когда осознавали безвыходность ситуации. Пусть даже внешне она не была столь безысходной. Они не мечтали «продать свою жизнь подороже» или «подпустить противника поближе», с тем чтобы прихватить с собой на тот свет еще двух или трех врагов. Они спешно «стирали» информацию. Ту, которая была заключена в их головах. Стирали, не жалея голов. Это было много важнее, чем прикончить еще нескольких наседающих на тебя исполнителей. Конторские не были солдатами, они были разведчиками и действовали так, как их учили. Так, как было наиболее целесообразно в данный конкретный момент. И тем наносили гораздо больший урон противнику, чем убив одного-двух нападающих на него рядовых бойцов.

Шеф ушел, так и не отдав тайну виллы. Шеф победил.

Но проиграл, доверив ее Большому Начальнику.

— Кто были нападающие?

— Неизвестно. Но, вероятнее всего, какое-то подразделение Безопасности. А теперь можно задать встречный вопрос вам?

— Валяйте.

— Что вы собираетесь делать с имеющимся у вас материалом?

— Использовать по назначению.

— Каким образом?

— Еще не знаю.

— Разрешите дать вам добрый совет. Как человеку, не искушенному в политических интригах.

Не отдавайте добытый вами компромат никому. Никому! Сколь бы обаятельным и убедительным ни показался вам просящий. Какие бы аргументы он ни выдвигал и чем бы ни клялся. Вас все равно обманут.

Эти сведения используют не так, как вы хотите. Их используют во вред. Всем! Это та атомная бомба, которая не умеет крутить турбины электростанций. Она направлена только и исключительно на разрушение.

Уничтожьте все сведения. Сожгите их в печке и развейте пепел по ветру. И вы лишите оружия людей, которые пытаются им завладеть.

Или действуйте сами. Только сами. Не передоверяя это право никому.

— В каком смысле — действуйте?

— В самом прямом. У вас есть голова на плечах. И есть оружие. Огромной убойной силы. Значит, у вас есть возможности для борьбы. Только не повторяйте моей ошибки — не размахивайте кулаками попусту. Бейте!

— А если не то и не другое? Если не бить, но и не развеивать по ветру?

— Тогда вас вычислят — и уничтожат. Чего бы им это ни стоило. Всю страну переворошат, а вычислят. Свою смерть и смерть еще многих и многих других людей и несчастья еще гораздо большего количества людей вы носите с собой. Как ящик Пандоры. Пока этот ящик при вас — вас не оставят в покое. Вы обречены.

Если вы попытаетесь устраниться — вас убьют.

Если вы уничтожите материал — вас тоже убьют.

Если вы отдадите материал — вас тем более убьют.

Если вы ввяжетесь в борьбу — вас все равно убьют.

Вас убьют в любом случае, но в последнем — хотя бы в драке. Хотя бы с пользой для дела.

— Без всякой надежды на спасение?

— Без надежды!

Я вышел из палаты, зашел в туалет, переоделся в сантехническую робу, спустился в подвал, переоделся еще раз и вышел на улицу.

Я узнал, что хотел. Я узнал даже больше, чем хотел. Но легче мне не стало. Мне стало тяжелей.

Наверное, в чем-то бывший, разжалованный в рядовые пациенты, руководитель был прав. Жизни мне ни с этими документами, ни без них — нет. Я мешаю этими документами всем и одновременно всех, словно красной тряпкой стадо быков, привлекаю к себе... теми же самыми документами. Замкнутый круг. Превращающийся в петлю, затягивающуюся на моем горле.

Здесь бывший Большой Начальник не ошибся. Здесь он попал в точку.

Но, наверное, более всего он прав в том, что если все равно суждено умереть, то лучше всего умереть в драке, чем в ожидании смерти.

Значит, в бой?

А почему бы и нет? Я очень долго собирал камни. Только собирал и собирал. Не пришло ли время разбрасывать их? Прицельно! Так, чтобы ни один не ушел в «молоко». Так, чтобы каждый нашел достойную цель!

Не пора ли?

Пора!

На следующий день один из пациентов правительственного этажа больницы скончался. От пяти огнестрельных, полученных в мягкие ткани и не угрожавших его здоровью ран.

В последующем информационном сообщении и в некрологе было указано, что причиной смерти явился приступ сердечной недостаточности...

ГЛАВА 54

Легко сказать — начать атаку. Это только в пехоте все просто и однозначно — примкнул штык к винтовке, вскочил на бруствер окопа и побежал навстречу противнику. И упал, получив пулеметную очередь в грудь. Или добежал — и победил.

А какой штык к какой винтовке прилаживать мне? На какой бруствер вскакивать? У меня нет соседей справа и слева, нет артиллерийской подготовки, нет даже поля боя.

Есть только противник. Спереди, с правого фланга, с левого и с тыла. Со всех сторон. И на этого противника мне надо наступать! И этого противника мне надо одолеть. Ну или хотя бы нанести значительный, «в живой силе и технике», урон.

В общем, начать и кончить.

Ну, кончить они меня смогут и сами, по этому поводу мне можно не переживать. А вот начать надлежит мне. Причем с того же, с чего начинается подготовка атаки в пехоте, — с определения целей наступления. С тех самых высоток, плацдармов и населенных пунктов, которые предстоит занять.

Какие цели моего наступления?

Пошантажировать, пощипать нервы властям предержащим с помощью имеющихся у меня сведений? Слишком мелко. В масштабах районного, выпрашивающего десять тысяч долларов наличными шантажиста.

Не годится.

Сместить с занимаемых должностей одного-двух нечистоплотных на руку и мысли высокопоставленных чиновников? Их место займут другие. Образовавшуюся во власти брешь затянет, как чистую воду ряской на топяном болоте. Я ничего не добьюсь. Только себя подставлю.

Не подходит. Хотя все же лучше, чем первый вариант. Генеральная уборка тоже начинается с первого сметенного веником сора.

Что я могу еще?

Устроить грандиозный публичный скандал с привлечением газетчиков? Так они не привлекутся. Им заткнут не кнутом, так пряником рты еще на этапе подготовки материала. Это скандал не их масштаба. Газетчикам нужна не сенсация, им нужна сенсация конкретно в их газете. Чтобы поднять тиражи, рейтинги и гонорары. Сенсация ценой закрытия газеты им в убыток. С чего они тогда будут кормиться? Каким образом доказывать общественности свою неподкупность? Без рупора-то. Кто их услышит?

Нет, газетчики отпадают.

Прямое выступление по радио или телевидению? Так за ними присмотр, как за среднеазиатской невестой до получения от ее жениха причитающегося семье калыма. Не проскочишь. А если даже умудришься, выступление прервут на второй минуте «по техническим причинам». И запустят вместо него очень веселый мультфильм или очень любимую массовым зрителем телепередачу. На то на радио и телевидении есть редакторский рубильник прерывания трансляции. Не обойдешь его, не объедешь. Потому что тот рубильник через цепочку доказавших свою лояльность к существующей власти ответственных работников напрямую связан с высшими эшелонами власти.

Привлечь иностранных писак?

Так подавляющее большинство их, аккредитованных в нашей стране, получают зарплату в тех самых учреждениях, которые всю эту кашу и заварили. Прийти к ним — это все равно что с гордо поднятой головой явиться на собственные похороны. Хочу я попасть на собственные похороны в качестве главного их участника? Нет. Но даже если мне повезет и я отыщу честного корреспондента, где гарантии, что таким же честным окажется его редактор? Или владелец его издания? Нет таких гарантий. Значит, и этот путь закрыт.

Что же мне остается?

Лечь — и помереть. Или...

Или найти возможность влиять на развитие ситуации. Без посредников. Лично самому.

Вот такая безумная, ну или на грани безумия, мысль! Похоже, я договорился, то есть додумался — до точки!

Как одиночка может управлять политическими процессами целого государства? Государство не горшок с борщом, поставленный на огонь: захотел — прибавил жару, захотел — убавил, захотел — пересолил, захотел — недосолил. Да и я не шеф-повар.

И тем не менее! Нельзя отбрасывать идею, сколь бы сумасшедшей она ни представлялась, не обдумав ее до того со всех возможных сторон. Так нас учили мыслить и так я всегда мыслил. В безумном повороте сюжета подчас скрывается гораздо больше здравого смысла, чем в самом обдуманном и логически обоснованном ходе.

Странное противоречие получается — они, саккумулировав необходимую информацию и проконсультировавшись, уверен, с сотней самых разнопрофильных специалистов, решили, что влиять на политические процессы и даже конкретные события в конкретной стране возможно. А я, располагая той же информацией, — посчитал, что нет.

А в чем разница-то?

Их много, а я один? Так с точки зрения использования информации это несущественно. Времена переписчиков бумаг и курьеров, где количество работников имело решающее значение, прошли. Передовые технологии, в том числе компьютер, ксерокс, факс и прочая оргтехника, уравняли возможности одиночки и тысяч. Здесь я по возможностям ничем не отличаюсь от них.

Деньги? Деньги, конечно, нужны. Но их я раздобуду столько, сколько нужно. И когда нужно. Этому искусству — извлечению требуемых сумм из воздуха — я за время своей работы в должности Резидента обучился в совершенстве. Тут я даже в более выгодном положении, чем они. Мне их у государства и банкиров выпрашивать не надо. Они их мне сами дадут.

Что еще?

Пожалуй, все. Все прочее — легко одолимые частности.

А нет ли у меня, в сравнении с ними, преимуществ? Сколь бы нелепой ни казалась эта мысль. Ну-ка, подумаем, пораскинем мозгами...

А ведь есть!

И в первую очередь то, которое я считал главным недостатком. Я один! И значит, за все отвечаю один. Лично сам! И все решения принимаю — тоже сам! Без согласований и увязок с мнением и рекомендациями вышестоящего начальства. И, значит, остановить меня, и выследить меня, и схватить меня за руку гораздо сложнее, чем их, с их громоздким трудноподчиненным механизмом исполнителей, помощников и советчиков. У меня эти самые руки развязаны. И свободны для действия.

А еще? Есть и еще.

Я знаю территорию, на которой разворачивается действие, лучше их. Много лучше их. Это моя территория. Это мои люди, психологию которых я усваивал с детства. А для них они непонятные, загадочные чужаки. Здесь я хозяин, здесь я царь и бог. А они оккупанты. Для них каждый шаг — риск и напряжение. Не подкинут ли под каблук мину? Не стрельнут ли из-за угла? Не придумают ли еще какой гадости? Здесь они не могут действовать в полную силу и без оглядки. А я могу! Потому что это моя страна! Потому что я и есть тот самый партизан.

Значит, шансы на победу есть?

Есть.

Значит, «Вперед. В атаку. Марш-марш»?

Значит, в атаку.

А чтобы гарантированно одолеть противника, я перехвачу из его рук его же оружие. Чтобы уравнять наши шансы. Чтобы крушить его с помощью его же тяжелых, умопомрачительного калибра пушек. Раз у меня своих нет.

Может быть, именно это имел в виду мой бывший подопечный и бывший Большой Начальник, который толковал о драке? Может быть, именно это он пытался объяснить мне?

— Вот что, Александр Анатольевич, дайте мне на экран папку «Сценарий».

— Зачем она вам?

— Почитать. Не одну же мне с утра до вечера периодику листать. Что-то и для души хочется.

— Это как угодно. У каждого свои литературные пристрастия...

Час за часом, день за днем я самым тщательным образом штудировал «Сценарий». Каждую из трех тысяч семисот пятидесяти машинописных страниц. В каждом ее пункте.

Я читал эти страницы и раньше. Но раньше меня интересовала только фактическая сторона дела. Кто, когда, с кем, при каких обстоятельствах встречался или должен был встречаться. Теперь я искал нечто иное. Я искал рычаги управления, с помощью которых можно перекраивать общество под свои лекала и с помощью которых можно управлять этим обществом. Я искал методологию. Не что делать, а каким образом это делать.

И я находил ответы на многие свои вопросы. Я находил эти рычаги. Их было множество. На все случаи общественно-политической жизни.

Но все они, как отдельно взятая войсковая часть, оставались лишь небольшим фрагментом армейского резерва, сконцентрированного на направлениях главного удара. Таких стратегических направлений было три.

Первое. Формирование общественного мнения, управление и манипулирование этим общественным мнением в зависимости от поставленных целей и задач.

Второе. Подбор и расстановка кадров. (Вот уж действительно прав был наш великий кормчий — «Кадры решают все».)

Третье. Организация событий в избранной стране. Опять-таки в зависимости от того, каких результатов и как скоро вы желаете достичь.

Три кита, на которых ничего не стоит, но которые совместными усилиями способны разрушить все.

Удивительно, как немного надо, чтобы заставить миллионы и миллионы людей подчиняться чужой воле. Заставить их разрушать собственный дом, не задумываясь, убивать и покорно умирать.

Стадный инстинкт.

Ведомые на веревочке вожаки.

И брошенные в центр стада камни.

Теперь я знаю ниточки, за которые дергает свои куклы кукловод. Теперь я тоже попробую их подергать. Но совсем в другом направлении. В обратном направлении. От кукол — к кукловоду. И посмотрю, как ему это понравится.

Если, конечно, они эти ниточки раньше времени не обрубят. Вместе с моими руками...

ГЛАВА 55

Я очень долго готовился к следующему своему шагу. Я переделал за несколько месяцев столько черновой подготовительной работы, сколько не умудрялся делать за иной год. Я недосыпал сутками и недоедал килограммами. Я измотался морально и физически, прежде чем смог произнести итоговую, к которой так долго шел, фразу:

— Переодевайтесь, Александр Анатольевич.

— Во что?

— Вот в это. В спецовку телефонного монтера. Мы выезжаем на линию. Устранять аварии согласно заявкам населения.

— Значит, опять машина? — упал духом Александр Анатольевич, прижившийся в очередной съемной квартире.

— Опять.

— Зачем?

— Затем, что на этот раз, предполагаю, нас будут ловить с утроенным усердием. И не какие-нибудь за тридевять земель импортные электронщики, а наши, доморощенные пинкертоны, которым до запеленгованного телефона добраться — только пять автобусных остановок проехать.

— Снова говяжьи туши? Снова холодильник?

— Нет. На этот раз машина профильная — аварийная, городской телефонной сети, со специальной раскраской и со всеми необходимыми причиндалами. Фургон на базе «ЗИЛа». Еле нашел подходящий.

— А тогда мы кто?

— А мы бригада аварийщиков. Устраняющая разрывы и прочие повреждения в сети. Кстати, ради такого случая произвожу вас сразу в ремонтника шестого разряда. Заметьте, без экзаменов и бюрократических проволочек. Цените. И получайте удостоверение.

— Когда выезжаем?

— Как только вызов получим.

Фургон передвижной телефонной мастерской излишних удобств не предлагал. Грязный стол, грязная скамейка, грязный топчан и пара шкафов в углах. Там же в шкафу один стационарный компьютер, пара миниатюрных «ноутбуков» и факс.

— Лучше бы в холодильник, — заключил осмотр Александр Анатольевич.

— Может, и лучше, но приметней. К тому же нам не требуется теперь возить с собой столько техники, сколько мы возили раньше.

— Надо порошка купить и вымыть здесь все как следует. А лучше покрасить, — предложил Александр Анатольевич, мазнув пальцем по стенам.

— А вот этого как раз не надо. Ни мыть. Ни красить. Ни даже подметать. Это лишнее. Все должно оставаться как есть. То есть натурально. Максимально приближенно к быту настоящих, обслуживающих телефонные линии монтеров. А у них там, поверьте мне на слово, стерильностью не пахнет. Потому как это не дом для них, а только рабочее место.

— Что же мне, с грязи лопнуть?

— Можете надеть под робу крахмальное белье. И менять каждые два часа.

Первый выезд. Первое подключение. На этот раз «шкафы» я не закрывал и провода я не маскировал. На этот раз я действовал легально.

— Подключился! — орал я что есть мочи. — Проверь сигнал!

— Есть сигнал!

Давно известно, чем больше навязываешь себя постороннему вниманию, тем меньше тебя замечают и запоминают.

— Тогда порядок.

Я брал в руки пассатижи, телефонную трубку, обматывался проводами и вставал возле приоткрытой двери.

— С чего начинаем?

— Первое сообщение вот по этому адресу.

Александр Анатольевич загонял в факс бумагу.

— Готов!

— Запускай!

Минутная пауза.

— Сообщение пошло. Принятие подтверждено. Что еще?

— Здесь — все. Меняем диспозицию.

В сообщении было несколько красноречивых, из личной и служебной биографии адресата фактов. В частности, касающихся того, с кем и где он встречался и что в результате этих встреч получал в виде подарков, бесплатных билетов, гонораров за книги, лекции и публичные выступления по радио и телевидению. По числам. По очередности.

Что вначале. Что потом.

Что причина. А что следствие.

В сообщении не было указано ни фамилий, ни должностей. Но была маленькая приписка:

«Как вы считаете, имеет ли моральное право государственный чиновник с подобной биографией претендовать на новый, вновь предложенный ему высокий пост? Или из морально-этических соображений должен отказаться? С уважением, группа независимых журналистов».

И постскриптум: «Готовы предоставить вам соответствующие документы, с частью которых (малой) вы имели возможность ознакомиться».

Всякий чиновник, если он не был полным дураком, увидев такую о себе информацию, от должности должен был отказаться. По крайней мере до выяснения каналов утечки информации и поимки «независимых журналистов».

Он и отказывался. Под каким-нибудь благовидным предлогом. Не то здоровье. Не тот опыт. Благодарю за внимание...

— Второй адрес пошел.

— Принято.

— Третий адрес пошел.

— Принято.

— Четвертый...

— Пятый...

— Шестой...

Новое, устраивающее третьих лиц, правительство не вытанцовывалось. Ну никак не вытанцовывалось. Самоотвод за самоотводом. Что за чертовщина?

— Десятый адрес пошел.

Одиннадцатый.

Двенадцатый.

Принято. Принято. Принято.

— С первым списком закончено.

Коротенький список. Но очень звонкий.

Другой — чуть подлиннее, потому что касается фигур второго и третьего плана. Этих компроматом не запугать. Этим еще нечего терять. Потому что они еще ничего не имеют. Этих на политический испуг не возьмешь. С этими надо воевать по-другому.

Новая точка стояния. Возле двадцать какого-то «шкафа».

— Заряжай первый объект.

— На связи.

— Запускай.

— Сделано!

На стол первого объекта из пасти факса выползла короткая бумага. С выдержкой из одного прелюбопытного для него разговора. Того, где известное ему лицо А говорило так же хорошо ему известному лицу Б о партии одного, опять-таки хорошо известного ему товара, направляющегося из пункта С в пункт Д. И о том, что по дороге этот товар может исчезнуть в районе пункта Х. Если, конечно, Б столкуется с А. И совместными усилиями нейтрализуют В. Которым и был адресат.

В конце получателю письма предлагалось спуститься в подъезд и взять в почтовом ящике копию магнитофонной записи данного человека, вставить ее в магнитофон и еще раз прослушать.

Что адресат незамедлительно, чуть ноги на лестнице не поломав, и делал.

Потому что товар действительно существовал и действительно шел из пункта С в пункт Д.

Но никто его не собирался перехватывать в пункте Х. И никакого разговора между А и Б не было. Но была вражда между Б и В. Не на жизнь, а на смерть.

Что я и использовал.

Необходимую мне для проведения данной комбинации информацию я получил, за немалую сумму, от одного известного мне человечка. А голоса записал с установленных мною в известных же мне местах «жуков». А смонтировал разговор с помощью талантливого звукоимитатора, студента актерского факультета провинциального театрального вуза. И не только этот разговор. А еще два десятка. На самые разные темы.

Конечно, квалифицированная экспертиза, проведи такую, несоответствие голосов установила бы довольно быстро. Но кто будет эту требующую времени экспертизу проводить? Когда кулаки чешутся. Когда кровь к голове приливает, а гнев глаза и уши застит. В такой ситуации хватаются не за высокочувствительную экспертную аппаратуру, а за примитивный пистолет. На что я и рассчитывал.

Таким образом одна ненужная ни мне, ни стране партия лишилась части субсидированных ей на политику и предвыборную кампанию средств. Потому что спонсоры самым неожиданным образом перестреляли друг друга.

Перекрывая финансы, я перекрывал возможности.

Другое письмо уходило к другому денежному мешку.

В нем сообщалось, что отделу по борьбе с экономическими преступлениями стало известно об одной не очень чистоплотной внешнеэкономической сделке. И что сообщил о ней в органы один из руководителей филиала данной фирмы. Под маской анонимного и потому неуловимого доброжелателя. Сообщил с двойной целью — чтобы насолить шефу и чтобы прибрать к рукам, после его отсылки в места не столь отдаленные, головную фирму.

И действительно милиция, тот самый доблестный отдел, получала соответствующее письмо, где был подробно изложен механизм противозаконной сделки. С извещением о посылке дубликата письма в вышестоящие инстанции. Ну, чтобы они шустрей шевелились. И они шевелились, так что пыль столбом стояла.

Характерно, что эти сведения мог знать только этот человек. Только руководитель филиала. И только он и знал. Потому что именно он — посредством приляпанного с помощью пневматического ружья к стеклу кабинета микрофона — обо всем мне в доверительной беседе с главным бухгалтером рассказал.

Отдел по борьбе с экономическими преступлениями в полном составе прыгал в машины, ехал в указанную фирму и изымал всевозможные документы.

Глава фирмы, конечно, выкручивался, все валил на замов и помов и освобождался под подписку о невыезде. А потом разбирался с руководителем филиала, который решительно ничего не понимал и от всего открещивался. Начиналась очередная бесконечная и небезобидная междоусобная разборка. Филиал закрывался.

Головная фирма терпела убытки. Потому что, когда идет драка, купцам не до торговли.

В результате еще одна партия теряла живительный, столь необходимый ей именно сейчас для проведения предвыборной кампании, финансовый ручеек.

Подобным же образом я не без успеха стравливал между собой партии и целые блоки партий. Уж не говоря о всяких там мелких мечущихся между ними политических группировках. Хорошо, что все они трудами неизвестных мне сценаристов были учтены, рассортированы и разложены по политическим полочкам. Кто на крайне правую, кто на правую, а кто в центр. Каждая на свое, а не на то, которое декларируется в политической рекламе, место. И в порядке убывания. От наиболее необходимых для успеха задуманного действа до совершенно в нем бесполезных.

Мне не приходилось ничего выдумывать. Я пользовался готовыми рекомендациями. Только с точностью до наоборот.

Политики оказались очень управляемыми, потому что были очень скандальными типами. Просто на удивление скандальными. Просто как торгующие семечками на базаре бабы. Им довольно было подбросить самый примитивный, самый малоаппетитный, но обязательно дурно пахнущий факт, чтобы они тут же вцепились друг другу в глотки.

Работать с ними было одно удовольствие. Одним я доводил до сведения, что вторые, никак не рекламируя это, ищут подходы к третьим, которые, оказывается, сделали ставку на четвертых. Отчего пятые ну просто заходились в праведном гневе. Чему злорадно радовались шестые, вошедшие в союз с седьмыми.

А потом так все запутывалось и перепутывалось, что нелицеприятное выяснение отношений шло уже без всякого моего вмешательства. Да такое, что на участие в собственно политической борьбе ни времени, ни сил уже не оставалось.

Я только бросал камень в стаю. А уж они по собственной инициативе начинали выяснять, кто прав, кто виноват и кто из виновных виноватей всего.

— А сам-то! — кричали лидеры политических движений и тянулись пальцами к лацканам пиджаков недавно союзной стороны.

— На себя посмотри...

За этих уже можно было быть спокойным. Эти своими политическими демаршами стране уже угрожать не могли. А главное, не могли объединиться с другими, подобными им по убеждениям, программам и честолюбивым мечтам партиями. В этой бесконечной, беспрерывной сваре политиков разных толков и направлений я мог властвовать. Потому что научился разделять!

Наверное, спустя какое-то время они разберутся в своих претензиях и поймут, что их попросту стравливали друг с другом. Как голодных, бездомных и оттого злых псов. Но будет уже поздно. То, что они согласно чужой воле и чужому сценарию должны были сделать, они уже не сделают. Не успеют. Так что зря кукловод дергает свои ниточки в надежде, что куклы разыграют требуемый им спектакль. Куклы ничего не разыграют, потому что все идущие к ним ниточки перепутались и перевязались узлами.

— Информация передана! Подтверждение получено. Еще адреса есть?

— Есть!

ГЛАВА 56

Следующий удар я нанес по киту «общественного мнения». Того, которое было угодно моим противникам.

Нет, я не был сумасшедшим и не предполагал, что единственным своим голосом смогу изменить настроение населения целой страны. Хотя бы потому, что невозможно влезть в душу и побеседовать «за жизнь» с каждым из сотни миллионов представителей ее взрослого населения. И убедить их в чем-то. Это по силам только тому, кто держит в руках громкоговорящий рупор телевидения, радио и прессы. Тому, кто заказывает всю эту музыку. И кто с помощью ее ежечасного и каждодневного по всем вещательным каналам прокручивания достигает требуемого результата. Я такими возможностями не обладал.

Я не мог изменить ситуацию. Но я мог исказить представление о ситуации. Это мне было по силам!

Я понимал, что любая массовая кампания должна отслеживаться. И корректироваться в зависимости от полученных результатов. Чуть вправо или чуть влево. Настроение людей — слишком чувствительный инструмент, чтобы можно было играть на нем в автоматическом режиме. Это не патефон, где завел ручку, поставил пластинку и крути ее, пока она не кончится. Это скорее оркестр, где даже одна пропущенная дирижером фальшивая нота может в конечном итоге испортить всю музыку. Нет, здесь без хорошо налаженной и очень оперативной обратной связи не обойтись.

А раз есть связь, значит, возможно использовать ее в своих целях. Как ту самую, идущую в две стороны телефонную «лапшу».

«Лапшу»?

Вот именно «лапшу»! Телефонный провод! Который соединяет двух, трех и гораздо более абонентов. Который используется для разговоров. Для общения. Для вопросов и ответов!

Вот это его свойство я в своих целях и попытаюсь использовать.

Я сел за справочники. Я выписал все существующие государственные, общественные и частные организации, занимающиеся социологическими обследованиями. Всех, кто задает населению вопросы по телефону или вручает на остановках общественного транспорта и в магазинах сомнительного вида анкетки и опросные листы. Опросы респондентов, посредством которых устанавливаются рейтинги политиков и партий, выясняется отношение населения к тем или иным вопросам общественно-политической жизни, и есть та самая обратная связь. Именно та, от которой зависит корректировка планов противостоящей стороны.

Я показал найденные мной адреса и телефоны Александру Анатольевичу.

— Попытайтесь выяснить, какие из них подключены к компьютерным сетям.

— Айн момент.

Если социологическая служба выполняет заказ третьей стороны, то она почти наверняка имеет выход в сети. По ним передавать информацию гораздо проще, чем таскать по улицам, зажав под мышкой, папки с бумажными сводками. К тому же папки — улика. Вещественное доказательство. Которое можно изъять, которое можно предъявить, которым можно прижать подозреваемого по самой крутой статье Уголовного кодекса к стенке. А информацию, ушедшую по сетям сразу в закрытую память чужого компьютера, попробуй поймай, попробуй запротоколируй. Но, даже поймав, умудрись доказать злонамеренность данного факта. Может, это лишь оплошность оператора, перепутавшего номера. Уголовно ненаказуемое деяние.

— Сети подключены к следующим номерам... — доложил Александр Анатольевич.

— А возможно установить, на каких еще абонентов компьютерных сетей выходят этим номера?

— В момент связи — да.

— И что для этого требуется?

— Дождаться их выхода в эфир.

— Вот что, Александр Анатольевич, попасите-ка вы эти номера. И постарайтесь выяснить, на кого они выходят и с каким объемом информации.

— А саму информацию не сканировать?

— Нет, информацию не надо. Здесь нельзя рисковать. Они могут зафиксировать присутствие чужака в своих сетях и насторожиться. Что ни в коем случае нельзя допустить! Вы меня поняли?

— Я вас понял.

Александр Анатольевич сделал больше, чем я его просил. Он вычислил требуемые номера. Но они были совершенно нейтральны и, значит, совершенно бесполезны. Тогда он дождался еще одной передачи и установил следующих в сетевой цепочке абонентов. Это были знакомые нам абоненты. Через них, а затем через границу еще совсем недавно перекачивалась периодическая печать.

Так вот кого интересуют ответы наших граждан на вопросы, заданные по телефону и на остановках общественного транспорта.

Я обнаружил каналы утечки информации.

И решил изменить их назначение. Решил каналы поступления информации превратить в каналы передачи дезинформации. Поменять их полярность на противоположную — с минуса на плюс.

Я подогнал свой «аварийный» автомобиль поближе к месту действия, подключился к квартальному «шкафу», вышел на их телефонную сеть и стал ждать.

— Здравствуйте. Вас беспокоит служба анонимных социологических опросов. Не могли бы вы ответить на несколько наших вопросов? Отвечать нужно только «да» или «нет»...

Так я узнал о содержании этих нескольких вопросов.

Теперь мне надо было действовать очень быстро.

Я подключил к линии два телефонных аппарата и пять автоответчиков и совместными с ними и с Александром Анатольевичем усилиями обзвонил две тысячи абонентов. Которым задал те же самые, что услышал, вопросы. И получил соответствующие ответы. Все не устраивающие меня ответы я исключил. Все полезные — сохранил на магнитофонной пленке. Утром я был готов к массовому опросу единственного себя как полномочного представителя своего народа.

— Здравствуйте. Вас беспокоит служба анонимных социологических опросов. Не могли бы вы ответить на несколько наших вопросов?

Мог бы. И я включал зафиксированный вчера на магнитофонную пленку чужой голос.

— Да. Да. Да. Нет. Да.

— Спасибо.

— Не за что.

— Здравствуйте. Вас беспокоит служба анонимных социологических опросов...

— Да. Да. Да. Нет. Да...

— Спасибо.

— Пожалуйста.

— Вас беспокоит...

— Да. Да. Да. Нет. Да...

И так тысячу сто пятьдесят раз. Когда техника не справлялась, я вставлял, слегка изменив тембр, свой голос. И отвечал на все те же вопросы все те же самые «Да. Да. Да. Нет. Да...» с небольшими вариациями.

Ну откуда было корреспондентам, набиравшим первый пришедший им в голову номер, догадаться, что они, крутя диск, ни с кем не соединяются? Кроме меня. Что из двух тысяч граждан, согласившихся ответить на их вопросы, две трети были мной! И что эти ответы я подгадывал под заранее известный мне результат. Что далеко не все довольны происходящими в стране событиями. Что не всем нравится именно вот эта названная партия. Что не всех устраивает международная, направленная на помощь нашей стране политика.

Оказывается, не все так благополучно, как, наверное, представлялось авторам этих вопросов. И как удивительно резко меняется мнение опрашиваемого народа!

Может, повторить исследование?

Можете повторить. Можете повторять его сколько угодно. Процентные отношения не изменятся. Голову на отсечение даю. Я свой народ лучше знаю. Лучше, чем кто-либо другой. Потому что я этот народ и есть. В данный конкретный момент. И в данном конкретном месте.

— Спасибо.

Опрос закончен.

Следующий адрес и следующий «шкаф».

— Вас беспокоит общественная рейтинговая служба. Просим вас ответить на ряд интересующих нас вопросов.

— Весь внимание.

— Да. Да. Да. Нет. Да...

— Вас беспокоит...

— Да. Да. Да. Нет. Да...

Наверное, я не мог полностью изменить результаты опросов, ведь они шли не только по телефонному каналу. Но повлиять на них и повлиять самым существенным образом мог точно! И влиял!

— Вас беспокоит...

— Да. Да. Да. Нет. Да...

— Вас беспокоит...

— А зачем мы туда-сюда трубку тягаем? — вдруг спросил Александр Анатольевич. — Так и рука, и уши рано или поздно отвалятся.

— Что поделать. Другого пути нет. Так что потерпите.

— Почему нет? Очень даже есть. Не проще ли, минуя телефоны, забираться сразу в компьютер, принимающий информацию?

— Как это?

— Да очень просто. Пусть они звонят. Пусть спрашивают кого и о чем угодно и фиксируют их ответы. Все это в конечном итоге все равно загоняется в память компьютера. И там и хранится. И чем нам пытаться влиять на конечные цифры опроса в розницу — каждым телефонным звонком, не проще ли делать то же самое оптом? То есть в самой базе данных.

— Но ведь вход в компьютер заперт паролем.

— На каждый замочек отыщется свой ключик. Ведь чему-то я научился у нашего вундеркинда Козловского. К тому же уверен, здесь не может стоять мудреных шифров. Это же не счета в банке. И не секретные сведения. Только ответы на публично заданные вопросы. Да и персонал там — одни женщины и дай бог единственный с очень средним техническим образованием программист. Ну, как вам такая идея?

Идея была замечательная. Тысячекратно упрощающая нашу задачу. Я облегченно бросил раскалившуюся докрасна телефонную трубку.

— Начали?

— Начали!

Запрос — отказ.

Запрос — отказ.

Уточнение.

Согласие.

— Файл открыт. Я в хранилище памяти. Какие изменения внести в основные данные?

— Все те же самые. «Да. Да. Да. Нет. Да...» Только не переборщите, не загоните все ответы под единый стандарт.

— За кого вы меня принимаете? Комар носа не подточит! Все будет очень похоже на правду. Все будет выглядеть даже убедительней, чем сама правда.

Готово.

— И что получилось?

— Итоговые проценты на экране.

Итоговые цифры получились очень печальными. Для их заказчиков. Судя по ним, исследуемая страна не была еще готова к принятию следующих, предусмотренных генеральным сценарием шагов. Что-то затормозило поступательный процесс реализации действия. Что-то не вполне совпало с прогнозами аналитиков, с предложенной ими математической моделью событийного развития.

Что?

Это они пусть выясняют сами. Я им в этом деле не подсказчик. И не помощник.

Пока они перепроверяют рейтинги, пока пересчитывают математические модели, пока спорят друг с другом — идет время. Время, которое работает против них. И значит, на нас. На всех. В том числе на меня и на страну.

— Вот что, Александр Анатольевич, добавьте-ка вы им еще пессимизма. Немножко. Чтобы у них поубавилось охотки лезть в чужие дела. Глядишь, они, с нашей подачи, и одумаются.

— Вы думаете, одумаются?

— Уверен! У них просто нет другого выхода.

Я ошибся. Они не одумались. И не потеряли охоты лезть в чужие дела. Более того, они форсировали процесс разрушения. От сбора информации и подкупа должностных лиц они перешли к прямому действию.

Это было совершенно непонятно, не похоже на них, на их осторожную и до того очень взвешенную политику. Но это было так. Пора теоретических изысков прошла. Началась драка...

ГЛАВА 57

В известном промышленном районе одновременно забастовали шахтеры трех угольных разрезов. Через четыре дня их поддержали горняки еще двух регионов. И еще трех.

— Но почему именно шахтеры? — удивлялся Александр Анатольевич.

Потому что это был очень умный, очень расчетливый и очень действенный с точки зрения влияния на внутреннюю политику ход. Правда, он случился чуть не вовремя, не тогда, когда был предусмотрен сценарием. Но он случился!

— Чего они добиваются?

— Дестабилизации отдельных районов страны.

— Нет, я имею в виду шахтеров.

— Шахтеры здесь ни при чем.

Шахтеры здесь действительно были не в счет. Они служили только средством. Только разменной картой в большой игре больших политиков. Очень удобной и потому козырной картой.

Забастовка шахтеров являлась идеальным инструментом для манипулирования общественным мнением. В любую угодную сторону. Хоть вправо. Хоть влево.

Остановка угольного конвейера как напрямую, так и косвенно отражалась на всех прочих отраслях промышленности. Уголь не получали металлурги. Металлурги не давали металл. Отсутствие металла лишало работы десятки тысяч людей в тяжелой и станкостроительной промышленности. Но самое главное, отсутствие угля било по расположенным в ближних регионах тепловым электростанциям. А падение напряжения в сети — по всем. Без разбору. От промышленных гигантов до мерзнущей в своей квартире старушки-пенсионерки.

Забастовка в угледобывающей промышленности отражалась на всех и вызывала цепную реакцию народного недовольства. Невыход на работу учителей или инженеров никто бы не заметил. И никто бы не воспринял всерьез.

Именно поэтому забастовка случилась в шахтах.

Забастовка угольщиков должна была послужить тем фитилем, который способен взорвать бомбу социального недовольства целого региона.

Какого-то одного региона. Только одного.

Так было предусмотрено сценарием.

Вопрос: какого из шести?

Я сел за учебники географии.

Любой город, любая область и даже государство существуют не в безвоздушном пространстве, а на вполне конкретных, с конкретным рельефом и климатом участках суши. Эти доставшиеся им участки во многом влияют на экономику, характеры и уклад жизни проживающих там людей и тем на политику. Рассматривая карту под таким специфическим углом зрения, иногда можно увидеть много больше, чем на ней нарисовано. Не одни только горные хребты и водоемы.

Меня в первую очередь интересовали климатические условия, количественный и качественный состав населения, транспортные развязки, наличие энергоисточников, приближенность к границам и еще многое, многое другое.

Поднимать волну социального недовольства проще было в местности, где забастовка шахтеров угрожала реальными, а не воображаемыми бедствиями проживающему там населению.

Регион А. Отличные подъезды. Дублированное энергоснабжение. Альтернативные теплоносители. Малая населенность. Не похоже. Здесь если социальные выступления и возможны, то очень вялые и очень кратковременные.

Регион Б. Здесь положение подобное. Немного населения. Хорошо отлаженное снабжение. Мощная энергетика. Малый процент людей, занятых в горнодобывающих и сопутствующих ей отраслях...

Регион В. Тут положение более печальное. Три теплоэлектростанции и ни одной гидро- или атомной. Дороги малочисленны и разрушены. Люди сконцентрированы в городах, не имеющих автономного теплопитания. Преобладающая профессия — горняк...

Регион Г...

Регион Д...

Я остановился на трех регионах. Но я все еще не знал, какой из них избран для социального эксперимента.

— Александр Анатольевич, а не слабо вам дотянуться своим сканером «от Москвы до самых до окраин»?

— До каких?

— До самых дальних.

— Что вы все ходите вокруг да около? Что вам требуется конкретно?

— Периферийная печатная продукция. В больших объемах.

— Будет вам продукция. Если там есть хотя бы одна подключенная к компьютерным сетям редакция...

Неделю я потратил на просмотр периодики. Я смотрел ее беспрерывно с утра до вечера, отмечая плюсиками и минусиками по десятибалльной шкале негативную либо позитивную информацию.

Ругают существующее положение дел — минус три.

Сильно ругают — минус семь.

Ругают распоследними словами — минус десять.

Хвалят за наше счастливое сегодня — плюс четыре.

Сильно хвалят — плюс шесть.

Разливают елей так, что он со страниц медом капает, — плюс десять с половиной.

А в итоге?

А в итоге явное, процентов на сорок выше, чем в прочих местах, преобладание негатива в одном из регионов. Уж не здесь ли запланирован и любовно взращивается взрыв народного негодования?

Попробуем подтвердить свои подозрения. Или опровергнуть их.

Я просмотрел сводки поступления в отдельные регионы материальных и финансовых средств. Очень занятно. Мой регион на фоне остальных выглядел как пасынок, живущий рядом с родными и горячо любимыми детьми. Питаются из одного и того же котла, но очень по-разному. Недопоставка. Задержка. Отказ. Отказ... Сплошные отказы! Кому-то куриные ножки, а кому-то воробьиные горлышки. Или голая отварная картошка.

К чему бы это?

А если зайти с другой стороны? Там, где ожидаются проявления народного недовольства, обычно начинают подкармливать органы правопорядка и армию. Чтобы они, из братской голодной солидарности, на сторону противника ненароком не переметнулись. Чтобы они руку дающую не кусали, а, оскалившись, защищали.

Как у нас с этим дело обстоит?

Занятно обстоит.

Если верить служебной, только для «их» пользования статистике, в означенном регионе проблем с жалованьем для офицерского и сержантского состава МВД и армии нет. Никаких задолженностей. Более того, даже какая-то квартальная премия выдана. За что выдана? За то, что прошло девяносто календарных дней? Странная для наших прижимистых руководителей щедрость. Дурно пахнущая щедрость.

Теперь посмотрим грузопоток. Что из того региона ушло и что туда взамен прибыло.

Так, лес, уголь, другие полезные ископаемые, транзитный груз и прочее. Тут все ясно.

А туда? Шиш на постном масле. В очень значительных количествах. И еще, если судить по запрашиваемым платформам и местам погрузки, — бронетехника. И воинские, подробно не раскрываемые в сводках эшелоны. И дополнительная горючка. Наверное, для той бронетехники.

Отчего это вдруг военные по стране разъездились? Может, они всегда так разъезжали? Согласуясь со временем года. Как дикие перелетные птицы. Ну-ка, полюбопытствуем, как обстояло дело в предыдущие годы.

По-другому обстояло. Никто никуда не ездил. Все по зимним квартирам сидели.

И что на это нам скажет пресс-служба Министерства обороны? Если я представлюсь корреспондентом Би-би-си. И заплачу за информацию «зелененькими».

Ах, учение? Плановое? С целью отработки взаимодействия различных родов войск? О'кей. В смысле — понятно.

Вот только непонятно, почему именно там и именно в это время? Ни раньше, ни позже? Или наоборот, очень даже понятно! Создают на всякий пожарный случай силовой буфер. Если вдруг ситуация выйдет из-под контроля.

Итак, подводим итог. Если где-нибудь что-нибудь и может случиться, то только в этом, обиженном со всех возможных сторон, кроме разве незапрашиваемой военной помощи, регионе.

Значит, туда мне и путь держать!

Но прежде чем туда отправляться, мне следует решить, что я там смогу полезного сделать. Как совладать с таким скопищем искусственно взращенных проблем? Учитывая, что я не глава государства, а только рядовой его гражданин.

И я снова, как всегда, когда не знал, что делать, начал задавать себе вопросы. Точнее, один-единственный вопрос.

Что будет являться главной пружиной затеваемого между населением и властями конфликта?

Главной — деньги!

Официальной, а впрочем, и реальной причиной забастовки шахтеров была невыплата им за несколько месяцев зарплаты. Это было странно. Потому что деньги в стране были. Деньги были даже в поселках шахтеров — у милиции, у пожарников, у административно-управленческого аппарата, у многих других категорий граждан. Им зарплаты выплатили. В том числе, наверное, и потому, что их участие в акциях неповиновения не предусматривалось. Сценаристам не нужен был всеобщий бунт, им нужна была лишь демонстрация недовольства, несогласия с существующей политикой. Не более того. Более — это уже революция. Которая в рамки кабинетных сценариев не укладывается.

В конечном итоге все задолженности будут погашены, все зарплаты выплачены. Что лишний раз докажет наличие требуемых средств. Но это будет потом.

А за это время, время забастовок и выяснения отношений между народом и Правительством, кое-кто успеет протащить через законодательные органы устраивающие его поправки к законам, поставить на ключевые должности нужных людей и сделать еще очень много полезных, лично для себя и для своих негласных хозяев, дел.

В этом и есть основная цель хорошо срежиссированной бузы.

Это понимал я. Но это не понимали и не могли понять лишенные средств к существованию шахтеры. Они не осознавали, что их бурчащие от голода желудки — это лишь прелюдия, первый звук в чужой, очень сложной и очень длинной музыкальной импровизации.

Наверное, я мог попытаться объяснить им всю эту, в которой их использовали в качестве основного аргумента, комбинацию. Но я никогда бы не смог донести свою мысль до их жен и детей, которые хотели есть и одеваться в более-менее приличную одежду.

Поэтому я пошел другим путем. Тем, который лишал бомбу главного ее запала.

Я просто нашел деньги. Всем тем, кто их не получал.

Как?

Как умел.

От имени стачечного комитета я отправил пять факсов в пять наиболее крепко стоящих на ногах местных банков. С просьбой оказать материальную поддержку семьям голодающих шахтеров до погашения им долгов государством.

Банкиры посмеялись над наивностью стачкома. И сделали заявление в местной прессе о большом желании оказать материальную помощь нуждающимся и о полной невозможности это сделать из-за хронического отсутствия каких-либо свободных средств.

В отличие от всего прочего населения сидящего на голодном финансовом пайке региона, они догадывались, кто и с какими целями не переводит шахтерам причитающиеся им средства. По крайней мере думали, что догадываются. С людьми из Центра, дирижирующими региональной политикой, банкиры ссориться не хотели. И положили факсы «под сукно».

До момента, пока не пришли следующие факсы. Теперь уже именные, управляющим, «лично в руки».

В факсах доказывалось наличие в данных банках излишков сумм, которые можно было бы направить бастующим горнякам.

Периферийные банки, в отличие от столичных, не так рьяно и изощренно защищали свои дебеты с кредитами, чтобы нельзя было вытянуть требуемую информацию из их компьютеров. А сами банкиры оказались исключительными в быту болтунами, к тому же малообразованными в сфере техники промышленного шпионажа. Они боялись только грабителей и «медвежатников», вооруженных отмычками, автогенами и автоматами. И не предполагали, что обыкновенный телефонный провод и не различимый глазом микрофон, налепленный на оконное стекло, способны причинить куда большие финансовые потери, чем просто банальный взлом.

В заключение финансового обоснования я рекомендовал задуматься над тем, что предпримут оголодавшие горняки, если они узнают о наличии у них под боком излишков так не хватающих им средств. И что скажут рядовые вкладчики, которым из-за полугодового отсутствия прихода не выплачивают причитающиеся им проценты по вкладам. И какие выводы сделает налоговая инспекция, буде ей, как-нибудь случайно, попадут в руки вот эти вот цифры...

А?

Утром следующего дня четыре местных банка удивили общественность заявлением о готовности выдать шахтерам беспроцентную ссуду для погашения задолженности по зарплатам. С принятием долговых обязательств государства на себя. Пятый банк заявления не сделал, потому что объявил себя банкротом, а его управляющий и главбух ударились в бега.

Недостающую сумму я известными мне и другим работникам Конторы методами получил в других банках и переправил на счет стачкома. В качестве благотворительного взноса от пожелавших остаться неизвестными бизнесменов.

Шахтеры покинули митинговые колонны и встали в очереди в кассы, а потом в кассы магазинов. Накал страстей пошел на убыль. После сытного обеда и тихого отдыха в кругу семьи охотников идти на продуваемую всеми ветрами улицу обычно не находится.

Это был успех. Но это была еще не победа.

Согласно сценарию, невыплата зарплат не являлась единственным способом политической и социальной дестабилизации региона. Были еще недопоставки товаров первой необходимости, перебои с электроэнергией, рост преступлений против личности, массовый террор. Последний подходил лучше всего. Он не просчитывался как интрига государства против отдельно взятой административной территории и при минимальных вложениях давал максимальный положительный эффект. Два-три сопровождающихся многочисленными жертвами взрыва — и население проголосует за любые предложения, обещающие им быстрое избавление от страха за себя и своих детей. Старый, апробированный во множестве стран прием.

На их месте я взорвал бы бомбу. А лучше две. Раздул пламя общественного возмущения с помощью прессы. А потом собрал многочисленные митинги. Выдвинул политические требования. И методом стихийного волеизъявления народа поддержал бы того... кто всю эту кашу заварил.

Я бы сделал именно так.

И именно поэтому я постараюсь сделать все наоборот.

Я пошел в аптеку и купил без рецепта несколько необходимых мне лекарств. В большом количестве. Потом я пошел в хозяйственный магазин и прикупил кое-что из бытовой химии. Потом я смешал все эти лекарства и всю эту бытовую химию в известной мне пропорции. И получил мощное взрывчатое вещество!

Умению изготовлять бомбы из ничего, вернее — из того, что свободно продается в «любой посудной лавке», и применять их по назначению каждого диверсанта-разведчика учат еще на первом курсе учебки. Это азы. Это самое простое.

Я сделал две бомбы. Одну положил в урну возле центрального универмага. Другую в вестибюле кинотеатра.

И позвонил в милицию.

— Але! Тут какой-то сверток большой. В кино. И там что-то тикает. Может, будильник. А может, еще чего. Я его трогать боюсь. Вы посмотрите сами.

Милиция приехала и нашла то, что нашла. Снаряженную к взрыву бомбу. И потом еще одну.

И объявила тревогу.

Чего я и добивался.

А зачем ждать, когда в городе поразбрасывают в местах скопления людей настоящие взрывные устройства? О которых никто не сообщит и которые сделают свое кровавое дело. В таких случаях лучше опережать ситуацию. Как в медицине с помощью загодя поставленных прививок. Немножко укололся чумой и уже никогда чумой не заболеешь. И не умрешь.

В город нагнали дополнительные силы правопорядка. На каждом углу поставили по постовому. Каждый подозрительный чемодан или сверток тащили на экспертизу. Каждого подозрительного типа ощупывали силами привлеченных дружинников и курсантов местных военных училищ.

Теперь проведение в городе террористических актов было усложнено. И террористических актов не состоялось. Даже если они и планировались. А если не планировались, то тут лучше пересолить...

Регион был стабилизирован.

Но... взорвался другой регион. Точно по тому же сценарию.

ГЛАВА 58

Что и должно было произойти. Получился классического покроя тришкин кафтан, где я с иголкой и нитками бегал из одного конца страны в другой и штопал худые места, а по швам трещало там, куда я не успевал. Все это было закономерно. В одиночку против всех не воюют. Я явно переоценил свои силы.

Я слушал радио, смотрел телевизор, читал сообщения с мест и слышал, видел и понимал гораздо больше, чем говорили, печатали и показывали. Я знал, что произойдет дальше. Через час. Через день. Через неделю. Я мог сверить это по листам имеющегося у меня сценария. Конечно, это был не тот регион, который планировался в качестве главного исполнителя заказанной роли. И даже не запасной, где я тоже успел предпринять кое-какие шаги, это был третий, наименее приспособленный для бунта регион. Где «революционные» процессы протекали вяло, со скрипом и с пробуксовыванием. Но тем не менее протекали! Подталкиваемые чьей-то опытной рукой.

— Что, плохи дела? — спрашивал Александр Анатольевич.

— Неважнецкие дела!

— Я могу чем-нибудь помочь?

— Тем, что выбросите телевизор, радиоприемник и

газеты. И не будете рассказывать о том, что происходит в стране.

Два раза я выезжал в те внезапно оголодавшие края. Но сделать почти ничего не смог. Болезнь была запущена. Болезнь прогрессировала.

Я попробовал вытрясти деньги из местных банков. Но их хранилища оказались пусты. Кто-то посредством хитрых финансовых махинаций обескровил их раньше меня. Похоже, сценаристы умели учитывать опыт предыдущих ошибок. Теперь банки не могли вступить в игру. Не могли выдать беспроцентную под зарплату ссуду. Банки были нейтрализованы.

Я добыл и направил средства в стачком. И они пропали. В стачкоме. Я попытался через подставных журналистов поднять скандал. И их нашли. Но только часть. И пообещали в скором времени отыскать остальные. Но деньги нужны были сейчас. Как ложка к обеду. Сейчас! А не потом, когда тарелки опустеют.

Я ломал голову над тем, что предпринять еще, но в глубине души понимал, что, что бы я ни сделал, ситуацию уже не переломить. Я опоздал. Как на поезд, который ушел вчера. Время легких прививок было безнадежно упущено.

Если бы была жива Контора, если бы в одни оглобли со мной впрягся местный, владеющий обстановкой, знающий людей и существующие пружины власти Резидент, может быть, что-нибудь и удалось изменить. Но Конторы не было. Был один только я.

Я был обречен на поражение. Потому что рвал вершки. Только вершки. А питающие сорную траву корни оставались в земле. На недоступной мне глубине. И выталкивали, выталкивали, выталкивали на поверхность новую сорную поросль.

Где были эти корни? Кто был этими корнями? Кто? И где?

На этом и надо было сосредоточить внимание. А не на бесконечном и безнадежном дерганье сорных стеблей.

Кто?

И где?

Я оставил бестолковую суету и стал думать.

Местные руководители? Едва ли. Их, конечно, использовали, но втемную. Так, что они сами не знали, что и для чего они делают.

Большие чиновники в Правительстве? Из тех, что числятся в моем досье агентами влияния? Наверняка. Но они тоже лишь пешки в большой игре. Их много, и каждый гадит исключительно в меру своих сил и способностей на своем, строго определенном участке. Это суммарно они заваливают тем самым всю страну. По ноздри... Управлять ими, каждым в отдельности, ни рук, ни ног, ни времени не хватит.

Минуточку. Вернемся немножко назад. Как я сказал — «определенном участке»? А кем они определены? Эти участки?

Если обращаться к самым истокам — то сценарием.

А кто разрабатывал сценарий?

Группа специалистов очень широкого профиля. Одной неизвестной мне страны.

А почему неизвестной?

Наверное, потому, что я просто не задавался целью выяснить конкретного адресата. Мне это было без надобности. Мне было важно, не кто делает, а что он делает. Я не собирался вести захватнические войны. Я дрался на своей территории.

Итак, чья страна? Уж не дяди ли, живущего в большом с белыми колоннами доме?

Вполне вероятно. Если исходить из принципа, что, когда хочешь узнать вдохновителя преступления — посмотри, кому оно принесло наибольшую выгоду.

И кому же?

В первую очередь ему — нашему заокеанскому соседу. И его руководству, сэкономившему своему налогоплательщику за счет победы в полувековом военном противостоянии многие и многие миллиарды долларов.

Но и его северному соседу.

И его союзникам в Европе.

И всем прочим, кого не устраивало могущество контролирующей одну шестую часть суши империи.

Так кому же конкретно?

А так ли это важно?

Допустим, я установил заказчика сценария. И что с того? Что я сделаю дальше? Дам ему срочную телеграмму с требованием прекратить чинимые при его поддержке безобразия? Обругаю! Пристыжу! Пальчиком пригрожу! Матом пошлю!

Он, конечно, испугается, и затрепещет, и покается, и уйдет в монастырь замаливать свои политические грехи, и дослужится там до звания архиепископа. Так?

Ну, конечно, нет.

Его, как и всякого другого высоко сидящего чиновника, так просто не усовестить. Потому что этого органа чувств у него как действующего, профессионального политика нет. Отмер за ненадобностью в процессе политической эволюции. Как мешающий рудимент. Политика не делается чувствами. Политика делается расчетом и силой. И еще страхом.

Может, обратиться за содействием в международные организации?

Обратиться можно. Дождаться содействия — нет. Все они тому большому идолу, который зовется Политика, в рот смотрят. Как рыбы-чистильщики в пасть акуле. Вдруг что-нибудь такое съестное с зубов перепадет. И иногда перепадает.

Тогда поднять на борьбу общественное мнение! Собрать миллионы подписей в знак протеста против... Как это раньше делалось, когда боролись за мир во всем мире. Отчего нет? Общественное мнение — это сила! На одну подпись — минута. На миллион подписей — два года. Это если без сна, отдыха и перерыва на обед и туалет. Итого — лет через десять наберется кворум.

Только к тому времени и ишак помрет, и эмир, и я.

Что же тогда делать? К кому обратиться за помощью? Кто может помочь в борьбе с всесильным Заказчиком?

Только равный ему по положению и весу чиновник.

А кто ему равен?

Он сам! Заказчик.

Только Заказчик может остановить Заказчика!

Вот такая логичная и одновременно абсурдная мысль!

А может быть, не такая уж и абсурдная? Может, очень даже здравая?

А?

Зачем обращаться ко многим тем, кто не может помочь? Не лучше ли к единственному тому, кто способен это сделать?

Но только как его найти? Я не знаю не только его адреса. Я даже не знаю страны его пребывания. Я могу строить предположения, но это будут только предположения. А ошибаться мне нельзя!

Как передать тому, кого я не знаю, мое послание?

Да очень просто. Через исполнителя! Компьютерный адрес которого мне известен. Разве он не переправит сообщение, которое высветится на экране его монитора, дальше? Тому, кто принимает решения.

Передаст! Или ему голову снимут.

Вот и почтальон отыскался. Очень надежный почтальон. Потому что работает не за зарплату, а за... голову на плечах. Этот не подведет. И Заказчик получит мое письмо. Кем бы он в какой стране ни был!

Получит! И прочтет!

Что и требовалось доказать!

Я сел за стол, взял ручку, чтобы набросать черновичок, и замер в растерянности. А что писать? Точнее, как писать? В каких выражениях? И кому адресовать это письмо?

«Глубокоуважаемому Президенту неизвестной мне страны»? «Инкогнито, разработавшему план общественно-политического переустройства известного ему государства»? Просто «Заказчику»?

Не так. И не так.

Президент он или только премьер-министр, я не знаю. «Заказчик» — это сугубо мое, для облегчения работы название. А об «Инкогнито» смешно говорить, посылая конкретное письмо конкретному человеку.

Не силен я в эпистолярно-дипломатическом жанре. Чему не учили — тому не учили. Сказать бы ему при личной встрече, что я о нем и о его программах думаю. Тут бы у меня слова отыскались. Разные. Доходчивые. Но, к сожалению, плохо переносимые на бумагу.

Так как написать?

Я написал просто. Как в обезличенных бюрократических повестках. Как в казенных объявлениях на подъездных дверях.

«Получателю! Настоящим извещаю о наличии у меня полного пакета информации по файлу «Сценарий». Прошу рассмотреть вопрос о прекращении разработок в данном направлении. В этом случае обязуюсь:

— не передавать копии файла «Сценарий» в законодательные органы Вашей страны с целью выяснения правомочности Ваших действий с точки зрения существующего закона;

— не обнародовать сметы расходов государственных средств, уже использованных и запланированных к использованию в рамках реализации настоящей программы;

— не ставить в известность о случившемся международные организации;

— не направлять копии документов руководителям оппозиционных партий и организаций;

— не опубликовывать имеющийся у меня материал в международной прессе».

И в самом конце, в подтверждение серьезности своих намерений, несколько наугад выбранных из того самого «сценария» страниц.

И как хотите!

— Ну что, Александр Анатольевич, забросим цидульку на вершину политического Олимпа? Хватит у нас силенок?

— Хоть самому господу богу. Если у него компьютер есть.

— За бога не скажу. А у этих — точно есть.

— Какой адрес?

— Старый. Международный. Тот самый адрес, из архивов которого мы когда-то сканировали самую ценную информацию. Теперь мы возвращаем часть того, что не спросясь взяли. Как говорится — долг платежом красен.

— А он им нужен, этот возврат?

— А мы их не спросим. Как о качестве зубов того дареного коня. Готовы?

— Готов.

— Ну тогда ни пуха!

— А вас совсем по другому адресу...

Первый телефон. Вызов.

Запрос — ответ.

Запрос — ответ.

Уточнение.

Ответ.

Согласие.

Пропуск в сети.

Второй телефон.

Запрос — уточнение.

Ответ.

«Укажите пароль».

Пошел пароль.

Опознание.

Запрос — уточнение — ответ.

Согласие.

Как удивительно легко на этот раз прошла связь. Вот что значит входить в загодя открытую дверь. Даже петли не скрипят! Вот что значит опыт и квалификация! И еще, наверное, чувство собственной правоты, которое в открытом бою не последнее дело. Правому и черт в подмогу, а неправому и бог не помог...

— Линия открыта. Абонент готов к приему информации.

— Запускайте!

— Информация пошла.

Информация принята.

— Уходим! Пока хвост не прищемили.

— Погодите!

— Что еще такое?

— Они просят не прерывать связь. Просят сообщить наш адрес для продолжения диалога.

— А наш вес, рост, объемы груди и талии им для продолжения знакомства не нужны?

— Так и передавать?

— Никак не передавать. Работайте только на прием.

— Продолжают настаивать на диалоге. Сообщают о крайней заинтересованности полученной информацией.

Что предпринять? Уйти? И не узнать о судьбе собственного послания? Не узнать, дошло ли оно до получателя или нет?

Остаться? Рискуя тем, что они вычислят адрес?

Но даже если вычислят, успеют ли что-то предпринять? Здесь, на чужой территории? И станут ли что-нибудь предпринимать, зная, чем это им может грозить? Ведь информация уже похищена и может быть легализована в любой следующий момент. Похитителей ловят за руку только в процессе воровства. А когда они этот предмет уже умыкнули, с ними торгуются.

Подтверждение получения письма адресатом стоит риска?

Стоит!

— Встречный поиск зафиксирован?

— Встречный поиск не просматривается. Впрочем...

— Что?!

— Нет. Показалось. Просто секундный сбой программы.

— Тогда передавайте. «Готов к диалогу. О времени следующего сеанса связи сообщу дополнительно. Буду разговаривать только с адресатом!»

Все! Отбой!

Но Александр Анатольевич не выключил компьютер.

— Что опять?

— Сейчас, еще минуточку.

Он стучал по клавишам, как опаздывающая на последний поезд профессиональная телеграфистка. Потом смотрел на экран и снова стучал.

— Что произошло, Александр Анатольевич?

— У меня такое ощущение, что в сети, кроме нас, присутствовал кто-то еще. Кто-то третий.

— Кто?

— Не знаю. Я даже не знаю, есть ли он. Или мне померещилось.

— С чего вы это взяли?

— Сам не знаю.

И тут же резкий, так что мы вздрогнули, телефонный звонок. Странно. Нам на эту квартиру звонить некому. Потому что о нас в этой квартире, в этом городе и в этой стране никто не знает.

Разве только хозяева, у которых я ее снимал? Или участковый, который желает познакомиться с новыми жильцами. Пока только по телефону.

Звонок продолжал дребезжать. Я и Александр Анатольевич напряженно смотрели на телефон. Нам было не по себе, хотя это был только телефонный звонок.

Взять?

Не взять?

Александр Анатольевич поднял трубку.

— Але! Тосю позовите!

— Вы не туда попали.

— Да ладно тебе пургу гнать! Тоську давай! Это я, Мишка.

— Вы не туда попали!

Отбой. Длинные гудки. Вот такой почти мгновенный переход — с вершин политического Олимпа к полупьяному Мишке.

— Ошиблись номером. Псих какой-то.

— Может, и ошиблись. Может, и псих... Вот что, Александр Анатольевич, сворачивайте свою технику. Кажется, мы слишком долго засиделись на одном месте.

— Неужели вы думаете?..

— Я думаю, что там, где случаются сбои программ и ошибочные телефонные звонки, лучше не задерживаться. Мы переходим на новую квартиру. Эта нам не подходит. С этой мы съезжаем. Она слишком шумная...

— Пять минут на сборы?

— Пять.

— Только «винты»?

— Да. Только «винты».

Пока Александр Анатольевич «выдергивал» диски, я отсматривал подходы. Никаких подозрительных шевелений. Дорога чиста до самого горизонта. Может, и вправду неизвестный абонент Тоську разыскивал, а не притаившихся на конспиративной квартире нелегалов? Может, я зря горячку порю, тем усугубляя нашу устоявшуюся бытовую жизнь?

Нет, не зря! Случайность равна угрозе, угроза, на которую не обратили внимания, — провалу. Провал равнозначен смерти. Лично я предпочитаю бытовые беспокойства вечному покою.

На выход!

— Куда вы, Александр Анатольевич?

— К двери. Вы же сказали — мы уходим.

— Для нас выход теперь с другой стороны. И совсем через другие двери.

— Через какие другие?

— Через балконные. Через наш балкон — на соседский. Через него — в квартиру. И в соседний подъезд.

— Но там же люди.

— Боюсь, что за входными дверьми тоже. Но гораздо менее дружелюбно настроенные. Давайте быстрее. У нас уходит время.

Балконы разделяли несколько метров. Я поднял с пола заранее заготовленную доску и перекинул ее с одних перил на другие. Узкую доску, шириной в две ступни. Александр Анатольевич побледнел.

— Я не пойду!

— Вы пойдете. Потому что другого пути нет.

— Но я упаду.

— Если вы упадете и, к примеру, вывернете лодыжку, я буду вынужден вас добить.

— Издеваетесь!

— Нет. Честно предупреждаю. Живым я вас не отдам никому. И ни при каких обстоятельствах. Вы теперь не человек. Вы теперь ходячий архив информации. На двух ножках с языком! Который возможно развязать. Или вы перейдете с балкона на балкон, или вы умрете еще до того, как долетите до земли. Ну!

Александр Анатольевич встал на доску.

— Держитесь за стену. Смотрите вверх. И думайте только о приятном, — посоветовал я.

Шаг. Еще шаг.

Мой напарник цеплялся за кирпичи в стене, как за саму жизнь. Казалось, ладони его превратились в присоски, вроде тех, что расположены у осьминога на щупальцах.

— Все, дальше я не пойду!

— Без капризов!

— Я не могу дальше.

— Через пять секунд я встаю на мостик. Двоих он не выдержит!

— Я боюсь!

— Раз.

— Но я действительно боюсь!

— Два. Три.

Я встал на доску.

— Что вы делаете?!

— Я иду. Четыре.

— Не надо. Не надо! Я сейчас.

Почти падая, Александр Анатольевич шагнул два шага и вцепился в перила соседнего балкона.

Шесть его судорожных шагов вместились в три моих обыкновенных. В отличие от него, я шел спокойно, как по мостовой. Так, как меня когда-то учили. Как меня когда-то учил старый заслуженный цирковой артист-канатоходец.

— Шагай уверенно и обязательно с улыбкой. Размышляй не о том, что ты можешь упасть, а о том, что ты должен понравиться зрителю. Кураж помогает равновесию больше, чем балансирный шест. Артист, который думает об угрозе падения, а не об успехе номера, — обречен на провал. В прямом и переносном смысле слова.

Я шел с улыбкой. И абсолютной уверенностью в успехе своего «выступления». Четырехэтажная высота меня не смущала. Точно так же я бы мог пройти по натянутому над стометровой пропастью канату. Или по лезвию ножа. Когда знаешь, как надо ступать, как держать равновесие и что при этом думать, дополнительные метры, разделяющие подошвы ног и землю, уже не играют никакой роли. Равно как ширина опоры. Ты просто идешь. Как человек по меловой линии, начерченной на асфальте.

— Здорово это у вас получается! — восхитился пришедший в себя Александр Анатольевич.

— Цирковая практика.

— Вы еще и в цирке выступали?

— Ага. В некотором роде. Коверным.

С чужого балкона я ввалился в чужую квартиру. Именно ввалился. Потому что входить в не принадлежащее тебе помещение лучше с громом, молнией и по возможности копотью. Дабы феерической формой заглушить противоправное содержание. И не дать возможности испугавшимся до полусмерти жильцам поднять крик.

— Вы почему цветочные горшки с перил не убрали?! — резко спросил я приподнявшихся с дивана хозяев, обалдело уставившихся на незваных, открывших их балконную дверь незнакомцев. И на секунду высунув на улицу голову, крикнул: — Все. Отгоняй подъемник. Мы через подъезд спустимся.

— А вы кто, собственно?..

— Я говорю, почему вы, собственно, горшки не убрали? Несмотря на категорическое распоряжение райкомхоза? А?

— Но мы...

— Но мы, но вы... Зафиксируйте нарушение, — бросил я через плечо Александру Анатольевичу. — И по соседнему балкону тоже. Будем вызывать в жилкомхозтрест и штрафовать. Нещадно! Сколько можно предупреждать, в самом деле. А если штраф не возымеет действие — расселять!

— Но мы действительно не знали...

— Насчет того, что не знали, это вы комиссии жилтрестнадзора расскажете. Если они слушать будут. Какая у вас квартира?

— Шестьдесят седьмая...

— А нам куда дальше? — озадаченно спросил я и сам себе ответил: — В шестьдесят девятую. Все. Получите повестку — явитесь по указанному адресу. Деньги с собой сразу брать не надо.

— Какие деньги?

— На штраф деньги. Согласно распоряжению начальника коммунхоза...

— Мы уберем. Мы не знали. Мы обязательно, — поскуливали, сопровождая неожиданно нагрянувшую с балкона комиссию к входной двери, недисциплинированные жильцы.

— Уберете?

— Конечно, уберем. Сегодня же! Сейчас же!

— Ну смотрите. В последний раз. Беру на свою ответственность. Шестьдесят седьмую можете вычеркнуть.

— Спасибо вам.

— Да ладно. Не за что. Если уберете...

Хорошие у нас люди. Душевные. И тем очень удобные в обращении. К ним не спросясь в квартиру вломишься, на них же в три этажа наорешь, и они же перед тобой за это оправдываться станут! На цивилизованном Западе, говорят, с этим делом не так благополучно обстоит. Их законопослушные граждане в чужака, нарушившего границы частной собственности, сразу палят из всех имеющихся в наличии стволов. Так что он про те горшки даже слова сказать не успевает.

В подъезде я прозвонил в три подряд квартиры, пока не нашел пустую. Открыв дверь отмычкой, я втолкнул внутрь Александра Анатольевича.

— Сидите тихо и ждите меня.

— А если вдруг вернутся хозяева?

— Если вдруг вернутся хозяева, наорите на них, что они по ротозейству входные двери не запирают, а вам, дружиннику, по просьбе участкового здесь дежурить приходится! Как будто у вас своих дел нет. Только шумите погромче и обязательно оплату с них за услугу требуйте. Это убеждает. Ясно?

— Ясно.

— Ну тогда до скорого.

Отъехав за три улицы на общественном транспорте, я на первой встретившейся стихийной дворовой стоянке завел первый понравившийся мне автомобиль и вернулся назад. На колесах. Помотавшись до того для порядку полчаса по городу.

— Куда теперь? — спросил плюхнувшийся на заднее сиденье программист.

— Снимать жилплощадь. Не на улице же нам ночевать, в самом деле.

Квартиру я снял уже через два часа. По газетному объявлению. Снял не торгуясь. И не осматривая. Потому что больше трех дней задерживаться в ней не предполагал. Хотя и заплатил за три месяца вперед.

— А теперь, Александр Анатольевич, расскажите мне еще раз о том, что вам такое при работе с компьютером пригрезилось, — попросил я, едва захлопнув входную дверь в наше новое жилище.

— Может, завтра?

— Нет, не завтра, а сегодня. Причем не откладывая ни на минуту. И максимально подробно!

Александр Анатольевич посмотрел на меня с каким-то даже подозрением. Он не понимал этих мгновенных, без явной угрозы со стороны, квартирных переездов, этих блошиных прыжков с балкона на балкон, этой моей маниакальной торопливости. Он вообще ничего не понимал.

— Я вас слушаю. И буду слушать до тех пор, пока вы мне все не расскажете.

— Ну не знаю. Тогда мне на мгновение показалось... Показалось, что я увидел. Вернее, почувствовал. Что-то такое...

— Конкретней!

— Мне показалось, что кто-то посторонний вклинился в нашу связь. И, используя открытый канал, пытался влезть в память нашего компьютера.

— Вы можете проверить свои ощущения документально?

— Наверное, могу. Если снова открыть канал связи.

— А если не открывать?

— Тогда невозможно. Без специальной аппаратуры невозможно.

— Значит, если исходить из худшего?..

— То они могли засечь наш адрес и даже считать отсылаемую информацию.

— А не могли они, используя момент, сканировать что-то из нашей базы данных?

— Это исключено! У нас стоит защита. Я бы сказал — суперзащита! Ее еще Козловский устанавливал. А он в этом деле докой был. Каких поискать и все равно не найти! Чужие пароли как орешки расщелкивал. Да вы сами видели.

Нет, это надо быть специалистом равной с ним квалификации. И располагать гораздо большим временем на подбор вариантов.

Нет, это невозможно!

— А теоретически?

— И теоретически невозможно.

— И все же, что следует предпринять пользователю, который подозревает, что в памяти его компьютера кто-то покопался? Кто-то совершенно посторонний.

— Найти этого «постороннего» и набить ему морду. И сломать его компьютер!

— А если без шуток?

— Тогда только сломать компьютер. Или выдернуть из него «винт». Можно с мясом.

— А если это невозможно сделать?

— Ну, тогда не знаю. Например, запустить в машину вирусы. Чтобы стереть базу данных. В том числе и ту, уворованную.

— У вас есть такие вирусы?

— Зачем нам они? У нас все равно нет того «постороннего». Я же вам говорю — защита нашей базы данных абсолютно...

— У вас есть такие вирусы?

— Вы что, серьезно?

— Более чем...

— Ну есть.

— Их можно запустить через сети?

— Вполне.

— Что для этого нужно?

— Адрес абонента, открытый канал и нажатие нескольких клавиш. Больше ничего.

— Могут ли они защититься от проникновения вирусов?

— Конечно, могут. На тот случай существуют антивирусные программы. Они просто пропустят всю прибывшую информацию сквозь них, как сквозь фильтры, и отделят «грязь» от чистых, которые употребят в дело, бит.

— Антивирусные программы отлавливают все вирусы?

— Все уже известные вирусы.

— А новые?

— Не всегда. На то они и новые.

— Тогда еще один вопрос. Как быстро уничтожает информацию вирус?

— Иногда быстро. Иногда медленно. Зависит от сорта вируса.

— И если он стирает медленно, его можно остановить?

— Можно.

— Тогда так, Александр Анатольевич, вы должны мне подготовить такие вирусы, которые или очень быстро стирают, или разрушительную работу которых невозможно остановить.

— Это потребует составления специальных программ.

— Так составляйте их.

— Когда?

— Немедленно!

— Но у меня нет компьютеров.

— Считайте, что уже есть. Добраться до ближайшего магазина и вернуться мне хватит получаса.

— Вы что, смеетесь?!

— Плачу горькими слезами. Я уже говорил, что не верю в странные сбои программ, в непонятные, следом за тем, телефонные звонки. Я не верю в случайности. Но верю в интуицию специалистов. В то, что вы называете — «мне что-то такое почудилось».

— Вы считаете, что кто-то проник в наш компьютер?! Что это возможно?

— Нет. Но я обязан так считать! И вы должны так считать. Подозрение равно происшествию! И поэтому вы должны приложить максимум усилий, чтобы выполнить мою просьбу. Очень вас прошу!

— Хорошо, я постараюсь.

— Прямо сейчас постараетесь?

— Ладно, прямо сейчас. Хотя я не понимаю, зачем такая спешка...

— Вот и хорошо. Вот и договорились. Вы пока работайте, а я посмотрю, что там случилось с нашей брошенной квартирой. И заодно подберу еще одну. Или две. Или три.

— Еще?!

— Еще. Но вы не беспокойтесь. Раньше завтрашнего вечера мы отсюда не двинемся.

— Я не выдержу такой чехарды.

— Выдержите. Тем более что это не чехарда. А нормальная жизнь раскрытого и находящегося в бегах нелегала.

— Раскрытого?

— Будем считать, что раскрытого...

— Иногда мне кажется, что у вас ярко выраженная мания преследования.

— Иногда мне это самому кажется. Я вернусь через полчаса. С компьютерами. А потом еще через полсуток. Прошу вас никуда не выходить, к окнам и телефону не приближаться.

— В туалет ходить можно? Или терпеть?

— В туалет можно. Если это не сопряжено с выходом на улицу.

— Спасибо за доброту.

— Пожалуйста.

На том мы и расстались.

Я вернулся не через полсуток, а раньше. С ключами от новой квартиры и с по случаю угнанными и оставленными за углом «Жигулями».

Отсмотрел подходы. Двор. Соседние дворы. Соседние улицы. Все было чисто.

Не доходя несколько десятков метров до подъезда, я завернул к телефону-автомату. Мы никогда не возвращались домой вдруг. Только после телефонного оповещения — трех обрезанных звонков — тридцатисекундной паузы — и еще двух столь же внезапно оборвавшихся звонков.

Я набрал номер, отсчитал три гудка, повесил трубку на рычаг и, выждав условленное время, снова набрал номер.

Я предупреждал о своем приходе.

Александр Анатольевич должен был открыть задвижку и встать возле глазка.

В подъезде было темно и зловонно. Именно так, как наиболее желательно проживающим здесь разведчикам. Которые не любят лишний раз подставлять под чужие взоры свои лица. Я поднялся на этаж, открыл ключом дверь и сказал:

— Передислокация. На сборы пять минут.

Александр Анатольевич не откликнулся уже ставшей привычной фразой: «Только «винты»?» Он ничего не ответил. Потому что не мог ничего ответить. Александр Анатольевич был мертв.

Он лежал на боку. В луже расползающейся из-под него крови. Еще не запекшейся крови. Я опоздал лишь на несколько минут.

Компьютеров не было. Не было мониторов и даже клавиатуры. Только одна-единственная панель осталась возле самой головы покойного программиста.

С кровавыми пятнами пальцев на клавишах. Как будто он пытался ею отгородиться от своих убийц.

Не удалось моему напарнику умереть своей смертью. Ему помогли другие...

Теперь нужно было уходить. Немедленно. Но что-то останавливало меня. Что? Возможно, положение тела покойного. Он должен был умереть у порога. Или возле открытого окна, в попытке найти кратчайший путь к спасению. А он умер лицом к тупиковой стене и к клавиатуре. Может, он пытался, почувствовав угрозу, что-то спрятать?

Я нагнулся и прощупал карманы своего не дождавшегося переезда напарника.

Пусто.

Я заглянул в обувь. За пояс штанов. В рукава.

Ничего.

Очень быстро, сантиметр за сантиметром, я проверил пол и мебель вокруг лежащего тела. Перешел к плинтусу. К стене. И заметил слегка отошедший от стены лист обоев. Я отодвинул его в сторону...

И снова ничего не увидел. Кроме пустоты. И не потревоженной пыли. Если бы он что-нибудь туда закладывал и это что-то нашли убийцы, пыли бы не было.

Пусто!

Я вышел из квартиры и через чердак и дальний подъезд выбрался на улицу. Самым тщательным образом проверился.

Слежки не было!

Произошедшее по своему почерку напоминало обыкновенное бытовое убийство, где преступники не задерживаются на месте преступления, а, наоборот, стремятся оказаться как можно дальше от него. И как можно быстрее. Пока милиция не приехала.

Если бы здесь действовали профессионалы, то дальше подъездной двери я бы не прошел. И уж тем более не вышел из квартиры. Профессионалы не уходят с места преступления, не подчистив все хвосты.

Неужели это был только налет местных грабителей? Неужели все так совпало?

Я быстро уходил по улице, снова и снова мысленно возвращаясь на место преступления. Я вспоминал двор, подъезд, звуки и запахи, я вспоминал, как в замке вращался ключ и как открывалась дверь. Я пытался отыскать какие-нибудь зацепки, какие-нибудь несоответствия, указывающие на присутствие постороннего.

Я вспоминал Александра Анатольевича, лежащего в луже крови. Лицом к стене.

Почему же все-таки к стене? К стене, а не к окну? Почему он в последний момент не пытался спастись? Пусть даже ценой сломанных ног. Почему он поступил так нелогично?

Что он искал возле этой стены? Что искал такого, что не смог найти я?

А может, он ничего не искал возле этой стены? Может, он специально привлекал к ней внимание своих палачей? Так же, как и мое. Привлекал для того, чтобы увести от чего-то другого.

Например...

Я замер и повернулся назад. Я вернулся к дому, обошел его с обратной стороны, остановился под открытым окном, рассыпал под ноги деньги и ключи, чтобы аргументировать свои поиски, встал на колени и ощупал пальцами землю. Каждый камешек. Каждую травинку. Каждый обрывок бумажки.

И ничего не нашел.

Я сдвинулся вправо и снова ощупал каждый квадратный сантиметр почвы до места, куда теоретически можно было добросить камень.

И снова ничего не обнаружил.

Я сдвинулся влево и вновь, ползая на коленях, перепахал землю.

И нашел то, что искал. Там, где бы это не догадался искать никто. Я нашел дискету, которую Александр Анатольевич в последний момент, в последнее мгновение своей жизни выбросил в открытое окно. Выбросил не вниз, а далеко в сторону.

Выбросил, чтобы ее нашел я.

ГЛАВА 59

В дискете, словно в ящике с тысячами несчастий, помещались вирусы. Наверное, с очень действенными вирусами, раз Александр Анатольевич, умирая, помнил не о себе, а о ней.

Вот только использовать эту дискету по назначению я не мог. Потому что мой технический помощник и программист умер. И еще потому, что адресат, куда следовало направить эти вирусы, был неизвестен. Не оставил адресат на месте преступления визитку. Ничего не оставил — кроме трупа. А трупы, даже очень дорогие и близкие, ничего рассказать о своих последних минутах не могут.

Я проиграл бой. Потерял боевого товарища. И все отбитые нашими совместными усилиями трофеи. Я вернулся в исходные позиции — я снова был один и гол как сокол.

Впрочем, не стану лукавить, кое-что у меня осталось. Например, дубль-информация с утерянных дисков. Спрятанная в очень надежном месте. Но что с того толку? Использовать ее я смогу не раньше, чем когда смогу ответить на вопрос — кто мой нынешний противник? Кто нанес мне столь сокрушительный, в самое уязвимое место, удар? До того мне нельзя даже приподнять голову. Как тому пехотинцу, что не видит, откуда по нему садит длинными очередями чужой пулемет.

Как мне вычислить местоположение этого треклятого «пулемета»?

Может, попытаться, как это делают на фронте, вызвать огонь на себя? Например, на вновь вышедший в сети компьютер?

Но я не силен в этой области. Да и зачем им мой компьютер, если у них есть вся интересовавшая их информация. На похищенных «винтах».

Нет следа!

Хотя нет, что-то все-таки есть. На месте преступления всегда что-то остается. Что в этом случае? Из того, что не требует привлечения специальных криминалистических методов? И полсотни дополнительных сотрудников?

Что?

Ну, хотя бы почерк. Почерк преступления. Индивидуальный, как роспись в ведомости.

Очень странный, кстати, почерк. Не характерный для спецов. Безопасность обязательно бы убрала второго свидетеля. То есть меня. Дождалась бы и положила рядом с первым трупом. А еще лучше, предварительно убив, изобразила бы мертвыми, но еще не окоченевшими телами мизансцену ссоры с последующей дракой, поножовщиной или выстрелами. Два мертвеца — и ни одного стороннего преступника. Следствие даже не начинается. Из-за отсутствия виновной стороны. Убийцы наказали себя сами. Судить, миловать и казнить — некого. Типичный для Безопасности прием.

А они меня не дождались. И не убили. И не вложили в мою руку нож, которым до того изрезали бы моего напарника.

К тому же ребята из этого ведомства не оставили бы мне шанс на поиск дискеты. Они поставили бы загодя под окна человечка, а после завершения операции отсмотрели бы, обнюхали каждый сантиметр окружающего пространства с целью нахождения и уничтожения возможного на них компромата.

Нет, это не Безопасность. Или Безопасность, которая действовала спонтанно, второпях, не имея возможности распланировать операцию и подготовить должным образом место действия. Или Безопасность, которую вспугнули...

Но кто? Кто на территории, подведомственной Безопасности, может вспугнуть Безопасность? Не милиция же.

Хорошо, кто это мог быть еще? Методом исключения.

Разведка страны, на которую мы вышли со своим посланием? Так быстро? И так без оглядки? Нет, это исключено!

Уголовники, надумавшие ограбить квартиру? Но

они не забрали даже деньги, бывшие в карманах пиджака Александра Анатольевича.

Кто еще?

Ответ единственный — тот, кому нужна была хранимая в наших «винтах» информация.

А кому она была нужна?

Всем! А все — это никто.

Логическая цепочка вернулась к началу рассуждений. К отсутствию адреса преступников.

Что остается делать в этом случае? Только то, что делает всякий хоть районный, хоть по особо важным делам следователь. Собирать дополнительные улики.

Как?

Ножками, ножками. По подъездам, по этажам, по квартирам. По соседям, дворникам, любителям вечерних пробежек и собаководам, выгуливавшим своих собак. По всем, кто что-то мог видеть, или слышать, или что-то такое подозревать.

И как можно быстрее, пока не явились настоящие следователи.

Я надел форму капитана милиции, «нарисовал» соответствующее удостоверение и соответствующее фотографии на нем лицо и пошел по квартирам.

— Вы хотя бы знаете, что на четвертом этаже ограбили квартиру?

— Да вы что?

— То самое. Вы тут дремлете, а у вас подъезд за подъездом грабят. Скоро всех вас, спящих, на банкетках из дома повыволакивают и на барахолку, где подержанными вещами торгуют, снесут.

— А что же делать?

— Помогать ловить преступников. Нам помогать. Мне, как представителю закона. Что вы видели вчера с... по...?

— Телевизор.

— Что еще?

— Больше ничего.

— Из дома за чем-нибудь выходили?

— Нет. То есть да. На минутку. Мусорное ведро выносила. И сразу обратно.

— Что видели во дворе?

— Двор.

— А в самом дворе? Ну там машины, посторонних людей?

— Нет, ни машин, ни людей.

Так, похоже, надо менять тактику. Человек, который пытается вспомнить что-то необычное, как правило, от натуги забывает все. Попробуем зайти с другого конца. От вторичных, напрямую не фиксируемых ощущений.

— Подходы к дому загромождают?

— Кто?

— Машины. Говорю, водители дурную привычку взяли свой транспорт по дворам расставлять так, что пройти невозможно. У вас, поди, так же?

— Ваша правда. Расставляют. Аккурат — посредине дороги. Что ни справа, ни слева не обойдешь. Намедни шла, плащ испачкала. А еще до того...

— И вчера, поди, еле-еле прошли?

— Да. И вчера. Вот так вот шла, а тут одна легковуха и еще одна. А места — боком не протиснешься, хоть через них шагай. Мы уж писали об этом в жэк и в газету писали...

— Где боком не протиснешься?

— Ну вон там, где поворот за дом. Как к мусорным бакам идти.

— И утром было не протиснуться? Опять, поди, испачкались?

— Утром? Нет, утром не испачкалась. Их утром не было.

— А вечером были?

— Вечером были.

— Когда вы мусор выносили?

— Точно. Когда мусор выносила. Там и так узко, а тут еще ведро...

— Во сколько это примерно?

— А вот как раз перерыв был между сериалами. Тем,

который по первому каналу, и тем, который по второму. Я как раз успела...

— А говорите, ничего не видели.

— Так я думала, чего серьезного, а это всего только машины. Они здесь всегда десятками стоят. Ни пройдешь нормально, ни...

Это был не первый и не единственный свидетель по делу. Я обошел еще сто шестьдесят пять квартир. И еще в двенадцати получил подтверждение своим подозрениям. В отношении тех двух легковушек. У кого-то возле их колес подняла ножку любимая собачка. У кого-то закатили под днище мячик дети. Кто-то задел вскользь дверцу авоськой с кефиром. Кто-то просто обратил внимание на две упершиеся бампер в бампер легковушки.

Значит, две машины. «Жигуль» последних моделей красного цвета. С игрушкой в форме растопыренной пятерни на заднем стекле. И белая «Волга». И, что характерно, никто из жильцов или их гостей в это время к дому на машине не подъезжал и уезжать не собирался. То есть машины стояли просто так. Без определенной цели. Постояли и уехали.

Это была первая полезная информация.

Потом я закинул невод глубже. Опросил жильцов еще десяти ближайших кварталов. Здесь, на периферии места происшествия, улов был пожиже. Но был. В удалении двух домов в означенный промежуток времени на тротуаре возле подъезда стояла еще одна машина. А в подъезд тоже никто не заходил.

Но самое главное, минимум четыре человека — кто из окна, кто с соседнего тротуара — видели трех молодых людей, несущих какие-то коробки.

— Такие здоровые, из-под телевизора?

— Нет, поменьше, прямоугольные, приплюснутые.

— Размером с небольшой чемодан?

— Точно. С чемодан.

Похоже, компьютеры.

— А номера на машинах не помните?

— Нет, не помним.

— Ну хоть одну цифру?

— Одну помню. Семь. Точно — семь. Семь и еще один. Как раз сегодня семнадцатое число и цифра семнадцать. И квартира у меня семнадцатая...

— Нет, семнадцать не помню. Тринадцать было. Чертова дюжина. Как на моем «Москвиче». Я на нем по той причине два раза в аварию влетал. Уж думаю, сменить номер, что ли...

Итого три машины: «Волга», двое «Жигулей», приблизительные номера, игрушки на ветровых стеклах и другие второстепенные детали. А говорил, следов нет! А это что? Дырка от съеденного бублика?

В ГАИ очень милый майор за очень дополнительное вознаграждение посочувствовал моему рассказу о злостном одновременном наезде на мою новую иномарку трех раздолбанных отечественных легковух и пожаловал меня полусотней адресов автовладельцев со схожими марками и номерами.

Каждый адрес я проверил. Издалека. С помощью бинокля. Большинство машин отсеялись по второстепенным признакам — цвету, оформлению салона и облику владельцев. Остались те, которые были нужны. Я их так и засек — белую «Волгу» и красные «Жигули», милой идущей друг за дружкой парой. К которой, чуть позже, добавился еще один разыскиваемый мною «кавалер». Еще один синий «Жигуль».

Все остальное труда не составило. На каждую из машин я налепил по радиомаячку и, сопровождая их на одолженных у ротозеев автомобилях, установил все адреса, по которым они разъезжали. Таких оказалось немало: от роскошных гостиниц, от банковских офисов — до стоящих на окраинах покосившихся коммерческих киосков. Но по-настоящему перспективным был только один. К нему сходились нити всех автомобильных маршрутов. С него они начинались и им заканчивались. Этот адрес был средоточием, центром жизни разъезжавших по городу автовладельцев. Он был их штаб-квартирой.

Туда, уверен, и ушли наши компьютеры. Туда, за ними, и следовало идти мне.

С помощью все тех же перьевых ручек, ластиков, общедоступной бытовой и аптечной химии и преподанных в учебке навыков подделки документов я изготовил очередные липовые корочки и пошел в жилищные тресты.

— Инспектор горархитектурнадзора. Как у вас обстоят дела с состоянием крыш?

— Хорошо обстоят. Жильцы не жалуются. Значит, не протекают.

— Как давно вы их обсчитывали?

— Кого? Жильцов?

— Крыши.

— В каком смысле?

— В самом прямом. Прочность несущих балок, усталость опорного крепежа, деформации кровельного материала, синусоиды углов стояния...

Работники треста вжимали головы в плечи.

— А разве это нужно было делать?

— А как же иначе! Вы что, не в курсе? Каждые десять календарных лет! А в домах постройки середины пятидесятых годов каждое пятилетие. Согласно инструкции Всеросархитектсоюза. В противном случае может произойти деформирование и обрушивание чердачных конструкций. С человеческими жертвами. Как было в Вологде. И Симферополе.

Когда вы последний раз проводили подобные обследования? Где копия экспертного заключения? Где разрешение на эксплуатацию крыш и чердачных слуховых окон?

— Мы не можем вот так сразу сказать. Мы поищем. Наверное, где-то есть. Раз должны быть...

— Ищите. И обязательно найдите. А мне пока обеспечьте фронт экспертно-исследовательских работ.

— Как это?

— Дайте планы домов, ключи от чердаков и крыш, предупредите дворников и лифтеров...

Вот это в первую очередь мне и нужно было — предупредить о моем присутствии на крышах и чердаках исполнительных работников жилтрестов. Замки я мог открыть и сам. А вот аргументировать свое лазанье по «господствующим высоткам» окрестных домов мог только посредством выполнения каких-то официальных работ. Работ прикрытия. Хоть даже просчета синусоид углов стояния чердачных балок относительно поправок местного магнитного склонения в момент полуденного солнцестояния. Главное, чтобы я был не посторонним, а официальным, при исполнении малопонятных служебных обязанностей лицом. Лицом вне всяких подозрений.

— Да, и выделите в мое распоряжение дворника, чтобы внес наверх научную аппаратуру. Это не мое дело. Это входит в обязанности жэка. Согласно инструкции Главархитектчердакнадзора...

И бедный, отлученный от метлы дворник, матерясь, потея и сожалея о своей жизни, втаскивал на верхние этажи чемоданы с «научным оборудованием».

— Ну спасибо, почтеннейший. На сегодня можешь быть свободным. И вот еще что. На, получи персонально от меня, — и я всовывал в мозолистые пальцы уличного пролетария деньги на «чай». Ну, тот, который сорокаградусной крепости. Заслужил.

Чаевые гарантировали мне отсутствие соглядатая по меньшей мере до завтрашнего утра.

— А как насчет обратно снести? — любопытствовал дворник, прикидывая в уме перспективные финансовые возможности научно-чердачного работника.

— Завтра, любезнейший. Завтра. Мне тут очень потрудиться надобно. Сам понимать должен — котангенсы не терпят суеты.

На очищенном от посторонних дворников чердаке я смонтировал обычную визуально-звуковую следящую аппаратуру. Ничего сверхоригинального, ничего из того, что нельзя было бы купить за деньги. За немалые деньги.

Я обложил интересный мне дом со всех сторон, как егеря медвежью берлогу. В каждую щель я просунул свои уши. И... не услышал ничего интересного. Кроме обычных, изрядно сдобренных матом и «феней» разговоров насчет того, что кто-то кому-то что-то недодал, кому-то включили счетчик, а кто-то попытался влезть не в свою кормушку, за что и поплатился.

Неужели это просто уголовники? Просто уголовники, заметившие вносимые в подъезд коробки с аппаратурой и тут же нагрянувшие за добычей? И убившие попытавшегося им помешать владельца? Убившие Александра Анатольевича?

Неужели все так просто?

Что-то не верится.

Я усилил визуальное наблюдение — отследил каждое окно и каждую дверь, зафиксировал всех входящих и выходящих людей. Научился узнавать их по внешнему виду, по походке и манере одеваться.

Их оказалось не так уж много.

Две бригады молодых, не обремененных излишним волосяным покровом и интеллектом «качков». Всегда приезжают утром и уезжают через полчаса.

Эти точно уголовники. Самого низкого пошиба. «Рексы».

«Бригадиры» — те же «качки», только постаревшие и поднявшиеся на одну-две ступени в преступной иерархии.

Уголовники.

«Авторитеты». Лучше всех одеты, меньше всех выходят из помещения.

Но тоже уголовники. Хоть и высокопоставленные.

Дюжина юных, длинноногих и примерно столь же интеллектуально развитых, как предыдущая категория работников, секретарш. Или, как говорят нынче, референтов. И зачем им столько секретарш-референтов? Каждый день? И каждую ночь? Видно, работы невпроворот. Одна со всей не управляется. Приходится трудиться референт-группой.

В общем — типичные девочки по вызову. Для тех «авторитетов».

Далее охрана. Двое в дверях. Еще двое постоянно

где-нибудь поблизости на улице. Справа или слева. Изображают зевак или просто сидят в припаркованной к тротуару машине. Судя по комплекции, под пиджачками поддеты бронежилеты. Разумно. В случае нападения на входную дверь офиса противник попадает под перекрестный огонь с двух сторон. Ожидаемо с фронта и совершенно неожиданно — с тыла. А это значит, что, кроме пистолетов, у уличной бригады на вооружении должны состоять скорострельные автоматы.

Но по виду, по манере двигаться, по разговору эти уличные бойцы — опять-таки стопроцентная уголовная шушера.

Еще один охранник постоянно дежурит на крыше, изображая корабельного впередсмотрящего в корзине, подвешенной на топе мачты. Еще один маячит в окне первого этажа.

Последний — начальник охраны или кто-то из его заместителей. Каждый день обходит подведомственную ему территорию, следит, чтобы часовые не спали, не пили и не отвлекались на разговоры с проходящим мимо слабым полом.

Тоже уголовник. Близко не тянущий на спеца.

И еще наверняка полдюжины охранников внутри здания: в коридорах и у особо важных дверей. И еще личные телохранители...

Итого — четыре десятка вхожих в дом «жильцов», и все, как один, уголовники. «Рексы», «бригадиры», проститутки и «авторитеты». Полный набор. Как в музее УВД.

Уголовники!

Значит, все-таки ограбление с целью наживы? И, значит, есть шанс вернуть утраченное имущество? Или хотя бы сделать так, чтобы содержащаяся на дискетах информация не была использована каким-нибудь третьим лицом.

А если все-таки не ограбление?

В любом случае ответить на этот вопрос можно будет, только познакомившись с обитателями дома по-

11*

ближе. Возможно такое, причем так, чтобы не сложить на первых же ступенях буйну голову?

В целом охрана любительская — громоздкая, затратная, бросающаяся в глаза и не способная сдержать сколько-нибудь продолжительное время наступающего противника. Если тот имеет подготовку на уровне хотя бы общевойскового училища. Всех их можно было бы с успехом заменить одной гавкающей и хватающей прохожих зубами за штанины собакой.

Скорее демонстрация охраны, чем охрана. Если, к примеру, пробиваться с боем.

Но мне нужно было войти в здание без боя. Без пиротехнических, шумовых и прочих эффектов. Тихо. Как мышка. И так же тихо уйти.

Как это сделать?

Изобразить очередную контрактницу-секретаршу? И, за невозможностью применять более тяжелое вооружение, стреляя глазками, просочиться в искомое помещение?

Нет. Длина ног не та. И выражение лица. И профессиональные навыки. Раскусят на второй секунде выполнения непосредственных служебных обязанностей.

Сойти за рэкетира? Но их, уверен, дальше порога не пропускают.

А кого пропускают? Из тех, кто не самый главный? Личных телохранителей. Обслугу. Приходящих ремонтников. Если что-то вдруг сломается.

А сломается?

А почему бы и нет? Вечной техники не существует. Равно как специалистов-ремонтников на все случаи жизни. Кроме, конечно, меня. Я могу чинить все. Без исключения. Если это все до того сам же и выведу из строя.

И что у них должно выйти из строя? Лучше то, с чем я за последнее время уже поднаторел обращаться.

Через сутки в наблюдаемом мною доме «вылетели» телефоны. Все и сразу. Кроме одного, по которому обслуга позвонила в ремонтную службу городской АТС. То есть персонально мне.

— Это АТС?

— АТС, — ответил я в телефонный микрофон, сидя скрючившись в колодце связи в двух кварталах от говорившего.

— Служба ремонта?

— Служба ремонта. Что у вас стряслось?

— У нас замолчали телефоны.

— Давно замолчали?

— Минут сорок.

— Какие номера?.. Сообщите ваш адрес... Мы высылаем монтера...

— Когда он прибудет?

— Через час.

— А раньше нельзя?

«Раньше» можно было — идти-то всего ничего, два шага за угол. Но было бы очень подозрительно. Чтобы ремонтники вдруг сломя голову носились по вызовам? Такого не бывало!

— Нет. Раньше нельзя. Ваш номер не единственный. Ждите.

И гудки, гудки, гудки...

В моем распоряжении был час. Я приставил к стене карманное зеркальце, вытащил из сумки дамский косметический набор. И еще заранее заготовленные очки, усы и бороду. Мне не надо было творить гримшедевр. Мне довольно было просто изменить свою внешность. До неузнаваемости. Например, залепить физиономию густыми волосами. Как маской, под которой потеряется моя истинная физиономия.

Штришок. Еще один штришок. И еще. И вот уже из зеркала на меня смотрит неопределенного возраста и неопределенной внешности субъект. То ли расстриженный старик-монах, то ли молодой хиппующий битник, то ли просто сбежавшая из зоопарка горилла. В любом случае все что угодно, только не я.

Теперь проверим маскарадную маску на прочность. Подергаем бороду. Усы. Еще сильней подергаем. До боли в коже.

Хорошо взялась маска! С мясом не оторвать. Вот

что значит фирменный клей! Не какой-нибудь там «Суперцемент» или «Феникс».

Теперь поговорить, пошевелить губами, погримасничать, привыкая к новому своему облику. Удивиться. Разгневаться. Развеселиться. Опечалиться. Все нормально. Все очень естественно и очень убедительно. Как и должно быть.

Осталось взять вирусоносную дискету и прибыть к месту действия. И это действие разыграть.

В намеченное время я выбрался из колодца и, волоча сумку с инструментами, приблизился к охраняемому крыльцу.

— Ты куда?

— Второй Интернациональный проезд, дом девятнадцать? — прочитал я по бумажке адрес.

— Допустим.

— Ну так и допускайте. В помещение. Я мастер.

— Какой мастер?

— По телефонам. Вы что мне голову морочите? У вас телефоны работают или нет? Мне возвращаться или как?

— Так ты монтер?

— Ну не папа же римский! Я пять минут толкую, что я по телефонам. По вызову.

— А фамилия твоя какая?

— Прохоров моя фамилия. Степан Михайлович.

— Подожди пока, — и охранники скрылись за дверью.

Сейчас они сверят названную фамилию с той, что была сообщена по телефону диспетчером АТС. И она, конечно, совпадет. А как она может не совпасть, если ее назвал я.

— А документ у тебя какой-нибудь имеется?

Вот ведь зануды попались. Вот ведь формалисты-бюрократы.

— Может, и есть. А может, и нет. С нас обычно документов не требуют, — удивился я. — Счас поищу.

Я долго копался в карманах, пока не отыскал истертый (несколько часов об колено шоркал) и грязный (лично сам пятна сажал) пропуск.

— Нате, смотрите.

Охранники посмотрели.

— А почему не продлен?

— Где?

— Вот здесь.

— Вам пропуск нужен или монтер? Вы прямо скажите. И я пойду продлевать пропуск. А вы подождете без телефона. До послезавтра.

— Ладно, проходи.

— Давно бы так. А то заладили — пропуск, пропуск...

Я шагнул в глубь здания в сопровождении одного из охранников. С сильно помятой физиономией и разящим за три метра перегарным духом изо рта.

— Где здесь у вас телефоны не работают?

— Везде не работают.

— А где ближайший?

Охранник завел меня в комнату на первом этаже.

— Вот этот.

Я для виду начал копаться с телефонным аппаратом. Охранник — переминаться с ноги на ногу. Вздыхать. Охать. И хвататься за голову.

— Ну чего там? Скоро, что ли?

— Аппарат исправен. Видно, где-то повреждение в линии. Надо смотреть проводку.

— Про что? — вздрогнул охранник, услышав памятное со вчерашнего дня слово.

— Я говорю, провод надо смотреть.

— Ах провод...

Мы вышли в коридор и двинулись по «лапше». Я останавливался возле каждой двери и осматривал каждый попавшийся на пути аппарат. Компьютеров нигде видно не было. Похоже, здесь обходились еще писанием гусиными перьями и счетом на пальцах.

— У вас компьютеры есть? — напрямую спросил я.

— А что?

— А то, что от компьютеров на телефоны наводка может идти.

Охранник опять вздрогнул. И шумно сглотнул слюну.

— Нет у нас компьютеров. И не было никогда.

— Тогда пошли дальше.

— Пошли.

Еще комната. Еще. И еще. И никаких признаков интересующих меня предметов.

— Слышь, мужик, ты поработай здесь пока, я сейчас приду, — попросил мой провожатый и пулей выскочил в коридор.

Я остался без пригляда и быстро прикинул предоставленные мне одиночеством дополнительные возможности. Но использовать их не успел. В помещение веселой гурьбой ввалились несколько человек. С недвусмысленно побрякивающей при каждом шаге спортивной сумкой. И с повизгивающей, висящей на руках секретаршей.

— Опа-на! Ты кто такой? — разочарованно спросили они.

— Монтер.

— И что здесь делаешь?

— Телефон ремонтирую.

— И долго будешь ремонтировать?

— Долго. Возможно, даже до вечера! — мстительно ответил я.

Вошедшие многозначительно переглянулись.

— Да ладно, чего там, — махнул рукой один из них. — Он же только монтер. И тоже человек. Слышь, монтер, выпить хочешь?

— Я на работе.

— Мы тоже.

Парни прикрыли дверь, сдвинули столы и быстро вытащили на стол бутылки и закуску. Время моих возможностей безвозвратно уходило.

— Давай присоединяйся, — широким жестом хлебосольных хозяев пригласили они.

— Нет, ребята, не могу.

— Да ладно тебе ломаться. Зинка, посодействуй гражданину.

— Мужчина, ну что же вы? Ну мы же ждем, — кокетливо пропела Зинка и, приблизившись, подтолкнула меня крутым бедром к накрытому столу, призывно потянула за руку.

А потом произошло то, что я меньше всего мог ожидать. Ласково обхватив запястье, она прильнула ко мне и вдруг, забыв о нежности, жестким профессиональным захватом вертанула мою кисть за спину.

И тут же с боков навалились прыгнувшие от стола ее кавалеры. Вцепились мертвой хваткой, развернули «мордой» вниз. Споро обшарили подмышки.

— Но, но, не дергайся! Чтобы хуже не было.

Вот это да! Так лопухнуть меня, спеца с многолетним стажем! Так в долю секунды повязать! Ай да пьяницы! Ай да любители застолий!

Дальний от меня парень вытянул из кармана пиджака переносную рацию. Включил и сказал:

— Все нормально. Объект зафиксирован.

Нет, это не были уголовники. Эти уголовниками быть не могли. В принципе. Эти были профессионалами высшей пробы. Чтобы так разыграть мизансцену застолья, чтобы не допустить в многочисленных диалогах ни единой нотки фальши, надо несколько лет учиться актерскому мастерству. У народных и заслуженных артистов. А чтобы так, в мгновение ока, заломать руки, надо каждый день тренироваться в рукопашке. Или ежедневно брать с поличным таких, как я, лохов.

Откуда же они тут, где я ни одной нормальной физиономии не видел, взялись? Откуда они вообще взялись?

— Застегните ему руки, — распорядился старший, — и обыщите.

Теперь надо было действовать. Теперь в моем распоряжении оставалось не больше нескольких секунд. Если я их не использую — я банкрот и труп. Наверное, я в любом случае банкрот и труп, но так хоть есть надежда умереть по-человечески. А не на коленях.

Один из вцепившихся в руки парней отошел за спину. Наверное, чтобы вытащить и использовать по назначению браслеты.

— Ой, ребята, больно, больно! — благим матом заорал я.

— Молчи! — рявкнул на ухо кто-то.

— Ой, не могу! Сейчас вырвет! Ой, прямо сейчас! Ой-ой!

Я напряг мышцы живота и горла, резко выдохнул воздух и, поднимая вверх по пищеводу спазм, выплеснул наружу все то, что находилось у меня в желудке. Выплеснул мощным, разлетающимся во все стороны разноцветными брызгами фонтаном.

Так живописно очищать желудок от накануне употребленной пищи надо уметь. Я так умел!

— Вот сволочь! — вскрикнули стоявшие с боков парни и, инстинктивно отшатнувшись, сдвинулись за меня. И ослабили хватку. Всего лишь на долю секунды. Которой мне хватило.

Я ударил одного из них затылком в лицо, другого каблуком по голени. Я услышал, как хрустнули мои суставы, но вывернулся и успел освободить руки до того, как в дело вступил их зашедший за спину напарник. С ним и с пришедшим в себя бойцом, получившим удар в голень, я справился легко.

А вот «старшего» я достать не успел. Отскочив к стене, он распахнул полу пиджака, выдернул из заплечной кобуры и уставил мне в лицо пистолет.

— Стоять!

Теперь ему достаточно было нажать курок, чтобы свести мои шансы на спасение к нулю. Но он не нажал курок. Он, видно, хотел оставить меня в живых. Наверное, таким был отданный ему приказ. И мои шансы на спасение резко возросли.

Я схватил за волосы ближнего ко мне бойца, вывернул его лицом вперед, защитив им, как бронещитом, свое тело. Теперь не я, теперь он смотрел в дуло пистолета своего начальника. Правой рукой я вытянул у него из кармана пистолет и взвел его, прижав затвор к бедру.

Взведенный пистолет я направил в голову лежащего под моей ногой еще одного их товарища. Того, с разбитым о мой затылок лицом.

— Не надо! — сказал я.

«Старший» опустил пистолет. Он был опытным бойцом, он понимал, что при таком раскладе я в него стрелять не буду. Лишний шум мне был только в убыток.

— И дамочка тоже! — попросил я.

«Старший» кивнул. «Зина» опустила оружие.

— И что дальше? — поинтересовался командир группы захвата.

— Дальше — я этого пристрелю, а этому сверну шею. Если вы надумаете совершить какую-нибудь глупость, — предупредил я.

«Старший» усмехнулся.

— Ты все равно не сможешь уйти. Выходы блокированы.

— А может, я не собираюсь уходить?

— А что ты собираешься делать?

— Торговаться.

— Чем?

— Вот этими двумя жизнями. Против одной моей.

— Тогда начинай.

— Не с вами. Мне нужен ваш начальник. Ваш непосредственный начальник. Тот, который давал приказ об операции.

Этот неизвестный мне начальник, вернее, разговор с ним был единственной моей надеждой.

— Он не придет.

— Если он не придет, он останется без личного состава. Который погибнет в неравном бою. И без меня. Который ему, судя по вашему числу и по вашей прыти, очень нужен.

— Хорошо, я попробую.

«Старший» поднял к губам радиостанцию и доложил обстановку. Очень профессионально доложил. В двух словах.

— Подойдите ко мне.

— Зачем?

— С вами готовы говорить.

— Вначале пусть все выйдут из помещения. Все. Кроме тебя одного.

«Старший» молча указал глазами на дверь. Его бойцы, обходя меня, двинулись к двери. Кроме того, что без сознания лежал под моей ногой.

— Что еще?

— Пусть закроют дверь. И пусть отойдут от нее по меньшей мере на десять метров.

— Еще?

— Повернись лицом к стене. Ноги в стороны. Руки за голову, локти вперед.

«Старший» повиновался. Я подошел к нему сзади, упер ствол пистолета в затылок и взял радиостанцию.

— Вас слушают.

— Кто вы?

— Это неважно. Скажем так: человек, которому принадлежали похищенные компьютеры.

По вдруг возникшей напряженной паузе я понял, что не ошибся. Что попал по адресу. Именно туда, куда нужно было.

— Что вы хотите мне сообщить?

— Об этом я могу сказать только при личной встрече.

— Хорошо, передайте радиостанцию охраннику.

— На свою говорилку! — сказал я «старшему». — И послушай, что по поводу несения твоей службы думает твое начальство.

И протянул ему радиостанцию. И из-за этого на какое-то неуловимое мгновение ослабил давление ствола пистолета на затылок. Я сделал то, что делать не следовало. Я перенес внимание с руки, в которой было зажато оружие, на руку, в которой находилась радиостанция. Я снова, уже второй раз за этот день, лопухнулся.

Конечно, если бы мне противостоял обычный «опер», ничего бы не произошло. Но этот не был обычным «опером», этот был очень опытным и очень ловким «спецом». Чертовски ловким. И чертовски внимальным. И он не упустил предоставленный ему шанс. Он использовал его в полной мере.

Потянувшись за радиостанцией, он слегка повернулся и мгновенным рывком головы в сторону выскочил из-под дула, одновременно ударив меня каблуком ботинка в пах. Я ожидал нечто подобное, но не ожидал такой от него резвости.

Я успел нажать курок, но было уже поздно. Грохнул выстрел. Пуля по касательной обожгла висок моего врага и ушла в «молоко». В ближнюю стену.

От нестерпимой боли я на мгновение отключился, осел на колени и получил еще один мощнейший удар по лицу. И по руке, сжимавшей пистолет. Противник шел на добивание. Противник все делал правильно.

Потом он бил меня еще минут пять. Уже не по правилам. Уже для души. Вымещая на мне, как на боксерской груше, все унижения, которые ему пришлось претерпеть за прошедшие несколько десятков минут.

Потом он пригласил из коридора своих пострадавших приятелей и разрешил им в качестве компенсации за причиненный физический и моральный ущерб по одному удару. В любую точку тела. Моего тела. Что они с удовольствием и сделали.

Потом «старший» поднял радиостанцию.

— Объект готов к встрече. Встреча состоится?

И встреча, ради которой я, как в пасть к волку, забрался в этот дом, состоялась. Причем совершенно не такая, какую я планировал...

ГЛАВА 60

Меня раздели, бросили в ванну и обмыли из гибкого душа холодной водой. Как предназначенного к похоронам покойника. Собственно говоря, для них я уже был покойником. Только еще шевелящимся и шевелящим языком покойником.

— Ну что, очухался? Тогда будем обряжаться.

Мою старую одежду мне не вернули. То ли из-за

того, что она потеряла свой товарный вид — была вся в дырах и кровавых пятнах, то ли из соображений безопасности. Возможно, они не хотели рисковать тем, что в самый неподходящий момент я откуда-нибудь из шва извлеку ампулу с ядом и, раскусив ее, испорчу видом своего агонизирующего организма настроение и аппетит высокого начальства.

Меня вытащили из ванны в примерно том же виде, что Афродиту из моря, и облачили в брюки без ремня, пиджак без пуговиц и ботинки без шнурков. Как в нормальной российской тюрьме.

А вот дальше все развивалось не по тюремному сценарию, а как в героико-приключенческом, вроде «Графа Монте-Кристо», романе. Видно, не перевелись еще в этом мире романтики.

Меня завернули в ковер, взвалили на плечи и понесли.

Ступеньки вверх. Поворот. Еще поворот. Дверь. Еще ступеньки.

Зачем в ковре-то? Я что, моль, что ли? Не могли по-человечески, придерживая под ручки, провести. Или моих свежих под глазами синяков постеснялись? Или это не их территория, чтобы запросто разгуливать с побитым пленником под ручку? Вот это, пожалуй, вернее всего. Не их территория! Чужая! Арендуемая на отдельные операции.

Остановка. Лифт. Поехали вниз.

Что-то больно долго едем со второго-то этажа.

Стоп. Двери открываются. И сразу же специфический запах застойного воздуха. И более гулкие, чем до того, звуки. Похоже, подвал.

Приподняли. И снова понесли.

Долго несут. Если судить по скорости, прошли метров сто пятьдесят — двести. То есть само здание должно было давно кончиться. Интересно, куда же мы тогда двигаемся? К центру земли?

Встали. Запах машинного масла, бензина, выхлопных газов. По всей видимости, гараж. Соединенный четвертькилометровой галереей с основным зданием.

А ведь я этого подземного хода при внешнем осмотре не просчитал. И исчезновения людей из здания не зафиксировал. Значит, местные этим путем не пользуются. Только избранные. Только те, что меня сейчас куда-то волокут. Или только «авторитеты» в случае возникновения опасности. Очень удобно, особенно когда милиция обложит все входы-выходы.

Подъехала машина. Открылась дверца. Для них. Открылся багажник. Для меня. Бросили. Захлопнули. Повезли.

Недалеко повезли, но по очень извилистому маршруту. Или они на всякий случай проверяются, сворачивая в случайные переулки?

Снова остановка. Пауза перед воротами или шлагбаумом. Въезд внутрь какого-то помещения.

Перегруз на плечи. Шаги. Ступеньки вверх. Дверь. Лифт...

Снова лифт. Но уже в другом здании. Сбросили с рук. Прислонили. Повезли. Этажей пять — не меньше.

Остановка. Коридор. Голоса. Хлопанье дверей. Это уже не подвал, это уже обитаемые помещения. И судя по отсутствию звука шагов, по ковровым дорожкам, по которым ступают мои носильщики, не самое запущенное помещение.

— Куда рулон?

«Рулон» — это, надо понимать, я.

— Пока поставьте здесь.

Поставили. В ожидании аудиенции. Но почти сразу же снова подняли, перенесли и раскатали.

Небольшая без окон комната. Тихая музыка. И голос. Человека, сидящего в глубоком кресле и даже не пожелавшего повернуться в мою сторону.

— Здравствуйте.

— Это уже едва ли.

Дверь капитальная, массивная, способная выдержать не один удар...

— Что едва ли?

— Едва ли буду здравствовать. После подобной теплой встречи.

Изысканная, если не сказать роскошная, обстановка. Стол. Кресла. Сейф. Монитор компьютера. Клавиатура. Причем самого компьютера не видно...

— Мы вас в гости не приглашали. Вы пришли сами.

— Это точно, что сам.

Собеседник, если судить по виду сзади, — средних лет, среднего роста, средней комплекции. Плечи узкие, голова большая, слегка приплюснутая сверху, уши оттопыренные с прижатыми и немного несимметричными мочками... Все прочее с той, недосягаемой для меня, как обратная сторона Луны, лицевой части головы. Немного для составления узнаваемого словесного портрета.

— Что вы хотели мне сказать?

— Я ничего не хотел сказать. Я хотел вернуть принадлежащее мне имущество.

— У вас украли кошелек?

— У меня украли компьютеры. И при этом убили моего товарища.

Кроме Хозяина, в кабинете только два охранника, те, что держат меня за руки, и «старший» группы захвата. То, что «старший», — очень хорошо. У меня с ним еще расчет не закончен. Он мне еще очень нужен. Глядишь, если повезет, и сквитаемся.

Снова голос.

— По поводу ограбления и убийства вам следует обратиться в правоохранительные органы. Преступников ищут они.

— А их искать не надо. Я их уже нашел. Самостоятельно.

— И кто они?

— Ваши нукеры. И вы.

Незнакомец замолчал, словно что-то прикидывая в уме.

И повернулся. На крутящемся вокруг своей оси кресле.

Подобную топографию обратной стороны Луны я увидеть не ожидал. Хотя ожидал увидеть все что угодно! Мои потуги составить по видимым мне затылку и оттопыренным ушам словесный портрет незнакомца представились мне по меньшей мере глупыми. Это лицо не надо было опознавать по сумме индивидуально выраженных черт, по шрамам, родинкам и по другим особым приметам. Это лицо вообще не надо было опознавать. Это лицо и так знали все. По крайней мере те, кто хотя бы раз в неделю смотрит телевизор. Или первые страницы центральных газет.

— Хорошо, давайте поговорим. Тем более что у меня к вам тоже есть несколько вопросов.

Переставший быть незнакомцем, Хозяин кабинета кивнул на дверь. Охранники отпустили мои руки и вышли. Остался только их обеспечивший мое задержание командир. Он отошел к стене, вытащил, взвел и направил на меня пистолет. На этот раз он, в этом я был уверен, выстрелит. И не промахнется.

— Вы пришли, чтобы узнать, где находятся ваши компьютеры? Я отвечу. Они находятся на городской свалке. А информация с дисков у меня.

Скажу больше: похищение компьютеров было глупостью. Мы не обнаружили на ваших дисках ничего для себя нового. Ничего сверх того, чего мы бы уже не знали. Это была напрасная трата времени и напрасная кровь.

— Вы хотите сказать, что информация с «винтов» была похищена еще до того, как были уворованы сами компьютеры?

— Да, именно это я и хочу сказать.

— Можно узнать, каким образом?

— Можно. Посредством сканирования через компьютерные сети.

Здесь я ему не поверил. Здесь он, конечно, лгал. Не могли они знать всего того, что знали мы. Не могли они взломать пароли Козловского-Баранникова, даже если вышли на наш адрес. Для этого бы им потребовалась масса времени и масса усилий. Пароли — не консервные банки, за секунды не вскрываются.

— Я не верю вам. Вы блефуете. Информацию вы получили после воровства и после убийства. Вернее, в результате воровства и убийства. Вы грязно играете. И потому иногда выигрываете.

— Верить или не верить — ваше личное дело. Я говорю то, что знаю. Если вас не устраивает не льстящая вам правда, можете верить в успокоительную ложь. Можете верить в мою грязную игру, в игру случая или во что-то еще. Я не буду перед вами оправдываться. Вы не того масштаба противник, чтобы я был озабочен обелением своего, в ваших глазах, имиджа. Вы узнали то, что желали узнать, и можете распоряжаться этой информацией, как вам заблагорассудится. У вас еще вопросы есть?

— Есть! Один и последний. Если вы утверждаете, что сканировали информацию через компьютерные сети, вы должны знать пароли, защищавшие память наших компьютеров. Так?

— Так.

— Вы их знаете?

— Вам это так важно?

— Важно.

Мне действительно было это важно. Мне необходимо было убедиться, что вынутые из наших машин диски расшифрованы и прочитаны. Если они хоть что-то, хоть самую малую часть из заключенной в них информации не смогли прочитать, у меня оставался шанс на торговлю. На торговлю за часы и дни своей жизни.

— Так знаете вы их или нет?

— Знаем.

— И можете назвать? Хотя бы один.

— Назвать? Вот так, с ходу, вряд ли. Тем более, как вы понимаете, я этим вопросом лично не занимался. Но я могу пригласить человека, который способен исчерпывающе ответить на интересующий вас вопрос.

— Который сможет сообщить мне пароли?

— Который сможет сообщить вам все пароли, которые вы захотите узнать. В ответ я надеюсь услышать возможно более честные и возможно более полные ответы на вопросы, которые, в свою очередь, задам вам я. Такие условия сделки вас устраивают?

— В рамках того, что может повредить только мне?

— В рамках, которые вы посчитаете допустимыми для себя.

— Такие условия меня устраивают. Я согласен.

Хозяин кабинета нажал на кнопку селектора и что-то сказал в микрофон.

— Придется подождать несколько дополнительных минут. Пока нужного вам человека разыщут.

Дополнительные минуты меня устраивали. Ведь это были дополнительные минуты моей жизни.

Так мы и замерли: Хозяин — расслабленно развалясь в кресле, я — стоя перед ним, командир охранников — возле стены с уставленным мне в глаза пистолетом. Так мы и ждали. Пока дверь не открылась.

— Вот человек, который ответит на все интересующие вас технические вопросы, — представил вошедшего Хозяин. — Если, конечно, вы не раздумаете их задать.

Я обернулся.

И раздумал задавать вопросы, касающиеся паролей, оберегающих память наших компьютеров. Я вообще раздумал задавать какие-либо вопросы.

В дверях стоял Козловский-Баранников.

ЧАСТЬ V

ГЛАВА 61

Хозяин не всегда был Хозяином. Когда-то и служкой. Вроде мальчика на побегушках при больших людях. Он и бегал так, что подошвы новых ботинок за месяц до сквозных дыр истирались. И до сих пор бы бегал, кабы вовремя не понял, что карьеры не ногами делаются. И даже не языком, который в нужное время должен оказаться вблизи нужного начальственного места. А расчетом. Правильно поставленной на игровое поле фишкой.

Хозяин, не бывший тогда еще Хозяином, поставил правильно. Поставил на перестройку.

В свой очередной отпуск он поехал не на отдых в Сочи, не в закрытый дом отдыха, не на дармовщинку за границу руководителем группы, а в Москву. К старинному, которого он всячески прикармливал местной деликатесной продукцией, приятелю. Вхожему если не в самые высокие кремлевские кабинеты, то в их предбанники точно. И в бани. В смысле сауны.

— Дела, я тебе доложу, — дрянь, — жаловался размякший от многочисленных «за встречу», «за дружбу» и «за успех» тостов приятель. — Старики в кресла задницами вцепились — с обивкой не отодрать. А позиции у них сам знаешь какие. Во какие позиции! Они еще при генералиссимусе в эти кабинеты вселились. И за просто так позиции сдавать не желают.

Но и молодежь подрастает. Ох и молодежь, я тебе доложу! Им палец в рот положи — они руку до плеча откусят! Вместе с башкой. Вот такие ребята! Правда, пока тихо сидят. Выжидают. Время-то на них работает.

Такое положеньице! Не знаешь, под кого первого ложиться. Под старых ляжешь — молодые потом, когда их время придет, все припомнят. Под молодых — старые обидятся и по шапке дадут. Только не завтра, а сейчас. Сила-то пока на их стороне. Ей-богу, впору групповухой заняться, чтобы и тем и другим услужить. Одновременно.

— А может, вообще ни под кого не ложиться? Может, выждать? До момента, пока позиции определятся?

— Нет. В большой политике самому по себе невозможно. Минуты невозможно! Сожрут и те и другие. Как волка, который от стаи отбился. Только под кем-нибудь. И чтобы во все дыры. И чтобы с энтузиазмом и чувством «глубокого удовлетворения». А потом, отсидевшись, самому на кого-нибудь взгромоздиться. И их туда же.

В передовицах газет это называется преемственностью поколений. А в жизни политическим б...вом. Так всегда было. И везде. Вначале тебя, потом, если повезет, ты.

— И кто же все-таки верх возьмет?

— Черт его знает. Пока совершенно непонятно. Как в футболе, где заранее о результатах матча не договорились. Но в целом я тебе так скажу: против биологии не попрешь! Старики — они дряхлеют и умирают, а молодежь соки набирает. Молодежь — она перспективней. Если ей, конечно, до того голову не свернут.

— А могут свернуть?

— Могут. Если они ее раньше времени высунут.

Последующие несколько дней Хозяин, не бывший еще Хозяином, вместо того чтобы греться на топчане под южным солнцем, мылил спинки и попки большому начальству, рассказывал анекдоты, подносил полные и уносил пустые стопки. Короче, прислуживал.

И слушал.

И смотрел.

И запоминал.

А в конце понял, что событий не избежать. Что события не за горами. Верхи уже почти ничего не могли, кроме как вспоминать о былом, пить лекарства и жаловаться на одолевающие их старческие болезни, а низы могли и хотели. Очень хотели. Хотели неограниченной на шестой части земной суши власти.

В общем, отпуск прошел удачно.

— Держи меня в курсе, — попросил отгулявший свое время отпускник приятеля. — А за мной, сам знаешь, не заржавеет.

— Будь спокоен. Если в верхах что-нибудь случится, то первым об этом узнаю я. А вторым — ты.

Ожидаемое «что-то» случилось через полгода. Без освещения в центральной прессе. Тихо. В наглухо закрытых кремлевских кабинетах.

Заранее предупрежденный приятелем о сквозняках перемен, потянувших в высоких коридорах, все еще бывший мелкой сошкой Хозяин взошел на трибуну и заклеймил в самых крепких выражениях свое прошлое, а заодно и прошлое своих непосредственных начальников. Первым в своем регионе и задолго до того, как публичные покаяния приобрели массовый характер. Случился большой скандал. Неблагодарному, осмелившемуся плюнуть против господствующей розы ветров молодому работнику «дали по шапке». Не желая согласиться со столь резкой оценкой своего выступления, потерпевший отправился в Москву искать правды и защиты. Искать именно у тех, кто очень нуждался в подобных «сигналах с мест». Он оказался очень к месту, пострадавший за критику молодой функционер. Как один из аргументов в большом, завязавшемся в верхних эшелонах власти споре.

Не принявшим критику местным начальникам поставили на вид, несправедливо уволенного работника восстановили во всех правах, но в область уже не вернули, оставили при себе. Той же службой. Но уже при гораздо более высокопоставленных господах.

А потом все завертелось с калейдоскопической быстротой. Начальники грызли начальников, кланы сражались с кланами. Хозяева кабинетов менялись, как в игре в «третий лишний». И здесь было очень важно успеть сориентироваться. Вовремя поставить на лидера. И вовремя переставить фишку, когда лидер выдыхался и переходил в разряд аутсайдеров.

Человеческие, будь то дружеские или, напротив,

враждебные, отношения в этой гонке на выживание во внимание не принимались. Важен был только результат. Когда того требовали обстоятельства, бывшие непримиримые враги составляли против третьих лиц союзы и чуть не лобызали друг другу щечки. А «не разлей вода» друзья кропали друг на друга кляузы.

Когда Хозяину стал помехой его бывший московский приятель, он не задумываясь сдал его. Самым бессовестным образом.

— Ты что? — возмущался тот, явившись к нему домой. — Это же я тебя сюда. Это же только благодаря моим стараниям и связям. И даже эта квартира — только потому, что я замолвил за тебя словечко...

— За квартиру спасибо.

— Из «спасибо» папахи не сошьешь.

— Могу ссудить деньгами. Если в разумных пределах.

— Деньги мне не нужны. Мне помощь нужна. Ты же знаешь, в каком я положении оказался.

— По этому поводу не ко мне. Помогать тебе — себя топить. Извини. Это не та цена, которую я способен платить.

И приятель уходил. Навсегда. Как и десятки других приятелей, сослуживцев, коллег и однополчан. Политика не терпит дружбы. Которая в убыток. Тут или карьера, или человеческие отношения.

Хозяин ставил на карьеру.

Только в смутные времена, в период безвластия и беззакония, когда падают ниц прежние цари и на их место восходят новые, можно легко и безболезненно взлететь к вершинам власти. Только это золотое время в мгновение ока способно лишить человека всего и дать человеку все. Все желаемое. Все то, что в устоявшихся обществах надо заслуживать. Годами. И делами.

Не использовать смуту в своих корыстных целях — значит показать себя распоследним дураком. Так решил для себя Хозяин.

И так же решили десятки и сотни других, бросившихся в драку за свой кусок пирога заведующих партийными отделами, партийными кафедрами и партийными журналами. Их было так много, страдающих чрезмерным аппетитом мелких партийных и околопартийных функционеров, что существующих кормушек на всех не хватило. И они стали создавать новые. И отпихивать от них друг друга локтями и коленями. Очень больно отпихивать.

В сравнении с вновь развернувшимися закулисными баталиями прежние аппаратные игры стали казаться смешной вознёй играющих в самоуправление октябрятских звездочек. Драка пошла не на жизнь, а на смерть. В прямом смысле слова. Ведь делились уже не только кресла. Делились деньги. Огромные деньги. Невероятные деньги! Деньги, нажитые целыми поколениями поставленного к станкам, кульманам и лопатам народа. Делилась кубышка, в которую годы и годы миллионы людей опускали свои трудовые медные пятаки. Делилась не ими. И не для них.

Страну отдали на разграбление. Как штурмом взятый войсками город. Только там грабили все и три дня. А здесь избранные и бесконечно долго.

В считанные часы разворотливые люди подгребали под себя капиталы, которые Рокфеллеры и Морганы копили всю жизнь. Подгребали одним росчерком пера. В виде целых заводов, шахт и НИИ. И не чувствовали при этом угрызений совести. И не переставали считать себя интеллигентными людьми. Кухарку, утащившую со стола серебряную ложку, называли воровкой, а себя, прибравшего к рукам небольшой горно-обогатительный комбинат или целую железную дорогу, — спасителем отечества.

Власть с народом играла краплеными картами. И поэтому всегда выигрывала. И выигрывала очень много. Первыми это осознали преступники. И попросили свою долю. Вор потянулся к дубине вора.

Хозяин, уже почти ставший Хозяином, один из первых понял, что с преступным миром лучше договариваться, чем воевать. Потому что они, преступники, ничем не отличались от них, властей предержащих.

Разве только масштабами воровства. Карманники могли умыкнуть получку из кошелька одного-двух зазевавшихся в транспорте граждан. Политики — у всего народа в целом. Методы и цели тех и других были подобны и, значит, союз был возможен. И даже неизбежен.

Хозяин снова поставил на верного конька. Пока других склоняли к союзу с преступным миром с помощью совместных хитроумных финансовых и предпринимательских операций или вынуждали к нему силовыми методами, он, не теряя времени, пошел на сговор сознательно. Хозяин встретился с несколькими наиболее известными в стране «авторитетами» и объяснил, чем они могут быть полезны ему и чем небесполезен может быть им он.

— Экономика не может существовать без политики, — сказал он, — в том числе и теневая. Экономике необходима «крыша», которая в нужный момент способна прикрыть ее от непогоды. От дождя, града или, не приведи господь, молнии. И еще необходимо бюро прогнозов, которое способно заранее предупреждать о приближении стихии.

— «Крыша» нужна, — согласились «авторитеты». — Но «крыша» дорогого стоит.

— Но меньше, чем ликвидация последствий капризов погоды. Чем пропущенное стихийное бедствие.

— Меньше, — кивнули «авторитеты». — Что могут запросить метеорологи взамен долгосрочных климатических прогнозов и защиты от дождевой капели и града?

— Думаю, немного. Страховку, силовую в случае необходимости помощь, поддержку на местах и, возможно, какие-то средства.

— Какие?

— Фиксированные. Процент со сделок, которые вам предложат. И процент с налоговых льгот, которые вы получите.

«Авторитеты» переглянулись. Предложение сулило барыши. Такие барыши, что впору было задуматься о нечистой игре вновь объявившегося партнера.

— Ваши гарантии?

— Мое слово. И обещание в течение трех дней не обращаться с аналогичным предложением к вашим конкурентам.

«Авторитеты» сдались.

Хозяин получил в свое полное распоряжение средства, которые не приходилось добывать лично, компрометируя себя как политика, и получил исполнителей, способных действовать без оглядки на закон.

Он получил те рычаги, которые, как он считал, способны свернуть мир. Точнее, шею тому миру. Если он не согласится на добровольную и потому бескровную капитуляцию.

Хозяин с энтузиазмом и уверенностью в незамедлительном результате взялся за дело. Он стал расчищать путь наверх, кого-то покупая, кому-то угрожая, кого-то убирая. Физически. Он выигрывал каждый бой. Но никак не мог выиграть всю войну в целом.

Ожидаемого результата не было. Был совсем другой результат. Который его не устраивал.

Хозяин был умным человеком, потому что не однажды битым. Он не стал списывать неудачу на игру случая, не стал надеяться, что со временем все так или иначе образуется. Он стал думать.

Отчего никак не достигаются намеченные цели? Оттого, что плох план? Или военачальник? Или оттого, что слишком силен противник?

Да, возможно, план не грешит гениальностью. И военачальник — вовсе даже не Наполеон. Но все это с лихвой должно компенсироваться слабостью противной стороны. Вернее, почти полным ее отсутствием. Единого недруга нет. Есть куча мелких, конкурирующих и враждующих друг с другом группировок. Последней серьезной силой были «старики», заслуженная партийная гвардия, которую повыбили еще в самом начале перестройки. Все остальные — шушера.

Но вот ведь какой парадокс получается — противника нет, а противодействие есть. И еще какое противодействие!

Откуда же оно взялось?

Неужели, пока шла мелкопоместная мышиная политическая возня, в стране объявилась какая-то «третья», никому не известная, всеми пропущенная сила? Неужели в стране зреет заговор?

Кого? И против кого?

Хозяин задумался. Пропустить политическую интригу подобного масштаба, если она, конечно, имела место быть, значило потерять в будущем правительстве не кресло — саму жизнь. Отставных правителей дорвавшиеся до власти заговорщики обычно не жалуют: в лучшем случае предлагают уйти в отставку, в худшем — подойти к ближайшей стене. Если ему хоть как-то дорога его карьера и его жизнь, необходимо вычислить эту новую силу. И если это действительно сила, может статься, переставить свои фишки на их поле. Пока не поздно.

По каким признакам можно вычислить этих людей?

По разным. В том числе по простейшим. Например, по «смелым» выступлениям в печати. Или по должностным успехам. Кто в последнее время наиболее успешно продвигал свою карьеру? Кто смог сделать то, что не удалось, несмотря на все старания, сделать ему?

Хозяин отсмотрел список аппаратных перемещений за последние месяцы и выделил три фамилии. Эти лидеры и люди их ближайшего окружения шли во власть прямо-таки семимильными шагами.

Хозяин вызвал «авторитетов».

— Вот что, — сказал он, — пошлите-ка ваших ребят, которые посмышленее, по этим адресам. Пусть они снимут квартиры где-нибудь невдалеке от фасадных дверей и пусть полюбопытствуют, кто в них входит и кто выходит, и пусть посмотрят, какие машины чаще всего въезжают в ворота. И пусть все запишут и эти отчеты представят мне.

— Зачем это нужно? — спросили «авторитеты».

— Затем, что я хочу знать, не объявилась ли в стране сила, сильнее нашей силы.

— Но это будет стоить нам немалых денег.

— Пропущенная смена власти будет стоить вам всех денег.

— Кого следует смотреть конкретно?

— Всех, кто приблизится к зданию ближе чем на десять метров. И предупредите, чтобы они не очень там высовывались. Эти адреса курирует Безопасность.

— Безопасности теперь не до нас. Безопасность теперь не та.

— И тем не менее.

Квартиры были сняты. В квартирах поселились бравые ребятки с хорошим зрением, усиленным двадцатикратными морскими биноклями.

Безопасность, озабоченная не столько несением службы, сколько своими внутренними проблемами: реорганизациями, перемещениями, сокращениями и чуть не ежеквартальной сменой начальства, их действительно просмотрела. Но их заметили другие глаза. Глаза Конторы. Их увидел надзирающий за порученным ему членом Правительства Резидент. Тот, первый Резидент.

Он тоже снял квартиру. И стал наблюдать за наблюдателями. Как в том, про особо утонченные сексуальные услуги, анекдоте. Очень быстро он понял, что слежку ведут непрофессионалы. Хотя и очень старательные работники. Не Безопасность. И не МВД.

Тогда кто?

Резидент отследил сменившихся шпиков. От двери снимаемой квартиры до другой двери. За которой, как пожаловались словоохотливые соседи, имел место «вечный и непрерывный бардак», то есть визжали женщины, ругались матом мужчины, звенела битая посуда и кто-то кому-то угрожал набить морду. Судя по их рассказам, за дверью располагалась воровская «малина». Где шпики отдыхали после очередной трудовой смены.

Совершенно непонятно. Зачем ворам наблюдать за правительственными зданиями? С целью поживы? Или заказного убийства?

Резидент прошел вслед за каждым из обитателей преступного притона. Маршруты были недалеки и подобны — магазин, ресторан, киоск, видеопрокат, еще магазин. И только один увел в сторону дома Хозяина. Один из бандитов оказался вхож в резиденцию около- правительственного начальника.

Неизвестно, чем руководствовался Резидент, но, в нарушение всех конторских правил, он решил вести разведку на два фронта. «Случайно» столкнувшись с интересным ему человеком на улице, он навесил на него микрофон. На чем и прокололся.

Этот мафиозник был не мафиозником. А хорошо обученным, хотя и в отставке, офицером Безопасности. Надзиравшим за нанятой для несения наблюдательных функций преступной мелюзгой. Это он выбирал места для НП, регламентировал действия их персонала, сле- дил за соблюдением ими мер безопасности. Именно благодаря ему малоквалифицированные преступники прошли мимо глаз Безопасности. В многочисленной челяди Хозяина он числился рядовым референтом, фактически являясь начальником Службы безопаснос- ти и доверенным телохранителем.

Как всякий настоящий профессионал, курирующий мафию, референт вечерами вспоминал и анализировал каждый прожитый день. До мелочи. До брошенного на него из толпы заинтересованного взгляда.

Вспомнил он и тот день. От первой до последней минуты. В том числе и столкновение с незнакомым прохожим.

Случайное столкновение?

Может быть. А может быть, и нет.

Куда ударил его прохожий? В руку? Или в плечо? Он споткнулся? Или его кто-то толкнул?

Нет, его никто не толкал. Он споткнулся сам. На ровном месте.

Телохранитель-референт вытащил из шкафа и про- верил бывшую на нем в момент столкновения одежду. И нашел микрофон.

Резидента подвело пренебрежительное отношение к противнику. Уверенность в том, что он имеет дело с малограмотной в области разведки мафией. Против профессионала он бы действовал не так. Не так топорно. Резидент допустил халтуру. И, в конечном итоге, поплатился за это. Жизнью.

Референт-телохранитель доложил о происшествии Хозяину.

— И что вы собираетесь делать?

— Искать того, кто навесил на меня «жука».

— Каким образом?

— Посредством «обратной связи». Микрофоны подобного типа работают не более чем в двухсотметровом удалении от приемника. И, значит, наш противник или звукозаписывающая аппаратура, к которой он неизбежно придет, находится где-то поблизости.

Аппаратура, к которой пришел Резидент, действительно была недалеко.

Резидента решили взять и допросить. Телохранитель был против прямого захвата, но на этот раз его не послушали. Хозяину не терпелось узнать, кто начал слежку за его людьми. С помощью захваченного «языка» он надеялся быстро и без дополнительных хлопот выяснить имена играющих против него противников.

— Будьте готовы к сюрпризам, — предупредил курирующий безопасность референт. — Я не исключаю, что он имеет профессиональную подготовку.

— Мы тоже не дети, — ответили мафиозные боевики.

Это они сказали верно. Нормально развивающиеся дети к их возрасту не имеют за душой столько «мокрых» дел. Даже если начинать считать с первых промоченных пеленок.

И все же на этот раз мафиозники отправились на дело усиленной бригадой. Чтобы исключить возможность каких-либо сюрпризов.

Дождавшись незнакомца в подъезде его собственного дома, они взяли его в клещи, ухватив с двух сторон за руки.

— Если вам нужны деньги, то они в правом кармане, — сказал незнакомец.

— Нам нужны не деньги. Нам нужен ты, — ответили боевики.

— Зачем?

— Через полчаса узнаешь.

Каким-то непостижимым образом взятый в «тиски» заведомо более сильным противником незнакомец вырвался и даже успел выхватить из кармана пистолет. Стоявший в отдалении боевик больше с испугу, чем по необходимости, открыл огонь на поражение. Несмотря на несколько полученных в грудь пуль, незнакомец успел достать каким-то особым ударом одного из нападавших. И еще троих. Он успел достать всех! Прежде чем умер.

Подхватив под руки потерявшего сознание товарища, боевики ретировались к машине.

Этот бой закончился для них с отрицательным балансом. Один непонятно с помощью какого оружия убитый и трое раненых. Двое — относительно легко из газового пистолета. Один — опять-таки непонятно каким образом, тяжело.

Опасаясь милицейской погони и не желая рисковать, боевики бросили тело мертвого товарища в случайной яме в ближайших лесопосадках, забросав тело ветками.

— Почему вы не выполнили приказ? Почему вы не попытались взять его живым? — напряженно спросил Хозяин, выслушав сбивчивый доклад киллеров.

— Мы пытались. Да он не согласился.

— Что значит не согласился? Ведь вас было четверо. Четверо против одного! Как такое могло случиться?

— Так и могло! — психанули потерпевшие поражение мафиозники. — Сами бы попробовали. ... его знает, кто он... такой... но только мы... ничего сделать... не успели. ...Хорошо хоть ноги унесли... Мать его...

Референт, в отличие от Хозяина, в раздражительность не впадал и зло за неудачу на исполнителях не вымещал. Он спрашивал. Много и подробно.

Куда и как он ударил вначале? Куда и как потом? Что сказал? Как посмотрел? Как перемещался по площадке? Каким образом выхватил пистолет?

Снова и снова. Каждого в отдельности. И всех вместе.

На подобранной, очень похожей на натуральную,

лестничной площадке он заставил боевиков разыграть целую сцену, где сам изображал потерпевшего, а они нападающих. То есть самих себя.

— Встаньте, где вы стояли. Теперь говорите... Теперь хватайте... Теперь бейте... Так это выглядело? Или иначе?..

В заключение референт самым тщательным образом осмотрел и ощупал находящегося в тяжелом состоянии боевика. Несмотря на его протестующие стоны и возгласы.

— Имею основания подозревать, что дело обстоит серьезнее, чем представлялось нам вначале, — доложил он Хозяину. — Погибший не был случайным человеком. Погибший был профессионалом.

— Почему вы так решили?

— Посудите сами. Будучи смертельно раненным, он успел произвести несколько попавших в цель выстрелов и нанести несколько причинивших серьезные телесные повреждения нападающим ударов. И все это в считанные мгновения. Другой на его месте скончался бы от болевого шока в момент первого выстрела. А он дрался после пяти! Он дрался, уже будучи по ту сторону жизни! Так, на уровне до конца работающих условных рефлексов, умеют действовать только профессионалы. Причем самой высокой пробы. Те, которым эти рефлексы вбивали в голову и в спинной мозг в течение многих и многих лет. Кроме того, он использовал приемы, которые в кружках рукопашного боя не преподают. Это закрытые приемы. Даже для милиции и ВДВ.

Опасаюсь, что покойный был только первой ласточкой. Той, которая проводит рекогносцировку местности. Опасаюсь, как бы вдогонку за ней не припорхала еще целая стая таких же пернатых.

— С какой целью? Чтобы следить?

— Чтобы следить. Или «чистить».

— Кого?

— Нас. Точнее, вас.

— Как так «чистить»?

— Физически. Посредством внезапного приступа

сердечной недостаточности. Или несчастного случая. Например, дорожной аварии, взрыва баллона с пропаном, падения из окна...

— Зачем?

— Не знаю. Это дело не моей компетенции. Моей — определять направление возможной угрозы.

— Но вы можете усилить охрану.

— Могу. Могу усилить ее в пять, в десять, в сто раз. Но толку от этого будет чуть. При нападении неопределенного противника только в пяти случаях из ста охране удается спасти хозяина от наемных убийц.

— Что же делать?

— Искать противника.

— Так в чем дело — ищите.

— Дело в средствах. Для выполнения данного вида работ требуется привлечение специалистов. А они дешево не стоят.

— Сколько?

Телохранитель-референт назвал цифру. От которой Хозяин слегка вздрогнул.

— А сами вы не справитесь?

— Я телохранитель. Только телохранитель. Я умею стрелять, обнаруживать слежку, уходить от погони, вычислять направление предположительной угрозы. Умею немножко думать. А в этом случае надо думать много. Очень много.

Это не моя специальность. Здесь нужна ищейка. Ищейка, кроме всего прочего, имеющая доступ к специальным архивам.

— Вы знаете таких людей?

— Я знаю таких людей. Но не знаю, согласятся ли они работать.

— Они из вашего ведомства?

— Из моего бывшего ведомства. Или из подобного ему.

— Хорошо. Я даю согласие на их привлечение. Что еще?

— Я буду вынужден ввести их в курс дела. Частично.

— «Частично» — это насколько?

— Ровно настолько, сколько потребуют интересы ведения следственных мероприятий.

— Ладно. Делайте что хотите. Только обеспечьте быстрый результат. А в остальном я полагаюсь на вас.

— Тогда последнее. Вряд ли они захотят раскрывать свое инкогнито.

— А я к личным знакомствам с подобного рода работниками и не стремлюсь. Хотя и не зарекаюсь.

— Тогда вопрос исчерпан.

Люди, взявшиеся вести следствие, нашлись.

ГЛАВА 62

Копии материалов милицейского расследования, окольными путями полученные из горотдела УВД, сути дела не прояснили. Мотивы преступления до сих пор остались неизвестными. Личности нападавших до сих пор не установленными. Соседи ничего, кроме выстрелов, не слышали. И ничего, кроме масок вместо лиц и пятен грязи вместо номеров машин, не видели. А если и видели, то молчали как рыба о прошлогодний лед.

В общем, все, как обычно и бывает при заказных убийствах. Стреляных гильз и трупов во множестве, а свидетелей — ни единой живой души.

Но что самое удивительное, не были установлены не только совершившие нападение преступники, не была установлена личность самого потерпевшего. Его паспорт, водительские права и прочие имеющиеся у всякого гражданина всякого государства документы нашли. Но дело в том, что никто эти документы ни ему, ни кому-нибудь другому никогда не выдавал. Ни паспорт, ни права, ни диплом, ни даже свидетельство о рождении. То есть погибший гражданин не рождался, не получал по истечении шестнадцати лет паспорт, не заканчивал средние и высшие учебные учреждения и не сдавал на водительские права. Но все это имел!

Как же такое могло случиться?

Милиция на этот вопрос ответить не смогла.

Ничего нового не добавили и пострадавшие мафиозные киллеры, в сотый раз, через референта-телохранителя, пересказывавшие перипетии подъездной баталии.

— Я сюда. А он сюда. Тогда я за шпалер, а Лысый деревянным чурбаном под ноги. И уже не дышит. А чем он его ткнул — не ясно. Ножа я не видел...

— А что вы видели?

— Ни черта не видел. Там темно было. Как ночью в заднице у сидящего на ней негра...

Столь же невнятные показания давали соседи.

Нет, никто у него не гостил, никто не ночевал, никто, кроме жэковских слесарей и электриков, не приходил. По всему видно, покойный жил букой, посторонних в свою жизнь не допуская. Только «здрасьте» и «до свидания» при случайной встрече на лестничной клетке. Или на общем субботнике. Может, у него горе какое случилось. Или болезнь...

Одним словом — никаких контактов. И эта ниточка оборвалась, едва начавшись. Прямо не человек — а человек-невидимка из уэллсовской книжки.

Вот эта изолированность от внешнего мира больше всего и настораживала нанятых Хозяином спецов-следователей. Не бывает в этой жизни людей с полностью обрубленными контактами. Чтобы без жен, сожительниц, близких и дальних родственников, без друзей, приятелей и случайных собутыльников. Учился же он в школе, служил в армии, пил пиво, крутил романы. Должен же он кого-то и его кто-то знать.

Этого не знал никто! Вернее — все, но ровно настолько, насколько необходимо, чтобы не привлекать к себе лишнего внимания.

— Вы были правы в своих подозрениях: этот покойник не был обыкновенным человеком, — сказали следователи. — Этот покойник только маскировался под обыкновенного человека.

— Тогда кто он был?

— Это самый трудный вопрос. Мы получили его фотографию и отпечатки пальцев, но не смогли идентифицировать их ни в одной картотеке. Он не привлекался ни по линии МВД, ни по линии органов Безопасности. Он не служил в спецчастях Министерства обороны и ГРУ. Он не занимал никаких должностей ни в одной известной нам организации подобного профиля.

— Может быть, он не наш «спец»? Может быть, он их «спец»?

— Мы навели некоторые справки во внешней разведке. И получили отрицательный результат. Кроме того, у него славянский тип лица и полное отсутствие какого-нибудь акцента и каких-либо внешних контактов. Нет, он не похож на их шпиона. Тем более они уже давно не засылают к нам своих агентов, а вербуют их из числа имеющих доступ к государственным секретам специалистов. Это дешевле, безопасней и не требует языковых и страноведческих сверхусилий, которые необходимы для превращения среднего американца из пригородов Нью-Йорка в выпускника сельского ПТУ с Рязанщины.

— А если допустить, что он не «спец», а просто скрывающийся от алиментов прохожий? А трагические последствия драки между ним и нашими дуболомами-исполнителями это только игра случая? Стечение разного рода обстоятельств.

— Алиментщик?.. Мы переложили событийный ряд имевшего место происшествия на понятный компьютеру язык и отсмотрели его в координатах реального времени. А затем в режиме один к десяти, один к ста и один к тысяче замедления. Как на снятой рапидом видеопленке. Мы провели хронометраж каждого отдельного движения.

— И?

— И сильно удивились. Его реакция в несколько раз превышает уровень реакций нормального человека. И даже нормативную для «спецов». Она равна, а по некоторым параметрам превосходит реакции спортсменов олимпийского класса, выступающих в игровых и отдельных технических видах спорта.

— Так, может быть, мы имеем дело с уникумом? С природным в данной конкретной области талантом?

— Может быть. Некоторые, один на миллион, люди действительно от рождения обладают исключительной реакцией. Но тогда только реакцией. Ею одной. А он, кроме нее, демонстрирует поразительные способности в быстродействии. Которые одной природной предрасположенностью не объяснить. Всякое его боевое движение вдвое опережает аналогичное движение хорошо тренированного в рукопашке бойца. Его руки и ноги сгибаются и распрямляются быстрее. И, значит, достигают цели быстрее, чем руки и ноги его противников.

Мы предложили спортсменам уровня не ниже мастера спорта международного класса повторить известные нам движения на специальном манекене. И зафиксировали траектории и скорость полета их конечностей. От исходной до конечной точки. У волейболистов она оказалась ниже. У каратистов и дзюдоистов значительно ниже. У профессионалов настольного тенниса — почти равной. Но те спортсмены были гораздо моложе. Те спортсмены тренировались по специальным методикам, из месяца в месяц и каждый день по нескольку часов. И, главное, они готовы к подобному двигательному быстродействию. Настроены на него. В отличие от пострадавшего, который действовал спонтанно, не готовясь к драке, как спортсмен к рекорду, заранее.

И тем не менее они не смогли превзойти показанных им результатов!

Но, самое интересное, ни один спортсмен, продемонстрировавший быстродействие, приближенное к аналогу, не смог показать равную ему точность! Точность попадания в цель. Спортсмены мазали! На сантиметр. На два. На три. Из предложенного им положения они не могли попасть в точку, в которую попадал их предшественник!

— Вывод?

— Мы получили документальное подтверждение того, что имеем дело не со случайным человеком, а с профессионалом высочайшей квалификации. Мы можем представить сравнительные диаграммы, на основании которых были сделаны эти выводы...

— Нам не нужны диаграммы. Нам нужно знать, кем был этот человек.

— «Спецом»! Теперь это совершенно очевидно.

— Я понимаю, что «спецом», но чьим спецом? Кто его навел на нас? Чей приказ он выполнял?

— Чтобы ответить на этот вопрос, имеющейся у нас информации недостаточно.

— Что вам нужно еще для того, чтобы ответить на этот вопрос?

— Время. И еще, пожалуй, труп.

— Труп?

— Да, тело потерпевшего.

— Оно давно захоронено.

— Значит, надо провести эксгумацию. Без осмотра трупа мы не сможем двинуться дальше.

— Что вам может дать мертвое тело? Ведь у вас уже есть фотографии живого человека, его описания и даже отпечатки его пальцев. Что вы можете увидеть сверх того, что уже увидели и запротоколировали патологоанатомы и следователи МВД?

— Ничего. Или очень многое. Вряд ли патологоанатомов и следователей интересовал потерпевший. Их в первую очередь беспокоили неизвестные преступники. И, значит, осмотр тела погибшего мог быть формальным. Грешащим пропущенными родинками, не описанными должным образом шрамами и другими незамеченными отличительными приметами. Которые мы постараемся обнаружить.

Кроме того, есть еще код ДНК, зубы и пломбы, химический состав волос, отображающий экологию места жительства данного индивидуума. Есть болезни внутренних органов, по поводу которых он, не исключено, обращался в медицинские учреждения, или с кем-то консультировался, или как-то лечился. Есть специфические, способные указать на род его деятельности мозоли и потертости, на которые проводившие вскрытие медики, уж конечно, не обратили внимания. Есть много такого, знать о чем не входит в обязанности районных патологоанатомов.

Нам нужен труп. И тогда, возможно, мы сможем сказать о нем больше, чем сейчас.

— Хорошо. Вы получите труп.

И референт-телохранитель вызвал проштрафившихся мафиозников.

— Если у вас недостало ума доставить заказанного человека живым, принесите хотя бы его мертвое тело. Надеюсь, это вам по силам?

— Интересно, где мы его найдем?

— В морге. Или на кладбище, среди захороненных неопознанных тел.

— Зачем нам таскать из могил мертвяков?

— Затем, чтобы не лечь рядом с ними.

ГЛАВА 63

Камень был брошен. И по воде пошли круги.

Тогда еще живому Шефу-куратору позвонил кладбищенский сторож. По одному из диспетчерских телефонов.

— Тут такое дело. Меня просили. Так вот, я, это, звоню.

— Кто звонит?

— Я. Ну, то есть сторож.

— Я понял. И все передам.

Диспетчер перезвонил другому диспетчеру. Тот еще одному. А тому, с произвольно выбранного телефона-автомата, Шеф.

— Мне сообщения были?

— Да. Звонил какой-то сторож.

— Сторож?

— Ага. Он так и сказал — «звонил сторож».

— Ну, значит, опять садовый домик обокрали. Спасибо. То есть очень жалко. Но вам спасибо.

Через час Шеф-куратор был на кладбище. Со скорбным выражением до неузнаваемости изменившегося лица и с цветами в руках.

— Ну и что?

— Вы, это, просили за могилой приглядеть. Так я позвонил.

— Спасибо, что приглядели, — поблагодарил Шеф-куратор сторожа в размере его полугодового оклада и двух литров водки.

— Ну да. Как они ушли, так я сразу к вам. Прямо бегом. Я же понимаю... — обрадовался сторож водке.

— Кто они?

— Не знаю. Я их ни разу не видел.

— Что они делали?

— Могилу разрыли. Ту, что вы сказали. И покойника вынули.

Могила была под инвентарным номером, которыми метили неопознанные и невостребованные трупы. В могиле был, вернее, теперь уже не был, погибший Резидент.

Кому же это и зачем мог понадобиться неопознанный мертвец?

— А кто могилу раскапывал?

— Так Петро и Федька. Они аккурат плановых покойников зарыли, а тут эти приехали. Вот они им и копали.

— А где этот Федька и этот Петро?

— Известное дело. В подсобке. Греются.

— Давно греются?

— С обеду.

— Значит, уже согрелись. Изрядно. Говорить-то смогут?

— Смогут.

Говорить Федька и Петро могли. Если медленно и простыми словами.

— Они документ какой-нибудь показали?

— А?

— Разрешение на эксгумацию.

— На чего?

— На выемку тела из могилы.

— Не-а. Или да. Мы не знаем. Не помним.

— А кто распорядился копать?

— Они. Показали и сказали копать.

— А разрешение?

— Это же не та могила, которая с покойником. Которую нельзя. Которую мы никогда, потому что понимаем. А которая с тем, которого никто не узнал. И потому, наверное, можно.

— А как они объяснили свои действия? Что сказали?

— Сказали, что братана вначале потеряли, а потом здесь нашли. И хотят увезти домой. Чтобы все по-людски.

— Как они выглядели?

— Кто?

— Которые братана нашли.

— Вот так! — показали могильщики.

— Вот что, мужики, сейчас я вам дам таблетки для трезвости, — могильщики протестующе затрясли головами. — А потом ящик водки, для опохмелки, — могильщики согласно закивали, — и вы мне попытаетесь описать этих людей. Потому что боюсь, они не своего братана уволокли, а моего. Которого я тоже разыскиваю. Ну что, договорились?

— Мы согласные. Даже без таблеток...

Шеф-куратор вытащил переносной «ноутбук» с программой портретного опознания.

— Голова такая или такая? Шире? Уже? А в скулах? Лоб высокий? Низкий? С морщинами или без? Уши такие или такие?

Ресницы.

Разрез глаз.

Нос.

Губы.

Зубы.

Подбородок...

Итого четыре более или менее похожих на оригиналы портрета.

— Узнаешь? — спросил для сверки Шеф-куратор кладбищенского сторожа.

— Этих двух точно. Эти были. Я помню. А этих не помню. Я их издалека видел. Может, это они. А может, и не они.

— Ну тогда все. Да, кстати, а какую они могилу вскрывали?

— Вон ту. Что с краю.

— Как с краю? А разве не ту, что в середине?

— Да нет же. Мы же сами копали. Мы точно помним.

— Так с краю?

— С краю!

— Что же вы мне голову морочите. Я-то думал, они в мою могилу влезли, а они совсем в постороннюю. Зачем же мне было их портреты рисовать? Что же вы раньше-то молчали?

— Мы же не знали...

— Не знали. А я из-за вас кучу времени убил. И чуть чужого покойника не взял. Зачем мне чужой покойник? Мне мой нужен. Ладно, пойду документы выправлять. А там разберемся.

— А водка?!

— Что водка?

— Водку на опохмелку?! — возмутились протрезвевшие до состояния стекла могильщики. — Мы что, получается, из-за ваших дурацких таблеток зря сегодня день провели? Который так хорошо начался.

— Это я согласен. Это я не прав. Раз обещал — получите. На пол-ящика.

— Вы же обещали ящик!

— А вы обещали моего покойника, а не рассказ о чужом. Ждите. Когда вернусь, будет вам полный расчет. С премией.

И Шеф-куратор ушел. С фотороботом людей, которые забрали тело Резидента. С описанием их одежды, походки, голосов, манеры общения. С маркой, цветом и характерными особенностями машин, на которых они приехали. И даже с возможными отпечатками пальцев на предметах, которых эти неизвестные кладбищенские похитители касались.

Шеф-куратор ухватил хвостик ниточки, которая, если ее удачно потянуть, могла размотать весь клубок загадочных обстоятельств, связанных с гибелью Резидента.

Время неразрешимых загадок закончилось.

ГЛАВА 64

Осмотр похищенного трупа не дал ничего. И в то же время дал очень много.

Были обнаружены и зафиксированы десятки пропущенных патологоанатомами шрамов. Самого разного происхождения: от проникающих огнестрельных и колото-резаных, причиненных с помощью холодного оружия ран до почти не различимых невооруженным глазом косметических шовчиков.

Косметических — это самое интересное. Труп при жизни не был молодящейся женщиной. Труп был выше среднего возраста мужчиной, которому не пристало скрывать свои морщины. Зачем же он подвергал себя косметическим операциям? Причем многочисленным, наслаивающимся одна на другую. Может, у него была не та сексуальная ориентация? Нет, та. Если судить по результатам патологоанатомического осмотра.

Зачем же тогда косметика?

Уж не для изменения ли внешнего облика?

А зубы? Точнее — пломбы в тех зубах. Для человека, ведущего безвылазно тихую жизнь в одной из московских девятиэтажек, они слишком неоднородны. Не в одной поликлинике их ставили. И даже не в одном городе. А одну так просто в полевых условиях с помощью примитивной переносной бормашинки. Вроде тех, что используются в многомесячных арктических экспедициях. Или в космосе.

Как быть с этим географическим разбросом пломб?

А волосы?

А кости?

А ногти?

Что это, не результат? Результат, да еще какой! Не простым человеком был тот покойник. Не однозначным.

А каким был? И вообще кем был?

Вот на этот вопрос ответа так и не было.

Не числился он в медицинских архивах ни одной поликлиники, больницы или госпиталя. Ну ладно, косметическую операцию, допустим, можно умудриться сладить где-нибудь в полуподпольном кабинете или даже на дому у хирурга. Если хорошо заплатить. Но полостную, после огнестрельного ранения в брюшную полость? Ее на столе, на кухне, под светом настольной лампы не сделаешь. По крайней мере так виртуозно не сделаешь.

И не скроешь. Любая, даже не столь серьезная рана фиксируется во всяком, куда обратился пострадавший, травмпункте. И автоматически открывается следствие.

А здесь ни обращения, ни следствия. Компьютер перебрал подобные по полу, возрасту и характеру ранения случаи и не зафиксировал ни одного совпадения. Личности всех пострадавших от пуль в живот больных были установлены, и все они принадлежали к какому-нибудь ответственному за них ведомству. Кроме тех, что умерли, ничего о себе рассказать не успев.

Но этот-то после операции остался жив.

Кто же это его с того света вернул? Или он сам себе свинец из брюха с помощью перочинного ножа выковыривал и ту рану суровыми нитками через край штопал?

Все то же самое можно было сказать о зубных пломбах, внутренних и прочих преследующих каждого человека болезнях. Медицинская помощь была оказана. Но опять-таки неизвестно кем и неизвестно где. Имелись в наличии болезни и лечение. Но не было пациента и врачей.

Была полная неясность.

И одновременно полная ясность. Логически вытекающая из той неясности...

— Не думаешь ли ты, что за твоим Шефом ведется

наблюдение? — спросили нанятые следователи своего бывшего коллегу.

— Это исключено. Я многократно отсмотрел все подходы. Постоянной слежки нет. А фрагментарная — кому нужна.

— Значит, ты притащил его «на пятках». Откуда?

— Откуда угодно.

— «Откуда угодно» такие кадры не объявляются. Где ты был в тот и в предыдущие дни? С кем встречался? С кем разговаривал по телефону? Желательно по секундам.

Референт-телохранитель назвал несколько адресов. Следователи прошли по его следам, отсматривая и обнюхивая чуть не каждый сантиметр мест возможных наблюдательных засад. И нашли то, что искали.

Но не того, кого искали.

На чердаке дома, выходящего слуховыми окнами на фасад резиденции одного из членов Правительства, на деревянной балке, поддерживающей крышу, они обнаружили два небольших отверстия от фотографической струбцины. Делать семейные фотографии на пыльном чердаке было некому, значит, в этом месте кто-то устанавливал звуко- или визуально следящую аппаратуру.

Так подумали они.

И навели справки. И узнали, что не так давно здесь имел место инцидент с пораженным электрическим током охранником, обратившим внимание на подозрительную возню на крыше и пожелавшим проверить документы работавшего там электрика. Охранник, по своей глупости влезший под напряжение, в конечном итоге очухался. Электрик сбежал.

Нанятые следователи вышли на доклад к Хозяину.

Их выводы были просты, неоспоримы и невероятны.

Покойный был «спецом» высочайшей квалификации. Которых в стране по пальцам... И в то же время не состоял ни до того, ни после того на службе ни в одной из ныне действующих служб государственной безопасности. Над его телом не один раз трудились первоклассные хирурги, хотя ни в одной больнице или госпитале он не лежал и минуты. Покойный не имел биографии, но имел полный набор натурально исполненных документов. Он имел многое. Кроме тянущихся за ним информационных хвостов.

Он был. И его не было.

Он действовал один. Но не сам по себе.

— И что из всего этого следует? — нетерпеливо спросил Хозяин.

— Только то, что в стране, кроме известных, а последнее время просто-таки разрекламированных силовых структур, действует еще одна. Возможно, частная. Но скорее всего государственная. Та, о которой никто ничего не знает.

— Как это не знает? Как можно не знать о целой организации, существующей и активно работающей внутри собственной страны? Это же не оброненный пятачок. Должны же быть какие-то принадлежащие ей здания, сооружения, транспорт. Должны быть начальники, подчиненные, зарегистрированные приказы, входящая-исходящая документация. Наконец, зарплаты, ведомости, листы нетрудоспособности, пенсии, служебные квартиры. Должна быть прорва бумаг. Наконец, должны быть слухи, которые невозможно скрыть!

Следователи промолчали.

— Скорее всего вы ошибаетесь. И это просто талантливый авантюрист-одиночка, действовавший на свой страх и риск.

— Зачем?

— Например, с целью шантажа.

— Он что, не мог найти для шантажа более благодатный объект? Какого-нибудь подпольного миллионера или проворовавшегося банкира. Нет, это не авантюрист-одиночка. Не обольщайтесь. Это «спец»! Причем «спец», представляющий организацию.

— Но почему обязательно организацию?

— Хотя бы потому, что его незаконченную работу сейчас доделывает его преемник.

— Что?!

— Мы нашли следы от двух ввернутых в разное

время, но в одном и том же месте струбцин. Тех, к которым привинчивают сканирующие микрофоны или видеокамеры. И еще мы узнали, что при проверке данного места пострадал охранник одного из правительственных зданий.

— Какого?

— Не вашего.

— Значит, охота шла не за мной?

— Не за вами.

— Но кому тогда он или они подчиняются, чьи приказы выполняют, перед кем отчитываются? Где получают зарплату?

Вам не кажется, что все это напоминает какой-то дурной вестерн? С героями-одиночками в качестве главных действующих лиц.

Я не очень верю в тайные организации. В разные там неизвестно-официальные масонские ложи, рыцарские ордена, братства вольных каменщиков и штукатуров. Если бы что-то подобное существовало, я бы о том знал. Как не самое последнее лицо в существующей табели о рангах.

Такого шила в таком дырявом, как наше государство, мешке не утаишь!

Я думаю, вы перестарались. Я думаю, что ваши опасения сильно преувеличены.

Наемные следователи не обиделись на резкий тон. Они вообще не имели дурной привычки обижаться. Они сказали:

— Вначале мы подумали так же. Так же, как вы. Что невозможно спрятать организацию, если в ней числится больше чем два работника. Но потом вспомнили о царящем в нашей стране бардаке, под прикрытием которого, если умеючи, можно расквартировать целую вражескую армию, и вспомнили давние и устойчивые кулуарные шепотки о наличии в стране еще какой-то или каких-то специальных сил. И решили эти слухи проверить.

Мы побеседовали со своими коллегами. Со многими. С теми, что служили раньше, и с теми, что служат до сих пор. Мы задали им единственный вопрос — не ощущали ли они в своей деятельности присутствие какой-либо третьей силы? Многие сказали «нет», многие — «да» и кивнули на конкурентов из военной разведки или МВД. Мы нашли ветеранов ГРУ и МВД и сопоставили их воспоминания и узнали, что в тех операциях они никакого участия не принимали. И даже не знали о них.

Конкурентов не было, а противодействие было!

Тогда мы, под видом создания Фонда помощи ветеранам Безопасности, нашли и опросили наших людей на местах. Тех, что служили вдали от столицы. И там нам повезло больше. Мы нашли нескольких отставников, которые столкнулись с этой неизвестной силой впрямую. Что называется, нос к носу. И проиграли. И были отправлены на пенсию. Они не видели в лицо своих противников, но видели результаты их работы. Это была виртуозная работа. Но выходящая за рамки писаных государственных и неписаных для Безопасности законов. Это была работа людей, не связанных подотчетностью ни с Безопасностью, ни с ГРУ. Но это была работа профессионалов.

Таким образом мы смогли утвердиться в своих подозрениях...

— И все же я продолжаю сомневаться. Зачем государству еще одна Служба безопасности? Кроме уже существовавших и обладавших абсолютной властью.

— Потому что абсолютной властью они не обладали. Так как действовали в рамках закона. И в рамках подчиненности ЦК. Куда входило немало ответственных партийных работников. В том числе немало ответственных работников от союзных республик, с которыми тоже надо было работать.

Неужели вы всерьез думаете, что такой гигантской империей, как бывший Советский Союз, можно было управлять только легальными методами? Особенно на местах, где правили бал клановость, национализм и теневой капитал.

— Не хотите ли вы убедить меня в том, что Безопасность всегда чтила закон, как монашка божьи заповеди?

— Не всегда. Но как правило. Ведь она являлась государственным учреждением. В том числе подотчетным Прокуратуре. Она даже не имела права следить за членами Правительства...

— Как вы сказали?

— Когда?

— Вот только что. Буквально секунду назад.

— Что они не имели права следить за высшим руководством страны, так как...

— И сейчас не имеют?

— И сейчас не имеют.

— Так вот в чем дело... Послушайте, но кем в таком случае должна направляться подобная служба? Кто должен быть ее главным заказчиком?

— Только первое лицо государства.

— Только первое, — повторил, как эхо, Хозяин. — Все могут быть свободны. Пока.

— Но есть еще несколько соображений...

— Не надо соображений. Все, что мне нужно было услышать, я услышал. Спасибо.

Хозяин действительно услышал все — все, что ему требовалось. Все, что требовалось для начала гона.

Через хороших и хорошо прикармливаемых общих знакомых он вышел на руководителей охраны Президента. За обильными, уставленными водкой и икрой столами они рассказали много нового о нелегкой судьбе приближенных к главному телу телохранителей, о настроениях и капризах этого тела и еще о том, что не всегда, но случается — Президент оставляет свою охрану за порогом. И уходит на встречу один.

— С кем?

— А черт его знает. Мы не интересовались. Нам лишние вопросы задавать — себе вредить.

Отчего же такое исключение из раз и навсегда установленных правил? Как можно Президенту оставаться без охраны при личном разговоре с неизвестным визитером, когда даже при встрече с высшими руководителями страны, когда даже при совместном их посещении правительственного сортира он не остается без присмотра? Что, вернее сказать — кого он не хочет показывать телохранителям?

Этот вопрос стал центральным. На него следовало ответить, чего бы это ни стоило.

Через несколько дней на стол одного приближенного к Президенту помощника лег компромат. На него. Эту козырную карту Хозяин придерживал на самый крайний случай. И не собирался использовать в ближайшее время. Но использовал.

Помощник успел прочитать документы, но не успел ничего предпринять, потому что к нему в кабинет, через полчаса после того, как был вскрыт конверт, «случайно» зашел Хозяин.

— Переживаешь?
— По поводу чего?
— По поводу письма.
— Я не понимаю, о чем ты говоришь. Какого письма?
— Того, что прислал тебе я.
— Ты?!
— Я.

Помощник Президента не кричал, не топал ногами о ковер. Он был политиком и знал, что крик делу не поможник. Политические конкуренты — не уличные насильники, их на испуг не возьмешь. С ними нужно торговаться. По формуле: ты мне — я тебе и мы оба — ему.

— Что тебе нужно?
— Очень немного. Информацию об особой, дублирующей Безопасность спецслужбе. О внутренней разведке.
— Разведка не бывает внутренней. Разведка бывает только внешней.
— Я тоже так думал. До недавнего времени. Но теперь я узнал некоторые факты, заставляющие в этом усомниться.
— Что я получу взамен?
— Оригиналы интересующих тебя документов.
— Всех?

— Всех.

— Гарантии?

— Информация против конверта. Из рук в руки.

— Хорошо, я попробую для тебя что-нибудь сделать.

— Для себя сделать. Для себя!

Через три дня Хозяин знал то, что хотел знать.

Да, организация была. И одновременно ее не было. Потому что у нее не было ни вывески, ни зданий, ни постоянных телефонов и ответственных работников. Была куча периодически меняющихся подставных учреждений, через липовые счета которых она и субсидировалась. Организация подчинялась только лично главе государства (раньше Генсеку, теперь Президенту) или его доверенным лицам. Но даже глава государства не знал работников организации в лицо. С ним встречались только особые посредники, которые выслушивали задание и передавали его по инстанции. Президент не видел исполнителей и потому не мог вольно или невольно раскрыть их инкогнито. Но видел результаты их работы. Скорые и действенные.

Наверное, такое положение дел устраивало первое лицо страны. В неофициальной беседе с не раскрывавшим рта собеседником он высказывался о тревожащей его проблеме, и проблема переставала существовать. Иногда вместе с ее носителем. Это было удобно. И безответственно. Потому что никаких письменных приказов не отдавалось. И вообще никаких приказов не отдавалось. Разве только высказывалась озабоченность в присутствии частного, никого не представляющего лица.

Возможно, тот руководитель страны, который надумал создать подобную внегосударственную службу, знал больше. Но он давно умер. Остальные в подробности существования какой-то там специальной службы старались не вникать. Чтобы потом за ее деяния не отвечать.

— И что, эта служба никому не подчинена? Ни перед кем не отчитывается?

— Ни перед кем. Только перед Президентом. Или его доверенным лицом.

— И ее работа никогда не проверяется, никогда не ревизуется?

— Никогда.

— Но такого не может быть!

— Но есть!

— Значит — не должно быть!

И Хозяин сказал то, что от него меньше всего ожидали услышать. То, что он сам от себя не ожидал услышать.

— Мне необходимо стать доверенным лицом Президента. По проверке работы данной организации.

— Ты сошел с ума! Этот вопрос может решить только Президент. Сам. Лично!

— Ну что же. Если никто, кроме него...

— Но он его решать не станет!

— Почему?

— Потому что он Президент!

— Президент тоже человек. И еще должность! Выборная должность. И значит, ему нужна поддержка населения. И таких людей, как мы. Которые к этому населению на ступень ближе. И еще нужны средства. Помимо тех, что числятся на балансе государства. Потому что средства — это возможности. А возможности — власть.

— Ты предлагаешь мне...

— Я не предлагаю ничего криминального. Только проревизовать деятельность госструктуры, которую по нерадивости не проверяли со дня основания. Налогоплательщик должен знать, как тратятся его деньги. А Президент должен быть уверен, что в его епархии все благополучно. Не так ли?

— Президент не позволит сторонним лицам ревизовать службу, подчиненную лично ему.

— Тогда это помимо него сделают еще более посторонние лица. Например, ныне действующая законодательная власть. В порядке служебного расследования. Лучше мы, чем они.

— Вряд ли я смогу тебе помочь в этом вопросе.

— Я не прошу тебя помогать. Я прошу тебя донести мою мысль до Президента. Так донести, чтобы он принял единственно верное решение. Государственное решение. Так «да» или «нет»?

— Боюсь, что — нет. Я сделал все, что ты просил. И получил то, что мне за это причиталось. Мы в расчете.

— Уверен, что — да. Потому что это еще не расчет. Это только задаток. В данном конверте была лишь часть столь понравившихся тебе документов.

— Ты обещал, что они будут все.

— Обстоятельства изменились. Мне показалось, что запрашиваемая цена превышает реальную стоимость товара. Твой товар, судя по всему, достался тебе легче, чем мне оплата за него.

Извини. Но я не люблю переплачивать. Все документы ты получишь только после того, как выполнишь мою просьбу. И еще в качестве приварка получишь папочку с информацией на одного очень интересного тебе человечка. Нашего общего знакомого.

— Кого?

Хозяин написал на листке фамилию.

— Компенсация за наглость?

— Благодарность за участие.

— Я не уверен, что то, о чем ты просишь, может выгореть...

— Зато я уверен. Как утверждал основоположник, в том и уж тем более в ныне существующем бардаке и кухарка может стать премьер-министром. Если хорошо смазать бюрократическую машину. И знать, где и чем смазывать.

— И если есть, чем смазывать.

— За это пусть у тебя голова не болит. Действуй. А я, в свою очередь, попробую нажать с другой стороны.

— С какой еще стороны?

— С самой действенной. С тыльной.

И Хозяин собрал «авторитетов».

— Мне нужны подходы к Президенту.

— Ого! А к главному прокурору не требуются?

— Я серьезно. Серьезней, чем когда-либо.

— Откуда у нас, простых смертных, могут быть подходы к главе государства? Он с нами по одному делу не проходил, на одних нарах не парился.

— Но рос, учился, женился там же, где вы. И совершал те же ошибки. По молодости. Только потом ваши пути разошлись.

— Это верно.

— И еще у него есть дети, внуки и челядь. И они совершают ошибки. И у них есть свои пороки и свои проблемы.

— Опять верно.

— А главное, Президент, хоть он и Президент, играет в те же игры, что и все. Вынужден играть. Для того, чтобы удержаться у власти, ему нужны деньги. Неучтенные деньги. И очень большие деньги. А о том, где водятся не оприходованные государством большие и очень большие деньги, вы осведомлены лучше меня.

— И опять в точку. Поэтому перестанем играть втемную. Вскроем прикуп.

— Вскроем.

— Наверное, ты прав. Наверное, мы можем помочь тебе в поиске обходных тропинок к Президенту. В том числе и по нашим каналам. Например, через его «крышу».

— Чью «крышу»?

— Президента. Но скорее всего приближенных к нему людей.

От таких прямолинейных формулировок Хозяин слегка вздрогнул.

— Не дергайся. Сейчас у всех есть своя «крыша». Ну или, скажем, люди, которым можно доверять. С которыми можно посоветоваться. На силу, деньги и авторитет которых можно опереться в трудный момент. Мы знаем этих людей. И знаем людей, которым, в свою очередь, доверяют эти люди. А эти люди знают нас.

Мы готовы потолковать с ними. Но нужны встречные предложения. Те, что могут заинтересовать их. И тех, кто с ними сведет.

— Деньги?

— Нет, не деньги. То, что дороже денег. Связи. Информация. Свои люди на местах. И то, что помельче. Кредиты. Таможенные льготы. Налоговые послабления.

— Вы знаете возможности, которыми располагаю я.

— Знаем. Поэтому и разговариваем с тобой. С другим — зашили бы губы суровой ниткой.

— Где гарантии, что вы меня не прокинете?

— Наши гарантии — твоя беда. Мы тебе нужнее, чем ты — нам. Наверное, тебя очень допекло, раз ты бросаешься в такие опасные игры. Наверное, у тебя нет выбора. И значит, нет возможности торговаться.

Может быть, они и правы. Может быть, у меня действительно не осталось выбора, подумал Хозяин. Слишком далеко все зашло. Теперь остается только победить. А с ними можно будет разобраться после. Лишь бы дело выгорело...

Дело выгорело. Дотла.

Президент дал «добро» на проведение ревизии в подчиненной ему организации.

ГЛАВА 65

Такого в Конторе еще не случалось. В святая святых запускался посторонний чиновник. Пусть очень высокопоставленный чиновник. Но ПОСТОРОННИЙ. Который вообще не должен был знать, что Контора существует. Руководитель Конторы пытался возражать. Но его не слушали.

— У вас действительно ни разу не проверялась документация. У вас действительно не исключены финансовые и кадровые злоупотребления, — бубнил личный представитель Президента и прятал глазки.

— Но у нас не совсем обычное учреждение. И не совсем обычные кадры и финансы.

— Это ничего не значит. Работа любого государственного учреждения должна контролироваться. Так считает Президент.

— Я могу с ним встретиться?

— Пока это исключено. Но я передам ему вашу просьбу.

— Когда?

— Как только представится возможность...

Пробить бюрократическую броню было невозможно.

— На какой день назначена проверка?

— На завтра.

— Пытаетесь застать врасплох? Как проворовавшегося кладовщика.

— Никто никого, как вы изволите выражаться, не пытается застать врасплох. Это лишь плановая проверка...

Какая, к дьяволу, плановая? О плановых ревизиях любой проверяемый узнает за полгода до того, как ревизор на пороге шнурки завяжет. А эти спешат, как получивший очистительную клизму больной в кабинку больничного сортира. Нет, дело не в плановости и даже не в проверке. Дело в самом факте такой проверки. Видно, кто-то кого-то очень крепко ухватил за то самое, не при дамах будь сказано, место, если Президент решился пусть на частичное, но разглашение Тайны. Видно, то самое место тому самому Президенту в тиски завернули...

Кто? И по какому поводу?

Руководитель Конторы перебрал мысленно политиков и события последних дней. Нет, явных причин для проявления столь бурных реакций не было. Что же произошло? Что?

Трудно было это узнать, на то и существует Контора, чтобы раскрывать чужие тайны. Но... Президент не дал «добро» на расследование. Президент дал «добро» на совсем другое.

Президент не поставил на Контору.

Президент подставил Контору.

— Завтра в девять часов утра я представлю вас ответственному за ревизию человеку...

— Не мне представите. Посреднику. Меня лично вы

можете представить только Президенту. Или вашему преемнику.

— Хорошо. Завтра в девять я представлю Ревизору назначенного вами посредника. Надеюсь, у вас в процессе работы не возникнут проблемы, требующие моего или Президента вмешательства.

— Это будет зависеть от Ревизора.

— За Ревизора можете быть спокойны. До свидания.

— Прощайте.

ГЛАВА 66

В девять тридцать следующего дня Ревизор затребовал первый пакет документов. Перечень происшествий, повлекших гибель либо утрату трудоспособности работников организации за последние полтора года. И выбрал наугад одно. Последнее. О расстреле агента в подъезде жилого дома.

Только его.

— Мы предоставили объяснительные по настоящему делу, — сказал представитель Конторы.

— И тем не менее. Я бы не стал спрашивать вас о подробностях этого дела, если бы не особые обстоятельства. Затрагивающие интересы высшего руководства страны. Мне необходима встреча с непосредственными начальниками погибшего агента и агентами, курировавшими данную операцию.

— Это невозможно. Прямой контакт работников нашей организации с посторонними лицами допускается лишь в экстраординарных ситуациях...

— С которой мы и имеем дело, — нетерпеливо перебил Ревизор.

— И только по прямому указанию главы государства.

Посредник блефовал. Такого правила не существовало. Равно как и других писаных правил. Равно как и самой Конторы. Просто никогда и никто из высокопоставленного начальства на прямой контакт с непосредственными исполнителями выходить не пытался. Разве только с посредниками. Этот случай был первым и единственным.

— Но я уполномоченное Президентом лицо...

— Я знаю. Почему и нахожусь здесь. И готов ответить на все интересующие вас вопросы.

— Мне не нужны вы. Мне нужны разработчики и исполнители операции, повлекшей гибель агента. Мне поручено служебное расследование данного инцидента.

— Я могу запросить необходимую дополнительную информацию.

— Вы меня не понимаете. Или не хотите понять. Повторяю. Проваленная операция, равно как еще несколько проведенных до нее, задели интересы безопасности государства. Мне поручено ознакомиться с обстоятельствами дела. И дать по ним заключение. Получать объяснения от потенциально заинтересованных в сокрытии служебного неблагополучия начальников я не намерен. Я буду работать только с первоисточниками. Только с людьми, непосредственно исполняющими работу. Все ваши ссылки на невозможность организации таковых встреч я буду истолковывать как попытки сокрытия порочащей вашу организацию информации. Как саботаж. И буду ставить вопрос о правомочности существования вашей организации. С чем готов выйти на Президента. Если вы будете продолжать настаивать на его участии в деле...

Подобная постановка вопроса выглядела убедительно. И посредник вынужден был пойти на уступки.

— Хорошо. Я проконсультируюсь со своим непосредственным начальником. Определю время и место встречи. И доложу вам...

— Не позднее чем через два часа.

— Не позднее...

И посредник, как обещал, пересказал обстоятельства дела своему непосредственному начальнику. Слово в слово. Потому что на память не жаловался. Потому что служил в Конторе, где забывают только то, что лучше не помнить.

— Так вот, значит, откуда ветер дует, — кивнул Руководитель. — Вот где мы прокололись. Теперь они вцепятся мертвой хваткой. И не отпустят, пока мы не перестанем трепыхаться.

— Может, попытаться потянуть время?

— Нет. Время работает на них. И против нас. Придется приносить жертвы. Отдавать кусок, чтобы сохранить целое. Придется отдавать разработчика операции.

— Но это значит...

— Придется отдавать! У нас нет другого выхода, кроме как выполнять Его распоряжения. Как уполномоченного представителя Президента. Или мы накличем гораздо большую беду. Мы будем вынуждены отдать Ему то, о чем Он, по всей видимости, и так осведомлен. А вот все прочее. То, о чем он не знает...

Руководитель медлил с последним наставлением. Руководитель прокачивал в голове варианты действия. Десятки — в минуту. Их ближние, отдаленные и очень отдаленные последствия.

Позитивные.

Негативные.

Нейтральные.

Для Конторы.

Для него.

Для отдельных работников.

Для страны в целом...

— Поступим следующим образом: по линии расследуемого Ревизором вопроса — никаких препон чинить не будем. Чтобы не попасть в дурацкое положение. Мы не знаем степени его осведомленности. Что ему известно, а что нет. Но усердствовать в самокопании, подносить информацию на блюдечке с голубой каемочкой тоже не станем. Что вытянет — то его. Что упустит — наше.

Заостряйте его внимание на частностях. Путайте, топите в мелочах, во второстепенных деталях. Как можно больше деталей! Лучше всего скандальных деталей, за которые цепляется внимание. Глядишь — за мельтешней мелочовки он не разглядит главного.

А пока он барахтается в потоке вторичных фактов, мы будем подчищать хвосты. По основным четырем позициям: события, документы, финансы и люди.

На каждую определите по человеку.

События необходимо перетасовать таким образом, чтобы наша работа ушла в тень. Чтобы она выглядела второстепенной возней на фоне боевых успехов Безопасности и МВД. Лавровые венки победителей нам ни к чему. Если они оттягивают шею.

Документы...

— Документов у нас практически нет.

— Тогда они должны появиться. Потому что Он, как всякий государственный бюрократ, считает, что их не может не быть. В принципе. Там, где ведется хоть какая-нибудь работа, появляются горы бумаг. Если мы не хотим, чтобы нас посчитали лентяями, мы должны их представить.

Я не думаю, что Он серьезно полезет в архивы, но все же на этот случай оформите пару сотен килограммов типовой макулатуры. Ну там приказов, отчетов, объяснительных. Постарайтесь, чтобы после их прочтения у всякого человека сложилось впечатление, что наша организация сродни городскому архиву, где сотня покрытых мхом и плесенью архивариусов с утра до вечера ковыряется в истлевших бумажках. Мы только собираем информацию. Только собираем! И очень редко и лишь по прямому указанию Президента ввязываемся в реальные события. Но эти дела, естественно, можно отсматривать только с письменного разрешения Президента. Которое еще нужно получить... и верно оформить... и правильно обозвать архивное дело... и умудриться найти его в горе бумаг... Понятно?

— Понятно. Но такое количество бумаг мы оформить не успеем.

— Оформите, сколько успеете. Но обязательно на те, что успеете, навесьте гриф «Совершенно секретно». Остальные дайте списочным перечнем. Если он и начнет осмотр документов, то с самых секретных. А на простые даже внимания не обратит. Тем более пришел он сюда не за бумагами. А за головами.

Финансы. Реанимируйте документацию прикрытия. Если ее окажется мало — позаимствуйте готовые архивы в каких-нибудь прикрытых за ненадобностью ЖЭУ, СМУ, НИИ. Они ничем не будут отличаться от наших. Проще выправить документы, удостоверяющие личность на уже готовые командировки, чем рисовать печати городов на эти командировки.

Теперь люди...

Здесь Руководитель на мгновение запнулся. Люди были самым узким пунктом. Люди были носителями информации. Живыми носителями.

— В общем, так. Разработчика и задействованных в операции агентов выведите из всех дел.

— Из всех?

— Кроме того, которым они занимаются в настоящий момент. Если мы откажемся от разработки данной операции, то косвенным образом признаем свою вину.

Перепроверьте и перекроите под новые обстоятельства их официальные биографии и послужные списки. Отсмотрите контакты за последние пять лет. Бывших с ними в контакте сотрудников изолируйте, например, отослав в длительные командировки. Используемые шифры, пароли, адреса смените. И обязательно издайте приказ о наказании разработчиков операции.

— Но мы никогда не писали подобных приказов.

— Раньше нам и дураков-ревизоров не присылали. А теперь — вот он, в соседней комнате сидит. Сформулируйте приказ позаковыристей и посуровее. Завизируйте. Зарегистрируйте под каким-нибудь сто пятым номером. Вышестоящие органы должны видеть, что мы не щадим своих проштрафившихся работников.

— Может, проще сразу на... пенсию?

— Проще. Но хлопотней. Неожиданные... пенсии подотчетных лиц в процессе ревизии настораживают. И заставляют копать с утроенной энергией. Нет, до завершения расследования — никаких резких шагов не предпринимайте. Пусть все идет как идет. Всему свой срок и место...

Руководители Конторы говорили об очень страшном. И одновременно об очень простом. И само собой разумеющемся. В их среде. О том, как наилучшим образом уйти от севших на хвост преследователей. Как, пожертвовав многим, сохранить хоть что-то.

Они не были дорвавшимися до власти садистами-чиновниками, мечтающими только о том, чтобы перерезать глотку паре-тройке своих подчиненных. Они были «спецами», знавшими правила игры и подчинявшимися этим правилам. Находясь на боевом задании в тылу противника, раненых за собой не тащут. И не оставляют на поругание врагу. Контора во главе со своими командирами находилась в глубоком тылу. На территории собственной страны. И случились раненые. По собственной вине и халатности. Спасти их было нельзя. Но, спасая их, можно было угробить всех. И Дело. И удлинить срок их же мучений. Потому что, если дело дойдет до настоящего «потрошения», из плененных «языков» постараются вытрясти всю информацию. Вместе с внутренностями.

Несчастный случай для них был лучшим выходом из положения. Он вообще был лучшим выходом. Для всех. Но время несчастных случаев еще не пришло.

— Вторым эшелоном обороны подготовьте еще нескольких «мальчиков для битья». Которые пойдут вслед за разработчиком. Если ревизия затянется.

— А если ревизия затянется больше, чем на несколько «мальчиков»?

— Сомневаюсь. Эта проверка не похожа на плановое разрушение. Скорее на фрагментарный укус. Разведку боем. Но... Но все же на тот самый крайний случай продумайте шаги по полной эвакуации. Вплоть до самороспуска и чистки организации. Цель — сохранение Тайны. И сохранение наиболее ценных людей, спецтехники и спецсредств.

Если этому Президенту мы не нужны, дождемся следующего.

ГЛАВА 67

И встреча Ревизора с Шефом-куратором состоялась.

— Мне нужны все задействованные в операции исполнители, — потребовал Ревизор.

— Все исполнители погибли, — ответил Куратор.

— Как так все?.. Все до единого?

— Все. В лице того единственного агента.

— Он работал один?!

— Один.

Ревизор не поверил. В Безопасности к участию в операции подобного уровня были бы привлечены десятки специалистов. А здесь один-единственный агент. Все это попахивало в лучшем случае злостной халтурой.

— Мне необходимо познакомиться с деталями операции. В частности, с заданием, которое получил агент, с тем, что он успел в данном направлении сделать.

— Детали операции и методы, с помощью которых мы работаем, я раскрывать не имею права. Это наша кухня.

— На что же вы имеете право?

— Обрисовать общую событийную картину. Без оперативных подробностей.

— Какова была цель операции?

— Организация наблюдения за одним из членов Правительства.

— За каким?

— Этого я тоже сказать не могу. На разглашение имен я разрешения не получал. Это требует дополнительного согласования.

— За чем велось наблюдение?

— Не знаю. Нас не ставят в известность о целях той или иной работы. Нам формулируют конкретные тактические задачи. Которые мы выполняем. На этот раз — отследить все контакты объекта на протяжении месяца. И представить отчет.

— Почему эта работа была поручена именно вашей организации?

— Другие силовые структуры не имеют права вести разработку объектов подобного уровня...

Шефу-куратору очень не понравился высокопоставленный Инспектор. Прежде всего тем, что он обрекал его, Шефа-куратора, на скоропостижно-неизбежную пенсию. Засвеченный работник Конторы переставал быть работником Конторы. Засвеченный работник Конторы либо уходил в посредники, либо... уходил. Место посредника было занято. Значит, завершив все беседы, Шеф-куратор должен был скоро и неизбежно почить в отставку.

Шеф-куратор не догадывался, знал доподлинно, что, направив к нему Инспектора, его непосредственный Начальник тут же вычеркнул его из списков действующих работников Конторы. И переподчинил всех работавших с ним исполнителей. И направил их, от греха подальше, в неблизкие края. Если не на ту же пенсию. И провел еще целый ряд обязательных, как смена времен года, оргмероприятий, направленных на сохранение Тайны. На сохранение Конторы.

Гидра отбросила прищемленный хвост и отползла в нору зализывать полученную рану. Тем шевелящимся, привлекающим к себе внимание охотника и предназначенным для съедения хвостом стал он — Шеф-куратор.

С этой минуты вокруг него образуется информационный вакуум, мало чем отличающийся от последующей смерти.

Именно поэтому Шеф-куратор не испытывал приязни к своему собеседнику. И еще потому, что ему очень не нравились задаваемые им вопросы. Какие-то они были не совсем по исследуемой теме. Или его собеседник был очень далек от ведения следственных мероприятий и к тому же глуп. Или, наоборот, знал, что хотел. Но хотел не совсем того, зачем официально пришел.

— Что установило наблюдение за объектом?

— Не знаю. Вернее, знаю только половину. Агент погиб, не успев дать полный отчет.

— Вы считаете, его гибель связана с его работой?

— Впрямую — скорее всего нет. Косвенно — вполне вероятно.

Ревизор усмехнулся. Про себя. Он более чем кто-либо был осведомлен об этой косвенной связи.

— Какие выводы можно сделать из известной части наблюдений?

— Мы не делали выводов. Мы только наблюдали.

— А вы лично? У вас может быть личное мнение по данному вопросу? Что вы можете сказать?

— О моем личном мнении вам лучше спросить моего вышестоящего начальника.

Ревизор поморщился. Какими-то они оказались совсем простыми, эти таинственные суперагенты. Как пряжка солдатского ремня. Он ожидал встретить более гибких противников.

Впрочем, наверное, именно такие Президенту и его окружению и нужны. Удобные. Абсолютно подчиняющиеся приказу. Не задающие лишних вопросов, понимающие ровно столько, сколько им надлежит понимать. Хорошо натренированные руки и ноги. Без головы.

— Я могу ознакомиться с данными наблюдений?

— Только в общих чертах.

Чего же он добивается, этот холеный Очень Большой Начальник? Что хочет узнать? Причины гибели агента? Тогда почему он спрашивает не о деталях, сопутствовавших его гибели, а все больше о характере его работы? И почему вдруг смерть рядового работника всколыхнула такие верхи? Как будто их раньше не случалось. Или она всколыхнула не все верхи, а только отдельных ее представителей? Только вот этого Очень Большого Начальника? Выполняющего роль Ревизора.

— Проводилось ли служебное расследование по данному происшествию?

— Проводится в настоящий момент.

— Все еще?

— Все еще.

— Кем?

— Мною.

Здесь Куратор солгал. Расследование проводилось не им. Вернее, не только им. Уже работал, уже шел по следу еще один сорванный с места Резидент. И его поиск уже дал результат. Правда, совершенно не тот, что ожидал получить Шеф-куратор.

— Убийцы установлены?

— Пока нет.

— Почему?

— Имеющегося в нашем распоряжении материала недостаточно для того, чтобы делать окончательные выводы.

— Недостаточно материала? О чем вы говорите? Есть гильзы. Есть кровь. Есть свидетельские показания. Люди видели нападавших, выносивших из подъезда тело своего погибшего напарника. Они видели преступников. Да любому районному следователю хватило бы этих улик, чтобы...

А откуда он знает, что преступники выносили труп? А не потерявшего сознание напарника? Этих сведений не было в деле. Об этом знал, вернее — об этом догадывался по характеру удара только Шеф-куратор.

— Я буду настаивать на том, чтобы были сняты все информационные ограничения, чтобы мне были предоставлены все сведения, касающиеся настоящего дела...

Нет, но все же очень интересно, откуда он знает, что четвертый нападавший был убит? Если, конечно, он не оговорился.

Если, конечно, не оговорился...

А если не оговорился, то почему его так заинтересовала гибель неизвестного ему агента?

И результаты проведенной им работы?

И методы этой работы?

И откуда он вообще взялся, этот Ревизор? Каким образом получил доступ к святая святых, к пока еще живому работнику Конторы? Которого, сам того не подозревая, своим визитом обрек на чистку.

Занятная может выковаться цепочка, если все разрозненные звенья сцепить воедино. И если не побояться сделать вывод. Факты, о которых не должно было быть известно, узконаправленный интерес, личность Ревизора, сама по себе ревизия...

Может, доложить о своих соображениях по инстанции? Впрочем, нет. В данной ситуации начальство никак на это сообщение не прореагирует. Ни в сторону «да». Ни в сторону «нет». Вплоть до завершения ревизии. А после завершения ревизии уже будет все равно. Может, с этим разобраться в порядке предпенсионного трудового аккорда? Раз терять уже нечего.

Если половить в мутной воде жирную рыбу? Кто за это спросит сверх того, за что все равно спросит?..

Если...

На этот раз Шеф-куратор изменил правилам конспирации в пользу правил хорошего тона. Он не стал уходить, не попрощавшись. Он сопроводил своего высокого гостя до самой двери. До двери его резиденции. И постоял возле нее некоторое время. Двадцать пять часов. И увидел то, что не ожидал и одновременно предполагал увидеть. Убийц первого Резидента. Тех, которых он опознал по словесному портрету.

И соединил звенья в цепь.

И сделал вывод.

Резидента убили служки Очень Большого Начальника.

Резидента убил Очень Большой Начальник! Назначенный Президентом Ревизор Конторы!

Дальше ехать было некуда! Дальше была пропасть!

ГЛАВА 68

— Я должен знать об этом человеке все! Куда он ходил, где спал, что ел, какой посещал туалет и с кем там встречался, — приказал Хозяин референту-телохранителю. — Я должен быть осведомлен о каждом его шаге и каждом вздохе.

— Это невозможно.

— Почему?

— Потому что он профессионал и срисует нашу любительскую слежку в первые пять минут. «Спецу» должен противостоять «спец». Или очень масштабная слежка. Такая, когда лица встретившихся ему прохожих не повторяются. Ни разу.

— Но это...

— Это означает привлечение к работе сотен специалистов. Которым нужно за эту работу платить. Платить сообразно с их квалификацией.

— Деньги меня не волнуют.

— Но это потребует очень больших денег.

— Значит, я найду очень большие деньги. Экономить в подобного рода делах глупо. Лучше снять с себя и продать последнюю рубашку.

Этот действительно снимет и действительно продаст, подумал про себя референт-телохранитель. Но не с себя, с ближнего.

Слежка началась.

Кроме постоянно сменяемой бригады «топтунов», вооруженных первоклассной следящей техникой, к работе были привлечены несколько специалистов-аналитиков. Они осмысливали всю получаемую от шпиков информацию. Где и предположительно зачем объект появлялся в городе, особенно где появлялся более двух раз, где останавливался, с кем разговаривал, что и зачем покупал... Они вычерчивали карты его ежедневных маршрутов и накладывали их друг на друга.

Только они знали об объекте все.

Так стал понятен вектор интереса объекта. Так были вычислены люди, с которыми он контактировал. Так под колпак слежки попал ведущий расследование Резидент.

И все же «топтуны», аналитики и руководивший слежкой референт-телохранитель знали не все. Они не знали, что через три недели после ее начала Шеф-куратор вычислил слежку. Но изменить что-либо было уже нельзя. Он, сам того не подозревая, подставил под удар подчиненных ему людей.

Бежать было поздно и некуда. Обращаться за помощью Конторы — невозможно. Он был уже списан в тираж. Он доживал свои последние рабочие месяцы.

Единственное, что ему оставалось, это продолжать жить как жил. И по возможности вывести из-под удара не безразличных ему людей. А это было возможно только в двух случаях — найти силу сильнее нападавшей силы и... подставиться под удар. Собственной головой.

Кто мог быть сильнее Очень Большого Начальника? Только равный ему или превосходящий его по положению человек. Кого из них знал Шеф-куратор настолько, чтобы обратиться за помощью? Только одного. Того, за которым наблюдали погибший и вставший на его место пока еще живой Резидент. С этим Начальником он мог попробовать договориться с помощью имеющегося у него в распоряжении компромата. Очень зыбкого, очень косвенного, но все же компромата. В любом случае этот был предпочтительней другого. Того, который убивал Резидентов...

И было еще одно обстоятельство, говорящее в пользу данного выбора. Скрытый конфликт первого Начальника со вторым. И очень сильная заинтересованность второго — первым. Обратившись просто в Правительство, можно было напороться на покровителей липового Ревизора. И задарма сложить буйну голову. В этом случае подобная ошибка была исключена. Первый начальник не был другом второму и, значит, мог быть другом Шефу-куратору. В разведке отношения чаще всего строятся именно по этому принципу: дружат не с кем-нибудь, а против кого-нибудь, а потом с кем-нибудь третьим против бывшего друга.

Шеф-куратор встретился с членом Правительства. И выложил ему все, что о нем думает. Совсем Большой Начальник не испугался, не попытался выторговать или выбить силой опасный для себя компромат, чем очень удивил Куратора. Он попросил продолжить исследования, обещав всяческую от себя поддержку! Это было непонятно. Но это было на руку. Группа Шефа-куратора обрела очень высокого покровителя. Того, которого интересовал результат исследований, а не личности работников.

Шеф-куратор развернул бурную деятельность, девяносто процентов которой было направлено на отвлечение сил противника. На отвлечение этих сил на себя. И когда эти силы повели планомерное наступление на липовую, размещенную в шикарном особняке компьютерную базу, Шеф-куратор очень обрадовался. И покончил с собой, выбив из цепочки звено, которое вело к его группе. Выбив себя. Ему очень повезло, Шефу-куратору, он умер не от наиболее часто встречающегося в Конторе диагноза «пенсия», не в результате случайного кирпича в темечко — в бою, в прикрытии своих уходящих от погони товарищей.

Резидент остался один.

И Хозяин остался один. Но с очень горячим желанием продолжить столь внезапно оборвавшееся знакомство. При любой представившейся возможности.

И такая возможность представилась.

Резидент вышел на членов Правительства с краткой информацией по имеющемуся в его распоряжении материалу. Правители материал не заметили. Вернее, постарались не заметить. Но его не пропустил Хозяин.

— Найдите мне его любой ценой! — потребовал он у референта-телохранителя. — Мы не можем бросать дело на полпути. Тем более что оно приобрело такой интересный поворот.

— Мы ищем. У всех наших людей есть его портрет и описание. Но они очень квалифицированно обрубили хвосты.

— Значит, ищите его как-нибудь иначе.

— Ищем.

— Как?

— По аналогии. Теперь мы знаем направленность информации, которая его интересовала. И технику, которую он предположительно при этом использовал.

— И что?

— Пока ничего. Но рано или поздно наши пути пересекутся.

— Лучше рано. Для вас лучше!

Первыми погоню на прямой след вывели аналитики.

— При сборе подобного рода сведений он не мог обойтись без квалифицированного программиста-взломщика.

— Почему?

— Потому что эти сведения в большинстве случаев защищены паролями. Которые надо было взламывать.

— Насколько серьезная квалификация должна быть у такого взломщика?

— Очень высокая.

Референт-телохранитель начал поиск специалистов. Их оказалось даже меньше, чем он предполагал. Их оказались единицы. Подавляющее большинство которых работали в Безопасности. Или сидели по тюрьмам.

— За своих мы ручаемся, — сказали его бывшие коллеги по цеху разведки. — А вот за тех, что сидят, ничего сказать не можем.

Референт обратился к Хозяину. Тот к «авторитетам».

— Зоны неблизки. Вокруг зон высокий забор. А сверху забора сидят вертухаи.

— Но в заборах есть дыры. А вертухаям холодно и одиноко.

— Твоя правда. Кого мы должны найти?

— Всех специалистов по компьютерному взлому.

— О чем у них спросить?

— Об их дружках, оставшихся на воле. У тех, кто сел недавно, — вот об этом человеке.

Хозяин передал «авторитетам» портрет Резидента. Нужный ответ пришел неожиданно быстро. Несколько месяцев назад из одной северной зоны совершил побег заключенный. Сидевший как раз за такое преступление. За взлом паролей в банках.

Референт-телохранитель запросил подробности побега. И понял, что попал в точку. Так умыкнуть нужного зэка с зоны мог только очень опытный человек. И очень талантливый. Примерно такой, с каким им приходилось иметь дело.

— Установите адрес беглеца и адреса всех его друзей, подруг, однокашников и приятелей по ближайшей пивной. И все телефоны. И организуйте за ними наблюдение. Возможно, он захочет приехать к ним в гости. Или хотя бы позвонить.

— Как долго держать наблюдение?

— До его приезда или звонка. Или до смерти этих приятелей.

Звонок раздался через три месяца. Сбежавший зэк позвонил домой. Маме. Чтобы сообщить, что он жив-здоров.

— Откуда был звонок? — спросил референт-телохранитель.

— Из Африки.

— Откуда?!!

— Из Африки. Вот страна, вот город, вот номер телефона.

В далекую африканскую страну вылетела группа богатых, желавших потешить себя экзотикой туристов. Надоели им Багамы да Канары. Захотелось чего-нибудь необычного. И не обязательно комфортного.

Они отыскали телефон, с которого звонил незнакомец. И отыскали этого незнакомца.

А еще спустя неделю зэк-эмигрант был возвращен на свою историческую родину. По собственной, обращенной в посольство России просьбе. Которую поразительно быстро удовлетворили.

Терпкий дух африканской саванны сменился привычным зловонием отечественной тюремной параши. В мгновение ока.

Оглушенный столь быстрыми переменами в своей судьбе, беглый зэк долго не упирался. И рассказал все. ВСЕ!

Хозяин не поверил его рассказу. Слишком фантастично он звучал. Он решил, что беглец просто испугался и с испугу нагородил всякую околесицу.

— Поговорите с ним, используя ваши методы, — приказал он референту-телохранителю.

— Все методы?

— Все! Но так, чтобы он остался дееспособен.

К бывшему беглецу применили ВСЕ методы дознания. Но он не изменил своих показаний.

— Мне кажется, он говорит правду, — доложил референт-телохранитель.

Хозяин взглянул на него с подозрением.

— То есть вы хотите убедить меня в том, что все, что он здесь наговорил, имело место в действительности?

— Да.

— Тогда вот что. Предоставьте ему все требуемое оборудование, и пусть он повторит свой компьютерный путь.

Но беглый зэк не смог повторить свой прежний путь. Потому что в конце этого пути наткнулся на пустоту. Он мог одолеть любые компьютерные препятствия, но не мог одолеть их отсутствия. Замки, которых нет, не способен взломать даже самый квалифицированный «медвежатник».

— Я ничего не могу сделать, — признался он.

— Почему?

— Потому что компьютерная цепочка распалась. И никуда не ведет.

— Тогда найдите ваших друзей. Которые были там, куда вы не можете попасть сейчас. Это последний ваш шанс.

— Как я их могу найти? Ведь я не знаю их адреса.

— Но вы знаете адреса, которые их интересуют. И на которые они могут выйти. Ловите их там. Если, конечно, все, что вы мне тут рассказали, не блеф. Если вы их не найдете, мы вынуждены будем снова допросить вас. Чтобы узнать правду.

— Я их найду, — твердо пообещал враз побледневший и покрывшийся холодной испариной зэк. — Обязательно найду! Обязательно!!

И он нашел их. Нашел и скачал большую часть заключенной в памяти машины информации, потому что лучше, чем кто-либо, знал пароли, блокировавшие подходы к ней.

Хозяин отсмотрел распечатанный материал. И понял, что привезенный из жарких стран заключенный не лгал.

— Что с ним теперь делать? — спросил референт-телохранитель. — Отправить обратно в Африку или убрать?

— Беречь как зеницу ока! И обеспечить максимально комфортную жизнь. Дайте ему все, что он пожелает, — еду, выпивку, девочек. Все. Он мне теперь важнее всех вас, вместе взятых. За его доброе расположение духа отвечаете лично вы.

Хозяин понял, какой бриллиант свалился ему на ладони. И еще понял, чего ему не хватало, чтобы получить неограниченную на одной шестой части суши власть.

Ему не хватало самой малости — мозгов. Лучших мозгов мира! Теперь он получил их, пусть даже ценой двойного воровства. И без их прямого согласия. Эти мозги отыскал и их работу оплатил другой человек, живущий в доме с белыми колоннами, стоящем на далеком холме. Но он отыскал их, сам того не подозревая, для него — для Хозяина.

Теперь Хозяину не надо было ничего придумывать. Теперь ему довольно было лишь выполнять. Чужие, идеально пригнанные к существующей ситуации, рекомендации. Он только поменял имена главных героев гениально написанной пьесы. Он поменял их на свое имя!

Единственно, что омрачало его победу и портило ему настроение, — присутствие где-то здесь, в этом городе, может быть, в десяти, может быть, в двух кварталах от него, еще двух людей, обладавших точно такой же и даже большей информацией. Не отыскав их, он рисковал в любое следующее мгновение получить себе в противники еще одного, действующего точно по таким же лекалам, конкурента. Если бы они, к примеру, надумали продать кому-нибудь свой пакет документов.

Хозяин снова вызвал референта-телохранителя.

— Сколько помощников вам необходимо, чтобы найти в городе двух известных нам людей?

— Как быстро нужно их найти?

— Лучше мгновенно.

— Мне не требуется много помощников. Мне требуется очень много денег.

— Очень много у меня уже нет.

— Тогда много. И продление сроков поиска.

Референт-телохранитель получил деньги. И нанял на них дворников. Всех дворников всех городских дворов.

— Вы должны сообщить мне о всех появившихся в

ваших домах новых жильцах, о всех приехавших на время гостях, о сдаваемых внаем комнатах, о людях, втаскивающих в подъезд громоздкие сумки и коробки, и вообще о всех незнакомцах, впервые попавших вам на глаза. За каждого из них я буду платить вам пособие в размере одной пятой вашего оклада. А за опознание вот этих двух личностей — сто окладов единовременно.

— Они что, преступники? — спрашивал каждый из дворников.

— Да, они преступники.

— А какие преступления они совершают?

— Они насилуют и убивают дворников.

Поступающий объем информации был огромен. Деньги разлетались, как осенние листья под ураганным ветром. Бригады шпиков-опознавателей не вылезали из машин, подобно шахтерам-рекордсменам из забоя. Но облава дала результаты. Она не могла не дать результатов. Когда чешешь мелким гребнем, рано или поздно вычешешь даже самую мелкую и верткую вошь.

— Я узнал показанные вами рисунки, — сообщил очередной дворник. — Я видел их в своем дворе.

— Когда видели?

— Десять минут назад.

На место выехала одна из групп захвата. Но захватить она смогла только компьютеры. Единственный бывший в помещении жилец погиб, попытавшись завязать драку.

— Что делать со вторым? — спросил по радиотелефону руководитель группы. — Попробовать взять живым? Или...

— Ни то ни другое. Отпустить. С миром, — сказал референт-телохранитель.

— Отпустить?

— Да. Отпустить. И отследить его маршрут. Он должен вывести на тайник. С дубликатом информации. Я высылаю вам помощь.

И второго жильца отпустили. Но проследить не смогли. Потому что он пришел и ушел раньше, чем прибыла помощь.

Он снова ушел!

Хозяин внимательно выслушал доклад об очередной неудаче и, вопреки ожиданиям, не разозлился.

— Черт с ним! Словим его чуть позже.

— Когда?

— Когда он придет к нам в гости.

— А он придет?

— Придет. Обязательно придет. Теперь все его дороги ведут к нам. Только постарайтесь не упустить его в собственном доме...

ЧАСТЬ VI

ГЛАВА 69

Передо мной стоял Козловский-Баранников. Это не мог быть он. Но это был он. Собственной персоной. Не в далекой жаркой Африке. Перед моими глазами.

— Ты?! — только и мог сказать я.

— Я, — опустил глаза Козловский-Баранников.

— Как ты здесь оказался?

— Об этом надо спросить у нас, — встрял в беседу Хозяин кабинета. — Это мы вызволили его из дальней командировки. Из той, куда вы его направили. Негоже разбрасываться подобными кадрами направо и налево. Непатриотично.

Козловский-Баранников молчал, уперев взор в пол. Он напоминал ученика, разбившего в школьном туалете стекло и приглашенного по этому поводу в директорский кабинет. Но он не разбивал стекла...

— Вы все еще требуете назвать вам пароли? — спросил Очень Большой Начальник.

— Уже нет. Мне все ясно.

Я отвернулся от своего бывшего подчиненного.

— Так получилось. Я не думал, — тихо бубнил под нос Козловский. — Я не хотел.

— У вас есть еще какие-то вопросы?

— Один.

— Какой?

— Как вы собираетесь использовать полученную информацию?

— По прямому назначению.

— Будете работать на них? — кивнул я куда-то в сторону.

— Нет. Буду работать на себя. По добытым с вашей помощью рецептам. Ведь «их» уже нет. После вашего грозного предупреждения они так испугались, что свернули все программы.

Я напрягся. Кажется, они знали больше, чем я предполагал. Кажется, они знали о моем разговоре с Главным Заказчиком. Возможно, именно во время него они влезли в память компьютера. Или...

— Я не понимаю, о чем вы говорите.

— Я говорю о том, о чем вы думаете. И что боитесь услышать. Но услышите. Через мгновение.

— Что я могу услышать такого, чего не знаю?

— Например, то, что никакого Президента не было. И вашего обращения к нему не было. И разговора между ним и вами тоже не было. И вы никого ни от чего не удержали...

— Как не было?

— Не было!

Я так растерялся, что даже перестал изображать недоумение.

— Не было. Не было! Вы, конечно, хотите возразить? Хотите спросить, с кем вы тогда разговаривали, если не с Президентом?

Я обреченно молчал.

— Отвечаю. Вы разговаривали с нами. Вернее, с вашим африканским приятелем. Вот такая печальная промашка. А вы думали, что забрались в заоблачные высоты власти? Вы думали, ухватили за хвост жар-птицу? Нет, это был лишь облезлый хвост вашего бывшего коллеги. Вы метали бисер перед... Баранниковым.

Я молчал.

Чтобы не кричать от бессилия.

— Мне была забавна ваша самолюбивая уверенность. И была смешна ваша слепота. Гордая слепота верящего в свою непогрешимость автора. Творца. Ваше самолюбие сыграло с вами дурную шутку.

Вы набирали старый адрес, даже не задумываясь о том, что он мог смениться. И убеждались, что он не сменился. И попадали к нам. Потому что тот адрес стал нашим адресом. Приманкой, на которую вы не могли не клюнуть. Первым же набором цифр вы выдали себя с потрохами. Если бы не ваша любовь к обращению в вышестоящие инстанции, мы бы не вычислили вас никогда.

— Это ты назвал им компьютерные адреса? Ты?!

Так и не поднявший головы, Козловский-Баранников кивнул.

— Зачем?

— Они меня били.

— Битье еще не повод для предательства.

— Не нападайте на своего приятеля. Он действительно большой умница. Хотел бы я увидеть ваши физиономии, когда вы взламывали пароли на... наших компьютерах. Наверное, вы напоминали Наполеона при Аустерлице? Или Кутузова при Бородино?

— Может, хватит паясничать? — резко сказал я.

Похоже, Очень Большой Начальник отвык от подобного обращения, потому что слегка напрягся.

— Хорошо, согласен, я проиграл. Но вы-то чего добились?

— Пока немногого. Но скоро — всего. Я являюсь монопольным обладателем товара, с помощью которого не достигнуть желаемого может только хронический лентяй. Или непроходимый тупица. Я не тупица и не лентяй. Я имею союзников. И деньги...

— Хотите стать тем самым диктатором?

— Не хочу — буду!

— А вы уверены, что вы единственный претендент на престол? И единственный обладатель той самой информации? Что больше ее ни у кого нет?

— Больше ни у кого. Только у разработчиков, у меня вот в этом компьютере и у вас в неизвестном мне месте.

Разработчики — не в счет, они, как мне кажется, свернули работу. Возможно, после вашего проникновения в архив. Возможно, после смены политического курса или смены Главного Хозяина. Но это их проблемы. Я столь непросто доставшейся мне информацией делиться ни с кем не намерен.

А что касается вас... то вас на этом свете уже практически нет. Если, конечно, мы...

— Что мы?

— Если мы не столкуемся. Ведь вам как соавтору данной программы, наверное, небезынтересно увидеть ее в действии? А я, смею вас уверить, ничуть не худший правитель, чем ныне существующий. И умею ценить преданных помощников. Ну?

— Что «ну»?

— Вы принимаете мое предложение?

— Мне надо подумать.

— Думайте. Но не больше, — Хозяин кабинета взглянул на часы, — пятнадцати минут. На шестнадцатой мы будем вынуждены расстаться. Навсегда. У меня назначена встреча...

Значит, у меня пятнадцать минут. На все. На решение. На жизнь. И на смерть.

Четырнадцать...

Умнее всего мне было бы согласиться. Не все ли равно, кто стоит у руля государства. Все они еще те капитаны.

Глупее всего было продолжать воплощать в жизнь мой первоначальный план. В свете вновь открывшихся и все поставивших с ног на голову фактов.

Тринадцать...

В первом случае меня ожидает безбедная жизнь. Во втором просто жизнь. Если очень повезет. А если нет?

Если принимать предложение — то сейчас.

Если отказываться — тоже сейчас. Позже будет поздно.

Двенадцать...

Я огляделся по сторонам.

Сбоку недвижимо замершей гипсовой фигурой «Девушка с веслом» стоял охранник. С упертым мне в глаза пистолетом. С другого боку — Козловский-Баранников. Спереди, в кресле, возлежал Очень Большой Начальник. С самодовольным выражением на лице. Ничуть не менее опасным, чем пистолет охранника.

Нет, в первом случае мне, кажется, тоже ничего не светит. С такими рожами в благородство не играют и кодекс чести не чтут. С такими рожами вначале берут все что надо, а потом все равно отправляют к праотцам. Я жив, пока ему нужен. А нужен я ему буду очень недолго.

То есть и в том и в другом случае меня ждет смерть. Если без иллюзий и самообманов. Только в первом — путем предательства. Во втором — драки. В драке помирать как-то предпочтительней. Потому что с куражом и надеждой на спасение.

Одиннадцать...

Я еще раз осмотрелся. Но уже совсем с другими целями. Практическими.

Все те же: охранник, Козловский-Баранников и Большой Начальник. Три человека.

В бою шансы почти равные. Спец против спеца. Остальные не в счет. Но вот что ждет меня за дверью? В незнакомом, напичканном охраной здании...

Допустим, я завалю охранника. И смогу убедить не поднимать с полчаса шум Хозяина кабинета и Козловского. А дальше? Открою дверь и попрошу проходящего мимо боевика проводить меня до входной двери? Так не проводит.

Может, выпрыгнуть из окна?

Нет, не выпрыгнуть. Окна здесь наверняка или зарешечены, или закрыты бронированным стеклом. И потом, где эти окна? И на каком они расположены этаже? И куда выходят? И что находится под ними?

Ладно, проехали.

Десять...

А если взять в заложники этого самого Начальника? И потребовать к подъезду самолет до Израиля, миллион долларов, ящик пива и бортпроводницу?

Поднимут на уши всю Безопасность, человек-то не из последних, и по-тихому пристрелят где-нибудь на подходах к трапу. Я даже пиво вскрыть не успею.

Проехали.

Девять...

Тогда вернемся к изначальному плану. К тому, которым я руководствовался вначале. В начале своего к ним визита. Что мне мешает воплотить его в жизнь? Мое опознание? Но я был к нему готов. Переход в незнакомое мне здание и по этой причине невозможность самостоятельного из него выхода? Это да. Это решающий аргумент против... А почему мне обязательно нужно выходить из него самостоятельно?

Я снова взглянул на уже известную мне троицу. И снова другими глазами. А почему бы, собственно, и нет?

Восемь...

Восемь минут на все про все!

— Я согласен! — сказал я.

Очень Большой Начальник расплылся в довольной улыбке. Он был уверен в моем положительном решении и получил его. И иначе быть не могло. Кто согласится предпочесть небытие — жизни? Сладкой жизни. Хоть и короткой.

Дрогнул пистолетом охранник. Он тоже ждал моего решения. И теперь слегка расслабился. Теперь он мог позволить себе расслабиться. Теперь я был почти своим. Которого завтра придется охранять.

Обрадовался Козловский-Баранников. Искренне. Просто как дитя, получившее килограмм шоколада. И даже не столько моему уравнивающему меня с ним предательству. Просто тому, что мы будем вместе. Что ему будет с кем общаться...

Семь минут...

Поспешили Начальник, охранник и Козловский-Баранников. С выводами поспешили.

— Я согласен. Но хотел бы уточнить детали договора. По разделу моих требований.

— Могли бы вы изложить их письменно?

— Мог бы.

Шесть минут...

Хозяин кивнул охраннику. Охранник, стволом пистолета, мне. Я подошел к стоящему у стены столику. Который давал мне гораздо больше оперативной инициативы.

— Вот ручка, вот бумага.

— А наручники? — показал я.

— Пока придется в них.

— Мне же неудобно.

Охранник пожал плечами. Я взял ручку в правую руку.

— Писать все?

— Все.

— Все-все?

— Все, что хотите.

И я выписал пункт первый — хорошее питание.

Мне было все равно, о чем писать. Лишь бы писать.

Пункт второй — хорошая выпивка.

Пять минут...

Хозяин кабинета начал собираться. Он надел висящий на спинке кресла пиджак. Пролистал свою записную книжку. Набрал какой-то номер телефона.

Четыре...

— Да. Да. Скоро буду. Но вначале заеду еще в одно место. Да. Да...

Три...

— Машину к подъезду? — спросил охранник.

— К подъезду.

Охранник, не отрывая от меня глаз и дула пистолета, отдал распоряжения по переносной радиостанции.

Две...

— Вы тут теперь сами. Без меня... Добро? — сказал Очень Большой Начальник.

— Добро, — ответил охранник. — Когда вы вернетесь?

— Часа через два. Он как раз успеет закончить свой список.

И Хозяин кабинета пошел к выходу. Мимо меня.

Очень зря, что мимо. Ему меня надо было обходить за версту.

— Вот черт! — выругался я, случайно уронив на пол авторучку. — Неудобно писать в наручниках, — и, извинившись, стал ее поднимать.

Очень Большой Начальник на мгновение замедлил свой шаг. Любой бы замедлил шаг, увидев перед собой стоящего на коленях человека. И он замедлил.

Охранник среагировал первым. Но уже не вовремя. Он тоже поверил в естественность моего жеста, а когда спохватился, было уже поздно. Совсем поздно! Между дулом его пистолета и его потенциальным врагом оказался его Хозяин.

Охранника подвела всепоглощающая любовь к начальству. И вбитые в мозжечок инстинкты телохранителя. Он слишком много внимания уделил перемещающейся в пространстве фигуре своего подопечного. И упустил мою.

Я развернул Очень Большого Начальника лицом к пистолету и надавил замком наручников на горло. Он захрипел.

— Опусти «пушку» на пол, — очень вежливо попросил я охранника. — Сцепи руки на затылке. И подойди ко мне спиной. Пока у твоего шефа кислород не кончился.

Охранник положил под ноги пистолет и медленно попятился в мою сторону. Теперь он был настороже. Но теперь быть настороже было бессмысленно. Свой бой он уже проиграл.

Но сейчас непременно попытается отыграть очки. Костяшками левой руки в висок. Или каблуком — в голень. Или проделать какой-нибудь другой подобный пируэт. Но сейчас — не тогда, не в комнате, где меня повязали. Сейчас у него этот номер не пройдет. Сейчас игра в поддавки кончена.

Я не стал искушать судьбу. И как только охранник приблизился ко мне на достаточное расстояние, за секунду до его встречного выпада ударил носком ботинка в шею. Не очень сильно. Чтобы не убить. Но так, чтобы отключить. На время.

Охранник охнул и упал.

Хозяин вдохнул воздух.

— Дурак ты! — хрипло сказал он. — Теперь мы будем торговаться с тобой на совсем других условиях.

— На каких?

— Просто на жизнь. Без излишеств.

— Но пока за горло держу я вас. А не вы меня.

— Это временное преимущество. Скоро все изменится.

— А это как получится...

За моей спиной тяжело дышал Козловский-Баранников.

Я подобрал уроненный охранником пистолет и открыл вытащенным из кармана его пиджака ключом наручники:

— Слышь, Козловский! Где у них тут главный компьютер? — спросил я, вставляя в ручку двери ножку стула. Дверь была добротная, дубовая, рассчитанная минут на десять активного натиска превосходящих сил противника.

— Главного компьютера нет. Он в сейфе, в соседнем помещении. Здесь только клавиатура, дисковод и монитор, — отозвался Очень Большой Начальник. — Увы. Для тебя увы.

— А где ключ от сейфа?

— Тоже не у меня. И тоже в сейфе.

— Тогда придется обходиться одним дисководом.

— Зачем тебе дисковод? — чуть насмешливо спросил Начальник.

— Например, чтобы стереть всю информацию. К чертовой матери! На правах авторского надзора.

— У тебя ничего не получится. У тебя не получится даже войти в систему.

— У меня — нет. У него получится, — кивнул я на Козловского-Баранникова. — Давай запускай.

Баранников не тронулся с места.

— И помни об инвентарном номере на пустой могиле. На твоей могиле.

И я показал Баранникову пистолет. Вблизи. И со стороны дула.

Он зажмурил глаза и подошел к монитору.

— Входи в систему.

— Я не могу. Здесь установлены пароли.

— Баранников! — Я посмотрел на него с некоторым даже удивлением. — Тебе ли говорить о паролях? И мне ли, который осведомлен о твоих способностях лучше, чем кто-нибудь? Взламывай защиту!

— На это потребуется время, — пролепетал Баранников, косясь на Хозяина кабинета. Он все еще не понял, кого ему надо было бояться больше. Его все еще парализовывал страх. Который можно было выбить только более сильным страхом.

— Десять минут! — сказал я и сильно, по-настоящему сильно, несколько раз ударил его по лицу. До крови.

Я не испытывал угрызений совести. Мой бывший коллега заслужил большего, чем просто зуботычин. Хотя бы равного тому, что по его милости получил Александр Анатольевич.

— К станку! Козловский!

И еще один удар. Чтобы разрушить свой образ добросердечного человека.

Размазывая по лицу кровь и испуганно оглядываясь, Баранников придвинулся к клавиатуре.

— Остановись! — твердо сказал Очень Большой Начальник. — Если ты поможешь ему — ты умрешь. Но эта смерть тебе покажется лишь избавлением. От предшествующих мук.

— Не мешайте мне работать с моим бывшим подчиненным, — попросил я. — Вы ломаете воспитательный процесс.

И ударил Баранникова еще раз. И снова до крови.

— Пойми, — сказал я ему, вытирая о его же рубаху кровь с костяшек пальцев. — Они тебя будут мучить еще только потом. А я тебя изобью сейчас. До смерти!

И снова ударил. И снова по лицу. Только по лицу!

Своим поведением, обращением, своими не самыми изысканными манерами я напоминал дворового хулигана. Типичного. Которого и хотел напоминать. И которых с детских лет более всего и сторонился и боялся благовоспитанный мальчик Коля Баранников.

— Ну, ты понял меня? Понял?! Тогда шустри. И делай, что тебе велели. Пока я окончательно не рассердился.

И вновь кулаком в подбородок.

Правильно выбранный, узнаваемый на уровне безусловных рефлексов тон обращения возымел свое действие. Козловский-Баранников начал ломать пароли. Очень быстро. Примерно с такой же скоростью, как вытряхивал когда-то в детстве мелочь из карманов в ладони хулиганствующих старшеклассников.

Есть первая степень защиты.

Есть вторая.

В углу злобно шипел наблюдавший за происходящим Хозяин кабинета. Но молчал. Наверное, у него в подростковом возрасте тоже не все складывалось благополучно. С учащимися старших классов.

Есть третья.

Компьютер открыт. Для пользователя. То есть для меня.

— Больше сюрпризов не предвидится? Нет? Ну смотри! — показал я кулак Козловскому-Баранникову. Который уже мало напоминал Козловского-Баранникова. А больше боксера-профессионала после вчистую проигранного боя, сопровождавшегося частыми падениями на ринг. Лицом вниз.

— Интересно, как вы собираетесь стирать память, если программы уничтожения на этом компьютере попросту нет, — подал голос Начальник. — Рашпилем?

— Дискетой.

— Не смешите меня. У вас не может быть никакой дискеты.

— Это почему не может?

— Потому что вас до прихода сюда обыскали три раза.

— И даже в ванне помыли. И даже во все скрытые от широкой общественности места заглянули.

— Ну вот видите! Нет у вас никакой дискеты. Неоткуда ей взяться. Лучше давайте прекратим эту комедию. У вас еще остается шанс...

— У меня точно дискеты нет. И не могло быть. Но вдруг она была не у меня, а у моего сообщника? Который до поры до времени не высовывался. Например, у вашего телохранителя. О таком повороте сюжета вы не размышляли?

— У моего телохранителя? — в голос расхохотался Хозяин кабинета. — Который ваш сообщник... Вы говорите абсолютную чушь.

— А вдруг не чушь? Вдруг так оно и есть? Ведь покупаются все! А кто не покупается, тот убеждается. Разными действенными способами. Разве не так? Разве он исключение из правил? Ну подумайте сами... Ну вдруг? Иначе зачем бы я лез волку в пасть? Без надежды выбраться обратно...

Я подошел к все еще находящемуся без сознания охраннику и перевалил его на живот. И жестом фокусника достал из заднего кармана его брюк дискету. Ту самую, на которую у меня была вся надежда.

За что ему, моему врагу-сообщнику, самое искреннее спасибо!

Ну как бы я, без помощи самого главного охранника, смог протащить нужную мне вещицу через все препоны и рогатки, что он же здесь и понаставил? Я же понимал, что меня, если поймают, пересмотрят и перещупают с ног до головы, как жених невесту в первую брачную ночь.

Долго я голову ломал, как мне умудриться сделать то, что сделать практически невозможно. И вспомнил о «ювелирном деле». О котором нам, еще курсантам, инструктор по спецподготовке рассказывал.

— Допустим, вам нужно украсть бриллиантовое колье. И спрятать, не выходя из помещения ювелирной лавки, — давал он вводное. — Что вы будете делать? Пять минут на размышление!

И мы начинали размышлять. В рамках сидящих в наших головах стереотипов.

Мы вскрывали полы и ковыряли штукатурку, давясь и царапая пищевод, глотали бриллианты, засовывали их в самые труднодоступные углубления в мебели и собственном теле...

Но... колье всегда находили быстро прибывшие к месту преступления полицейские. Потому что невозможно спрятать вещь в помещении, которое будут не спеша отсматривать профессионалы.

— А он спрятал, тот настоящий преступник. И колье не нашли, хотя и помещение, и его осматривали, и простукивали, и просвечивали рентгеном. Не нашли! И отпустили с миром.

Так где же он спрятал украденную драгоценность? Где?

Мы капитулировали.

— В заднем кармане брюк хозяина лавки, когда он на мгновение повернулся к нему спиной. И у которого сообщник преступника это колье вытащил, когда тот вышел на улицу, чтобы проводить полицейских. Ну кто же станет обыскивать хозяина, который является главным потерпевшим? Кому такое придет в голову? Ясно?

— Ясно! — гаркали курсанты.

Ясно как божий день!

Кто же станет обыскивать главного потерпевшего?! Или главного охранника?!

Вот этот старый как мир прием я и использовал. Выманив противника на себя, как на живую приманку. И сунув дискету старшине охранников в карман в момент, когда развернул его носом к стенке. А чтобы он ничего не почувствовал, пальнул для острастки возле самого уха. И подставился под удар. Затем, чтобы меня куда надо привели. И туда же дискету принесли. Не оставит же ее хранитель меня без присмотра. Он же главный. И вне всяких подозрений.

Вот такой очень надежный сейф, на очень быстро передвигающихся ножках.

— А вы говорите, не может быть! Ну вот же она, дискета!

— Предатель! — только и смог выдохнуть Очень Большой Начальник.

— Кадры надо уметь подбирать! И не экономить на зарплате. А теперь извините. Я не хочу, чтобы вы наблюдали за моими дальнейшими действиями. Сглазу боюсь. И лишний раз вашу нервную систему травмировать не хочу.

Я затянул на запястьях и щиколотках Очень Большого Начальника его же ремень и натянул ему на голову его же пиджак. И набросил сверху штору, сорванную с окна. Теперь Очень Большой Начальник напоминал очень большой куль. С... неизвестным содержимым.

Освободившись, я воткнул дискету в дисковод. И нажал клавишу запуска.

Компьютер, не поперхнувшись, заглотил содержимое дискеты, которое предназначалось единственно для того, чтобы встать ему поперек горла.

В дверь вежливо постучали.

На это я не рассчитывал. Вернее, я рассчитывал, что это случится чуть позже.

— Вот что, Козловский, на правах старой дружбы, покарауль дверь, — попросил я и показал дулом пистолета на его пуговицы.

— Что? — не понял Баранников.

— Дверь посторожи! — повторил я, сдирая с него рубаху и демонстрируя уже до боли знакомый ему кулак.

Баранников понял. И быстро разделся. И переоделся в мою одежду. А я в его.

— Что у вас случилось? — все менее вежливо кричали из-за двери.

— Ну ты скажи им что-нибудь. Успокой людей.

— Все нормально! — крикнул Козловский-Баранников.

Стучаться стали тише.

Пора было подумать об эвакуации.

Я подозвал к себе пальцем Козловского-Баранникова. И закричал дурным голосом:

— Ты что делаешь? Брось пистолет! Дурак! Брось немедленно!

Козловский-Баранников обалдело уставился на меня и на пистолет. Зажатый в моих руках.

Он не понимал, что происходит. Все еще не понимал.

— Прекрати! Он может выстрелить! — продолжал орать я, заговорщически подмигивая, улыбаясь, дружески похлопывая его по плечу и прижимая указательный палец к губам.

Я словно играл в веселую игру, призывая сотоварища по розыгрышу к очередной забавной, о которой он еще ничего не знает, проделке.

Хотя, если честно, эта игра не сулила ничего доброго. По крайней мере одному из ее участников.

— Убери пистолет...

И Козловский-Баранников в ответ на мою улыбку улыбался все шире. Как ребенок, получивший килограмм шоколада...

Я выстрелил ему в лицо. В испуганные и одновременно надеющиеся на чудо глаза.

Я выстрелил три раза подряд.

Я не убивал его. Я только возвращал долги. Взятые под проценты на срезе могилы. Той, Козловского-Баранникова могилы. Я только сделал то, что обязан был сделать тогда. Но не сделал.

Я не убивал его. Потому что он уже был мертв. Так же, как Александр Анатольевич.

За дверью наступила мгновенная тишина, и тут же в нее забарабанили с утроенной силой.

Теперь надо было спешить.

Единым движением, с кровью и мясом (и это хорошо, что с кровью и мясом) я содрал со своего лица парик, усы и бороду и прилепил их к обезображенному лицу мертвого Баранникова.

Который стал мной.

Потом несколько раз я ударил себя по лицу. С полной отдачей. Так, как если бы бил своего врага. Как бил совсем недавно Козловского-Баранникова.

И лег на пол. И стал Козловским-Баранниковым. Тем, которого сильно и все больше по лицу избил пойманный злоумышленник. То есть я. И которого он, изуродованный до неузнаваемости, каким-то образом завладев его же оружием, и убил. Тремя выстрелами в лицо.

После чего это лицо уже невозможно было опознать.

И вот все это, в свою очередь, видел и слышал барахтающийся в ворохе штор и собственного пиджака свидетель. Главный свидетель. Которого никто не сможет оспорить. Потому что не решится.

Дверь не выдержала напора множества тел.

— Что?

— Что случилось?

— Кто стрелял?

— Ты стрелял?..

Уже почти очухавшийся и приподнявшийся на локте охранник внимательно смотрел на свою пустую руку. И на лежащий поодаль труп.

— Я?

— А кто?

— Ну тогда, получается, я.

— Да как же он, когда пистолет не у него.

— А где?

— Да вот он...

Картина была абсолютно сумбурна и абсолютно ясна. До запятой. Кто кого, из чего и по какому поводу убил. И почему главные герои сами на себя не похожи.

— Ты живой? — осторожно тронул меня кто-то за руку.

Я застонал. Очень естественно. Потому что мне было действительно больно.

— Живой! Давайте срочно носилки и машину. И в больницу. Пока он не помер.

Ну вот и машину подали. И носилки. И носильщиков. А я собирался своими ножками выбираться... Вот как все хорошо закончилось.

Впрочем, нет. Не закончилось...

— Программистов! — громко, перекрывая все голоса, скомандовал Очень Большой Начальник. — Срочно программистов! Все остальное потом.

Программистов доставили через минуту.

— Немедленно проверить память компьютера. И если там что-то есть...

Программисты склонились над клавиатурой.

— Есть!

— Что?

— Вирусы.

— Они уже действуют?

— Да.

— Сколько информации уничтожено?

— Пока меньше трех процентов.

— Вы можете остановить их действие?

— Конечно. Судя по всему, они не из самых опасных.

— Тогда не стойте болванами! Работайте!

Я снова застонал. Теперь уже не от боли. Теперь уже от отчаяния. Я сделал все, что от меня зависело. И я не сделал ничего. Я прокололся там, где от меня ничего не зависело. И там, где я меньше всего ожидал...

— Чистим?

— Чистим.

Быстро застучали клавиши.

— Программа пошла...

Как тупо все закончилось. Если бы я знал, что эти вирусы такие дохлые, я бы забаррикадировал дверь и занял круговую оборону. И держал ее до тех пор, пока они не выели бы все внутренности компьютера. Час бы держал. Два. День.

Если бы я знал, что эти вирусы такие...

Эх, Александр Анатольевич! Как же вы так!

Подтащили носилки.

— А этого куда? — спросили в стороне, показывая, по всей видимости, на Козловского-Баранникова. Который был мной.

— Этот пусть пока полежит. Только прикройте его чем-нибудь...

Как же так вышло? Что все потеряно подле самой финишной черты? Когда ленточка уже щекотала грудь.

Как же так...

А может, не потеряно? Может, попробовать поспособствовать этим неповоротливым вирусам? Более знакомыми мне методами?

Я еле заметно приоткрыл глаза и огляделся.

Этого я, если сдвинусь хотя бы на пять сантиметров в сторону, смогу достать ногой. Этого — стоящим рядом стулом. Этого правой рукой. Этого — левой. А что делать с теми двумя, стоящими возле двери? И с тем, с автоматом? Он нашпигует меня свинцом раньше, чем я «мама» сказать успею.

Ну-ка снова. Этого... Этого... Потом этого... Потом...

Если повезет — может получиться. Если очень повезет, я смогу отвоевать минут двадцать чистого времени. Может, этого им хватит выесть большую часть чужого пирога?

Я сконцентрировал мысли и силы. Сконцентрировал для броска. Единственного, который давал мне шанс...

Начну на счет «три»...

Раз.

Два...

— Что такое? Что происходит? — удивленно спросил сидящий за клавиатурой программист. — Что, черт возьми, происходит?

— Поплыла база данных! Утрачено пять процентов информации. Десять...

— Как так поплыла? Какая база, если вы уничтожали вирусы?

— Мы и уничтожали. Вирусы.

— А поплыла база?

— А поплыла база!

— Пятнадцать процентов. Семнадцать. Двадцать пять... Как корова языком... Тридцать...

— Я ничего не понимаю. Похоже, он...

— Что он?

— Похоже, он закодировал пусковые команды вирусов под включение антивируса. И мы, борясь с вирусом, сами того не желая, размножаем его. В геометрической прогрессии...

— Черт, сорок процентов информации...

— Ну так выключите компьютер!

— Это ничего не даст. Его все равно придется включать. Позже. И вирусы продолжат свое дело. С того самого места, где мы прервали их работу. Выход надо искать сейчас. Пока еще можно что-то сделать.

— Попробуй...

— Пробую...

— Шестьдесят процентов информации...

— А может быть?

— Может...

— Семьдесят процентов... У меня такое впечатление, что он заранее знал наши ходы... Что мы работаем по его сценарию...

— Восемьдесят процентов. Восемьдесят пять. Девяносто... Аут!

— Как так аут? Вы хотите сказать?..

Программисты молчали.

И компьютер молчал. Безмозглый, как новорожденная амеба.

— Что вы сидите?! Делайте что-нибудь!

А что делать? Больной-то помер! Поздно пациента на операционный стол тащить, когда его уже в морге вскрыли.

Ай да Александр Анатольевич! Ай да молодец!

А я, грешным делом, подумал...

ГЛАВА 70

В общем, не так уж плохо все кончилось. Если не считать моего многомесячного прогула по месту основной службы. Ну в той организации, где я состою... Ну короче, состою.

Оказывается, не закрыли ее. И не разогнали. Это просто Шеф-куратор меня на пушку взял. Для пущей убедительности. Чтобы я согласился сделать то, что я ни при каких других условиях сделать бы не согласился. Вот я и согласился.

Прогул мне, я так понимаю, не засчитали. Потому что случайный кирпич с крыши не упал. Пока не упал. Но на вид поставили. С занесением в личное дело. И регион пребывания сменили. На очень захолустный. На тот, что возле самой границы... Ну не важно какой.

А как нашли меня? Да очень просто. Через аварийный почтовый ящик, который я, при отсутствии других форм связи, должен был проверять каждые полгода. Хоть живой, хоть мертвый. И который я проверил.

Вот так вот.

А что касается одного известного мне Очень Большого Начальника, то ему повезло меньше. Скрутила его какая-то хворь. Скоротечная. С осложнением на память. В неделю скрутила. Был человек — стал калека. Что вчера было — помнит. Что раньше — хоть убей. Ну то есть полная амнезия. До смешного! Главное дело, непонятно, откуда та болезнь взялась. Врачи говорят, может, он съел чего? Или выпил? А я так думаю, что узнал чего-то лишнего. С чем его здоровье не справилось...

Вот такая ужасная инфекция. Возможно даже, вирусная. Почему инфекция? А потому, что не один он пострадал. А говорят, еще его референт-телохранитель. И кто-то из обслуги. Ничего не помнят. Как новорожденные младенцы. Словно им память ластиком стерли. Ладно, хоть не умерли. А то кое-кто утверждает, что могли бы.

Такая страшная болезнь.

Инфекционная.

Для тех, кто не бережется.

В общем, все кончилось благополучно. Если газет не читать. И телевизор не смотреть. А если читать и смотреть, то создается впечатление, что сценарий, за которым я так долго охотился, был не один. И даже не два. И даже не три. А гораздо больше. Если судить по результатам. И тогда совершенно неясно, зачем были все эти мои умопомрачительные цирковые кульбиты и глупые попытки остановить руками катящийся под откос паровоз.

Может, все это было зря?

Кто его знает...

Вернее сказать — кто-то знает. Да только другим не говорит...

ВМЕСТО ПОСЛЕСЛОВИЯ

«Это неприступная крепость. Мы можем победить Советский Союз только другими методами: идеологическими, психологическими, пропагандой, экономикой...»

МАСТЕР ВЗРЫВНОГО ДЕЛА

ГЛАВА ИЗ РОМАНА

ГЛАВА 1

В восемь часов утра в понедельник оперативный дежурный отдела обработки информации сдал свою очередную вахту. Сдал — как стопудовый груз с плеч снял. Это только кажется, что человек, отвечающий за входящую информацию, ни черта не делает. Ну, в смысле не утруждается. Мешки не таскает, баранку грузовика или штурвал самолета не крутит, на морозе товар не продает. Сидит себе в тепле и уюте и в ус не дует. А, напротив, дует литрами казенный, то есть совершенно бесплатный кофе. Который закусывает такими же бесплатными сладкими сухариками. И даже домой иногда прихватывает с полкило по рассеянности.

С такой работой, кажется, точно мозоли не набить. Потому что информация — это не кувалда, не грабли, не отбойный молоток и даже не фонендоскоп. Потому что информация — это невесомая абстракция. Это буквы и слова, поступающие по всем возможным каналам связи. В одно мало кому известное место. Где предусмотрена должность оперативного дежурного, отвечающего за бесперебойную, круглосуточную работу всех этих каналов. И если хоть один из них даст сбой более чем на пять минут, тот дежурный может вместо чашки с кофе заполучить в руки те самые метлу, грабли или отбойный молоток. На несколько последующих лет.

— Ну как тут? — поинтересовался новый дежурный у старого.

— Все в порядке.

— Войну без меня часом не начал?

— Да нет. Не успел. Все некогда было. В следующий раз.

Новый дежурный бегло осмотрел сводный статистический файл. Число входящих сообщений. Количество бит. Число и величина сообщений, разнесенных по континентам. По странам...

Не очень много. Как обычно. Когда в мире царит относительное спокойствие.

Дежурный не знал содержания сообщений, так как они поступали в зашифрованном виде, но давно уже научился по количеству входящих бит и их направленности судить о неблагополучии в том или ином регионе мира. Достаточно было лишь прочитать завтрашние или послезавтрашние газеты, чтобы связать поток вдруг обрушившейся на один из компьютеров информации с подробно описанными журналистами событиями. Через несколько дней описанными.

— Происшествия?

— Семнадцатый процессор сдох. Заменили. Седьмая на работу не вышла. Заболела. Родственники звонили. Одиннадцатая в декрет ушла. Прямо отсюда. На «Скорой».

— Уже? Вроде ничего видно не было.

— Униформа скрадывает.

Новый дежурный расписался в журнале смены дежурств. Старый откинулся в кресле. По негласной традиции еще четверть часа он должен был находиться на месте. На случай вдруг появившихся вопросов.

Через пять минут должна была начаться пересменка личного состава...

Скомпонованная по географической принадлежности информация поступала в отделы, где ее расшифровывали, прочитывали и сортировали по степени значимости. Самую серьезную сбрасывали в особые папки, которые по внутренним компьютерным сетям доставлялись к персоналкам начальников отделов. Те делали свои отметки и отсылали информацию дальше.

Раньше каждый приложившийся к бумагам работник оставлял на них роспись, чтобы в случае чего было с кого спросить за ротозейство. Теперь все упростилось. Фискальные функции взял на себя компьютер, фиксировавший каждое вхождение в свою электронную память.

Пятнадцать минут прошли. Старый дежурный поднялся, пожал руку своему еще пока бодренькому сменщику и пошел к двери. От двери машинного зала до выхода на улицу его пропуск проверили три раза, каждый раз самым тщательным образом сличая фотографию с оригиналом. Хотя каждый охранник знал предъявляемую к опознанию физиономию как облупленную. Потому что видел ее хозяина через два дня на третий уже несколько лет.

Дежурный вышел на улицу и радостно втянул свежий воздух. Теперь два ближайших дня он мог позволить себе не думать о процессорах, сбоях в каналах связи и падающих в обморок по поводу поздних сроков беременности работницах.

И точно так же, как сменившийся дежурный, в эти и другие двери выходили прочие работники отдела обработки информации. И тоже шли по домам.

Работать начинали другие люди.

Начальник девятого отдела просмотрел вновь поступившую и собранную в особую папку информацию. И отчеркнул на экране несколько сообщений. И еще несколько. Потом затребовал полный объем сообщений, поступивших в последние сутки. И углубился в чтение.

Информация была скучна. И не заинтересовала бы никакого, самого проницательного журналиста. В ней совершенно отсутствовала событийная сторона. Никто никого не убивал, ни на кого не покушался, никого не свергал. Не было даже бытового скандала. Но были письменные и устные, официальные и неофициальные заявления отдельных лиц изучаемого государства. А также сравнительная информация, рассортированная по времени и фигурантам, находящаяся в специальном файле в компьютере. Но главное, была в памяти человека, который отслеживал эту страну уже несколько лет и мог уловить любое самое мелкое изменение в характере ее внутренней или внешней политики.

Начальник отдела еще раз перечитал пришедшую информацию. И, перепроверяя себя, поднял предыдущую. И ту, что пришла три, четыре и пять дней назад. И ту, что месяц назад...

Разница была ощутима.

Начальник отдела выделил отдельные цитаты, перенес в один файл, перетасовал их, расставил в определенном порядке, проставил числа и распечатал на принтере. Из сотен тысяч бит беспорядочной информации выкристаллизовалась главная, на которую и следовало обратить внимание вышестоящему начальству.

Вышестоящий начальник не пропустил сообщение, поступившее из девятого отдела. Он внимательно прочитал представленные цитаты и набрал номер на внутреннем телефоне.

— Это я.

— Слушаю.

— Возможны колебания в политическом курсе страны X.

— В какую сторону?

— Пока неясно. Информация слишком фрагментарная, чтобы делать какие-нибудь определенные выводы.

— В чем она заключается?

Начальник зачитал несколько цитат.

Одну — месячной давности, где Глава страны X провозглашал свою лояльность ко всем прочим, чуть более большим или лучше вооруженным ближним и дальним соседям. И отказывался от каких-либо территориальных претензий к соседним странам, несмотря на то что границы между ними имели очень спорную конфигурацию. А отношения оставляли желать лучшего.

И вчерашнюю — где тот же Глава требовал разобраться со спорными, издревле принадлежащими им территориями. И совсем недвусмысленно намекал на дурное влияние на распоясавшихся соседей расположенных за тридевять земель сверхдержав, которые желали его народу всяческих несчастий.

Разница была разительной. Моська вдруг ни с того ни с сего разлаялась на своих более породистых сородичей. И заодно на проходящих мимо слонов.

С чего бы это у моськи проявилась такая агрессивность?

— Подготовьте подробный доклад, — попросил один начальник другого. — К завтрашнему утру.

...Перед экспертами поставили единственный и самый главный вопрос — отчего вдруг разлаялась моська? Отчего она перестала бояться не только клыков ближних своих собратьев по породе, но и слоновьих бивней? Что это — непродуманное заявление распоясавшегося средней руки вождя? Или, напротив, хорошо продуманная и направленная на перспективу политика. А если политика — то кому она выгодна и кем может направляться?

В то, что политика этой маленькой страны может направляться руководителями этой страны, никто не верил. Маленькие страны не имеют своей политики. Маленькие страны перекручиваются между жерновами сверхдержав. И продаются тем сверхдержавам. Одной, другой, третьей или всем вместе. Как та проститутка, которой без сутенера-защитника — смерть.

Эксперты подняли историю страны — от древнейших до новейших времен, отсмотрели ее политику. Проследили все войны и межрасовые конфликты. «Разложили по полочкам» всех ее почивших и ныне здравствующих руководителей. Рассортировали все внутренние правящие и оппозиционные силы. Прикинули возможности и международные связи каждой...

И сделали парадоксальный вывод, что заявление Главы государства не имеет скрытого смысла. По крайней мере видимого.

Такое тоже иногда случается с правителями третьестепенных государств, от мнения которых решительно ничего не зависит. Но случается редко.

— Вы уверены в своих выводах? — спросили экспертов.

— В рамках той информации, которой мы располагаем. Для более глубоких выводов нам требуются дополнительные факты, касающиеся нынешнего политического, экономического, этнического и других положений страны.

— Подготовьте ваши вопросы. Мы постараемся на них ответить...

Российскому посольству, расквартированному в стране Х, были направлены шифровки с поставленными экспертами вопросами. Теми же самыми и еще некоторыми другими вопросами, адресованными собственным и специально направленным корреспондентам некоторых центральных газет, которые все как один имели двойное образование. И двойной оклад, получаемый в двух разных кассах.

Дипломаты отправились на рауты. Журналисты в гущу народа. И те и другие по своим каналам направили добытую информацию в Москву.

Дипломаты сообщали, что в высших эшелонах власти заметно смещение настроений в сторону ура-патриотизма и немедленного разрешения застарелых территориальных споров, непонятно чем вызванное. Патриотизм всегда отвечал характеру этой страны, и неразрешенные территориальные споры тоже были всегда, лет сто пятьдесят. Отчего их вдруг надумали решать не позже чем в ближайшую пятницу, было совершенно непонятно. Но ходили упорные слухи, что теперь это стало возможно. На вопрос: отчего теперь, а не раньше, высокопоставленные чиновники разводили руками и ссылались на авторитет Главы государства, который будто бы где-то кому-то не более чем несколько дней назад конфиденциально сообщил, что существовавшие до того политические предпосылки резко изменились и теперь их страна сможет разговаривать с другими странами на равных, как того требует их имеющее тысячелетнюю историю национальное самосознание...

Народ знал больше. Народ говорил, что теперь конец их многочисленных врагов близок. Что теперь стараниями вождя у них есть такое оружие, которого убоится всякий недруг. А если не убоится и не пойдет на попятную, то погибнет...

Дипломаты и корреспонденты высказали осторожную мысль, что речь идет о возможности приобретения данным государством ядерного оружия.

Эксперты обработали вновь поступившую информацию и согласились с выводами дипломатов и корреспондентов.

Да, атомное или любое иное равное ему по поражающей мощности оружие могло вызвать подобные заявления Главы государства. Он мог поменять устоявшийся внешнеполитический курс, если получил или предполагает получить в ближайшее время термоядерную дубинку. Вооруженная атомом держава перестает быть третьестепенной, даже если территориально и экономически она карликовая.

Такой возможности исключить нельзя...

Но эксперты опоздали со своими выводами. Глава государства Х сделал новое заявление. На этот раз официальное.

Он сказал, что не намерен терпеть территориальные и иные притеснения, чинимые ближайшими соседями, и мировое сообщество должно поддержать справедливые требования его народа. Но если оно не поддержит, то его страна сама решит свои проблемы. Хотя лично он, как глава суверенного государства, всегда предпочитал и предпочитает мирное разрешение конфликтов...

Данное грозное заявление прошло мимо ушей широкой мировой общественности. Потому что страна была маленькая и мало кому интересная. Она ведь не располагала ни Голливудом с его всемирно известными звездами, ни бывшей Советской Армией с ее красными звездами на бортах атомных подводных лодок. Заявления, грозно произносимые в богом забытой провинции, никогда не привлекают внимания. Пока они только заявления.

Но данное заявление не проскочило мимо внимания политиков и разведчиков из-за их профессиональной принадлежности. Политики и разведчики стараются не пропускать любого, даже самого ничтожного колебания в мировой политике, как тот сейсмограф, который чувствует приближение беды раньше, чем его ощутит население.

Мелкие толчки бывают предвестниками больших катаклизмов. И лучше их не пропускать, чтобы избежать того, что имело место быть в 1914 и 1939 годах. Когда тоже потряхивало, да никто на те толчки никакого внимания не обратил. Пока мир не рухнул...

Политики и разведчики сосредоточили свое внимание на мало кому интересной стране. На заявлении ее Главы.

Анализ всех произнесенных официальных речей и неофициальных высказываний, а также общеполитическая обстановка, сложившаяся вокруг страны, не позволяли списать данное заявление на случайность. Тем более что в стране было объявлено чрезвычайное положение. И началась мобилизация резервистов.

Поступившие агентурные данные лишь усилили всеобщее беспокойство. Высокопоставленные, которым можно было доверять, чины подтвердили включение в военные планы использования ядерного оружия. Штабисты разрабатывали планы доставки в район боевых действий ядерных зарядов. Теоретически разрабатывали. Но это доказывало, что эти заряды были.

Спецслужбы послали в обеспокоившую их страну новых корреспондентов и торговых представителей, снабженных, кроме соответствующих пресс-удостоверений и каталогов товаров, значительными суммами.

Информация подтвердилась на новом, более высоком уровне. И детализировалась. Несколько не связанных друг с другом и не знающих, что они работают на одних и тех же хозяев, государственных чиновников указали на приобретение их страной трех атомных бомб предположительно советского или китайского производства.

Круг поисков определился.

Главы нескольких ведущих государств мира вышли с неофициальными контактами на Генерального секретаря КПК и Президента России. В ходе непродолжительных дружеских бесед, касающихся здоровья и погоды, они высказали опасение за сохранность арсенала ядерного вооружения нынешней Китайской народной армии и бывшей Советской Армии. И намекнули, что располагают информацией о возможной утечке с территорий вверенных Президенту и Генеральному секретарю стран отдельных образцов указанного вооружения. На что получили заверения в полной невозможности данного рода происшествий и уверения в проведении в самое ближайшее время ревизии в ядерном хозяйстве.

Заверения и уверения никого особенно не убедили. Политика есть искусство предположений, в том числе самых фантастических, касающихся расползания ядерного оружия по арсеналам «третьих стран». Несмотря на их официальное взаимосокращение первыми странами.

Министерства безопасности ведущих капиталистических стран, а также Служба разведки НАТО получили указание сосредоточить усилия на отработке версий передачи правительством России либо Министерством обороны России стратегических вооружений в неядерные страны. Либо похищения данных видов вооружения. Либо любых других возможных вариантов их попадания в третьи руки.

Данным операциям был присвоен первый номер. Это в системе отсчета разведок тех стран, что их должны были разработать и провести в жизнь. Отныне и до выяснения всех обстоятельств дела спецслужбам следовало сосредоточить максимум внимания и возможностей на ядерной угрозе, которая не шла в сравнение ни с какими другими угрозами. Хотя и была призрачна. Хотя и основывалась лишь на непроверенных и неподтвержденных фактах. На информации второго плана. Но которая тем не менее была! Потому что касалась самого разрушительного из когда-либо изобретенного человечеством оружия.

Когда разговор идет о термоядерном оружии, все предпочитают перестраховаться. И закричать «Пожар!» даже тогда, когда еще дымом не пахнет. А просто случайный деревенский паренек сказал, что слышал, что в соседнем селе будто бы загорелся сарай...

Упредить — значит не допустить... Военного Чернобыля не допустить. Или нескольких военных Чернобылей...

ГЛАВА 2

Президент России вызвал к себе руководителей силовых министерств.

— Тут такое дело, — сказал он. — Мои друзья, президенты, позвонили мне. И сказали, что будто бы у нас пропадают атомные бомбы. Уже в который раз, между прочим, сказали. Беспокоятся. То, понимаешь, раньше по поводу возможной утечки из бывших республик. То вот теперь...

Надоело мне от них отбрехиваться. Надо наконец разрешить этот вопрос. Незамедлительно. И доложить. Лично мне.

А то, понимаете, неудобно получается. В собственном хозяйстве разобраться не можем. Бомбы теряем, понимаешь, как будто это кошелек какой. Мировое сообщество беспокоим...

— Это какое-то недоразумение, — заявил министр обороны. — Утечка атомного оружия исключена.

— А вы все-таки проверьте, — повторил Президент, — и представьте мне соответствующее обоснование. Почему невозможно, какие, понимаешь, меры принимаются. К завтрашнему дню представьте. Не могу же я на таком уровне раздавать голословные заверения. Как вы сейчас. Общественное мнение честными словами не успокаивают.

А Министерство безопасности пусть проконтролирует. И поможет чем сможет. Ну и, конечно, проконтролирует, чтобы информация стратегического характера не просочилась. Чтобы все было убедительно, но ни одного подрывающего обороноспособность страны факта...

Непрост был Президент. По крайней мере не так прост, как хотел казаться. Не моргнув глазом перевел стрелки со своего на соседнее кресло. Как в бурной партийной юности. Когда от умения сориентироваться, от быстроты маневра зависела карьера. Когда не умеющие укрываться за ближним подставляли под карающий ураган очередной партийной чистки свои головы.

Президент умел уворачиваться от ударов. И умел бить. Если надо было для дела — в спину. Что и продемонстрировал только что.

Теперь за выявленные либо, напротив, за невыявленные нарушения в сфере хранения стратегических вооружений должен был отвечать тот, кто представит справку. Кто сам на себя вынужден будет накатать телегу. И в том и в другом случае виноват будет он. И еще Министерство безопасности, в случае если не проконтролирует должным образом. Одним ударом — два ведомства. При этом в глазах мирового сообщества лавры правдоборца получит себе, а все прочие — всем прочим.

— Все. Совещание закончено. Всем спасибо.

Справки были представлены к следующему утру.

Очень пространная — от Министерства обороны. И точно такая же — от Безопасности.

Министерство обороны убеждало в полной подконтрольности атомного оружия. Для наглядности приводились цифры движения отдельных видов вооружений сухопутного, морского и воздушного базирования. И списанного оружия.

Рассказывалось о системе хранения, учета, выведения из боевого состава и его последующей утилизации. Было также доложено об образовательном цензе, степени выучки, политической сознательности и высоком моральном облике офицеров войск стратегического назначения.

Доказывалось, что ни при каких обстоятельствах ядерное оружие не может попасть в третьи руки, так как данная информация относится к категории государственных тайн, караемых за разглашение максимально возможными сроками заключения, а при отягчающих обстоятельствах — высшей мерой. И потому местоположение даже отдельных изделий не может стать известно людям, не имеющим специальных допусков и разрешений, выдаваемых по личному разрешению министра обороны либо его заместителей.

В этом в любой момент могут убедиться западные наблюдатели, буде они возжелают лично проверить степень надежности хранения всех наименований ядерного боезапаса страны...

Безопасность в целом подтверждала выводы, представленные Министерством обороны, заодно высказывая мнение, что если все-таки Министерство обороны не сможет обеспечить надлежащего хранения и допустит инцидент с утратой отдельных образцов ядерного оружия, то они, то есть Безопасность, безусловно смогут предотвратить вывоз данных образцов за пределы страны.

В свою очередь, Министерство внутренних дел обещало найти и вернуть в арсеналы похищенное вооружение, если его проморгают Министерство обороны и Безопасность...

А пограничники...

В государстве с неустоявшейся правовой культурой силовые ведомства всегда конкурируют друг с другом, обмениваясь слащавыми улыбками и взаимными любовными уверениями выше уровня плеч и жестокими ударами ниже пояса. Силовые структуры воюют за место под Президентом, который единственный, кто способен обеспечить их материальное благополучие и защитить их интересы пред сворой жаждущей финансового кровопускания гражданской швали, окопавшейся в парламенте.

На эту подковерную возню и направлены основные усилия глав силовых ведомств. Потому как от той возни зависит много больше, чем от честного и результативного исполнения своих непосредственных обязанностей.

— Я удовлетворен проделанной работой, — высказал свое высокое мнение Президент. — Приведенные вами объяснения убедительно доказывают невозможность утечки за пределы нашей страны термоядерного, равно как и любого другого стратегического характера, оружия. Надеюсь, представленная информация успокоит мировое общественное мнение. В лице моих друзей президентов...

Но Президент ошибся. Мировое сообщество не успокоилось. Мировое сообщество по дипломатическим и прочим не афишируемым ими каналам получило подтверждение ранее полученной тревожной информации. Государство Х активно включало в свою военную доктрину использование ядерного оружия. Большинство источников утверждало, что это оружие должно было поступить или уже поступило из арсеналов Российской Армии.

Президенту России позвонил президент США. И почти тут же — президент Франции. И в очередных неофициальных, о которых никто ничего не узнал, разговорах о погоде и здоровье подтвердили свою озабоченность... И предложили свою помощь... Выкладки, приведенные в докладах силовых министерств, их не убедили. Своим силовикам они верили больше, чем чужим.

Президенту России оставалось либо принять предложенную со стороны помощь, либо разобраться в данном непростом вопросе своими силами. Разобраться по существу... Вне зависимости от диктующей свои не всегда верные решения политической конъюнктуры.

Требовалась третья, находящаяся вне политики, сила.

И Президент России вспомнил еще об одной силовой структуре. Неофициальной. Доставшейся ему в наследство от прежних президентов и Генеральных секретарей. Подчиненной лично ему. И потому не участвующей в общей политической сваре.

Президент вспомнил о Конторе...

ГЛАВА 3

Город Краснозареченск был небольшой. Вернее, даже маленький. Но имел все атрибуты большого — четыре мелкооптовых рынка, полтысячи мелких магазинчиков, которые в прошлом нищем веке не потянули бы на звание даже купеческой, очень средней руки, лавки, и без счету киосков и иных розничных торговых точек.

В городе Краснозареченске была своя налоговая инспекция, налоговая полиция и свой рэкет, который собирал положенные ему отчисления гораздо эффективней налоговой инспекции и налоговой полиции. Собирал раз в неделю. С четырех оптовых рынков, полутысячи магазинчиков и бессчетных киосков.

В магазинчики и киоски являлись одинаковые, как оловянные солдатики из одной коробки, молодые люди и собирали деньги. Продавцы вытаскивали из-под прилавков причитающиеся им суммы. И сверх того, в качестве личного презента, предлагали пачку сигарет или чего-нибудь сладкого. Рэкетиры были очень молоды, с трудным, лишенным сладостей детством и поэтому теперь, наверстывая упущенные в недалеком прошлом возможности, с удовольствием брали шоколадки и тянучки и тут же тащили их в рот.

Гонцы-рэкетиры сносили дневную выручку в один ничем не примечательный, кроме того, что в нем было семь этажей, коттедж. Вручали охране деньги. Расписок, равно как и других подтверждающих передачу денег финансовых документов, они не просили.

Теневая налоговая система России обходилась без усложненного бухгалтерского учета. Наверное, в силу недостаточного образовательного уровня большинства занятых в ней работников. Но что интересно, несмотря на недостаточный, в пределах обязательных четырех классов в школе при колонии общего режима, уровень образования, все требуемые суммы собирались в полном объеме и в срок. В отличие от официально существующей и гораздо более образованной налоговой службы.

При задержке назначенных выплат без уважительных на то причин теневые инспектора начисляли на проштрафившихся предпринимателей пени. Уважительной причиной признавалась только одна — биологическая смерть занимавшегося предпринимательской деятельностью физического лица. Смерть юридического лица в расчет не принималась, так как юридические лица состоят из нескольких физических, у которых всегда что-то остается. И с которых это «что-то» всегда можно стрясти. Если уметь трясти...

Из малоприметного семиэтажного коттеджа деньги распределялись по фондам. Ну то есть примерно как и в государственной системе. Только в государственной — деньги куда-то по дороге пропадали. А в теневой — всегда приходили по назначению. В полном объеме. И в срок.

Часть оставалась на нужды хозяина того коттеджа и прилегающего к нему пятидесятитысячного города. А также на заработную плату работников низового аппарата. Часть передавалась в местный бюджет — администрации города, руководителям правоохранительных и надзирающих за ними органов. Часть образовывала местные страховые заначки — в простонародье именуемые «общаками». Остаток уходил в Центр.

То есть опять точно так же, как в официальной налоговой службе. Только гораздо действенней, со стопроцентным охватом обираемого контингента.

В результате итоговые цифры официального и теневого бюджета сильно разнились. В пользу теневого. В конкурентной борьбе двух систем первая — явно проигрывала. И держалась на плаву исключительно за счет конфискационной, направленной против населения политики государства.

Их бы, эти системы, местами поменять, для чего низовой рэкетирский аппарат переподчинить государственной налоговой службе. А государственных чиновников передать на баланс многочисленных «пап» города. И тогда в стране сразу бы случилось всеобщее процветание. Потому как недостающие бюджету деньги сразу бы нашлись. И для здравоохранения. И для заработной платы. И даже для культуры.

Правда, при этом пострадали бы чиновники. И их

«папы»... Вроде того, что в своем неброском для работников правоохранительных органов коттедже подсчитывал очередную собранную с города выручку.

— А с колхозного рынка? — интересовался он у своих помощников.

— Они без прибыли. У них вчера санэпидемстанция две трети прилавков закрыла. По медицинским показаниям.

— А меня колышет? Это их проблемы.

— Так и передать?

— Так и передать. И предупредить. Действием. Чтобы знали, с кем имеют дело.

— На директора наехать?

— Нет. Для начала киоск поджечь. Или два. Для острастки. И санэпидемстанции объяснить что почем. Что это наша территория. А то, что они с нее кормятся, так это лишь из нашего к ним уважения, которое может вдруг закончиться. Что-то у них аппетиты в последнее время выросли.

— Предупредить?

— Предупредить. Только аккуратно. В доступной им форме. А то ни хрена не понимают в экономике. А суются. Давят производителя сельхозпродукции, как будто он дна не имеет. Рубят сук, на котором сидят.

— Когда предупредить?

— Сейчас и предупредить. Машина, слава богу, во дворе...

Один из помощников вставал. И через пять минут в кабинет к главврачу городской санэпидемстанции являлся невзрачного вида посетитель. С целью проведения ускоренного экономического ликбеза.

— Ты что это, трубка клистирная? Не понимаешь, что творишь? — говорил он с порога.

— Как вы со мной разговариваете? Как вы смеете так со мной разговаривать? — возмущался главврач. — Немедленно выйдите вон!

После чего посетитель разваливался на удобном диване и закуривал, сбрасывая пепел на соседнее кресло.

— Чего ты орешь, примочка на задницу? Ты чего колхозный рынок закрыл?

— Я звоню в милицию, — говорил главврач и тянулся к трубке телефона

— Давай, звони. А я им расскажу, сколько ты в прошлом месяце получил с двух рынков. Сиди, козел, и не рыпайся, пока с тобой интеллигентно разговаривают.

Главврач оставлял трубку телефона в покое.

— В общем, так — печати свои дерьмовые снимай. Побыстрей. Лучше не позже, чем через десять минут после моего ухода. Для тебя лучше. И больше туда не суйся. Не хрен давить производителя сельских продуктов, который только-только на ноги встает. Сколько положено — бери. Мы не против. Но больше не смей. Это наша территория. Усек?

— А если я откажусь? Снимать печати? Из-за царящей на рынке антисанитарии и потенциальной возможности вспышек эпидемиологических заболеваний. В любую следующую минуту...

— Заботу о чистоте в голову не бери. Если надо, они там все языками вылижут. Базар не за них. За тебя.

— И все же я не понимаю...

— Не понимаешь? Тачка твоя? — показал в окно непрошеный визитер.

— Ну моя.

— А если ей по капоту пацанва неизвестная гвоздем слово нехорошее? Или кислоту азотную из банки на капот? Цвета мокрый асфальт. Или в лобовое стекло кирпичом? Или того хуже, в окно дачи бутылку с бензином? И зажигалку следом?..

— Хорошо, я распоряжусь насчет печати. Если вы обещаете прибрать прилавки и подсобные помещения на рынке...

— Какой базар...

И посетитель, гася сигарету об обивку кресла, уходил.

«Бардак! Совсем на шею сели! — думал про себя главврач. — Работать совершенно невозможно стало. Дочери на джип «Чероки», который обещал к дню рождения, жене на бобровую шубу — заработать невозможно! Беспредел! Куда государство, куда милиция смотрит...»

— Ну? — интересовался результатами визита хозяин коттеджа.

— Все как надо. Печати снимут. Сегодня...

— Что еще?

— Милиция просит подбросить.

— Милиции подбрось. С милицией нужно дружить. Еще?

— Вас видеть хотят.

— Кто такой?

— Не знаю. Он не назвался. Сказал: от Косого.

— Шмонали?

— Шмонали. Пустой. Ничего нет. Просил, чтобы вы один были.

— Один? Ну пусть заходит. Раз от Косого.

Незнакомец зашел в комнату. Пересек ее и развалился на хозяйском диване.

— Ты, что ли, Гнусавый?

— Ну я, — осторожно, без интонаций ответил хозяин дома, пытаясь сообразить, по какому поводу прибыл визитер.

— Ты почему беспредел творишь? — спросил тот.

— Чего творю? — удивился хозяин дома. — Чего?!

— Того... Ты почему положенные деньги не перегоняешь? В общак положенные. Или тебе правила не писаны?

— Чего гонишь? Кто не перегоняет?

— Ты! Мил человечек.

— Врешь! Я чист. Я все, что с меня, — до копейки.

— А в Центр?

— В какой Центр?

— В котором живешь!

— Чего несешь? Какой Центр?!

— Который в четыре стороны от Москвы. На полторы тысячи верст. В котором и твой паршивый городок. Согласно административному делению.

— Не знаю я никакого деления. Я все — что положено! А больше — хрен!

— А ты подумай. Что делают с теми, кто — на территории, но башлять отказывается? Что ты делаешь с теми киосками, которые не несут?

— Ну?

— Не ну, а думай. Что с тобой может произойти.

Вдруг тебе какой-нибудь пацан пришлый кислоту азотную из банки плеснет. В глаза. Или в ветровое стекло бросит гранату. И попадет. Случайно. Думай!

— Не пугай! Пуганый! В этом городе я ничего не боюсь!

— Может быть. Но твой город расположен в Центральном регионе. А регион не твой. Регион тебе не сожрать. Поперхнешься.

— Я в регион не лезу. И регион пусть ко мне не лезет! У каждого своя территория. По закону!

— Твоя территория на нашей территории. А тот, кто на чужой территории, должен отстегивать! По закону!

— Плевать мне на ваш закон. Я по другим живу. И все, что требуется, отдаю. Сполна. А больше — это беспредел.

— Это твое последнее слово, Гнусавый?

— Последнее.

— Ну, как знаешь...

— Знаю...

Визитер попрощался и ушел. Спокойно загасив об обивку кресла горящую сигарету.

«Папа» городского масштаба схватил трубку радиотелефона еще раньше, чем тот вышел за ворота. И набрал номер.

— Ты чего, Косой? Ты кого ко мне посылаешь?

— Был?

— Был.

— Наехал?

— Наехал. Борзо наехал. Как на лоха какого-нибудь. Кто это такие?

— Хрен их знает. Но давят, что те танки. Только хруст стоит.

— Тебя тоже давили?

— Давили. И задавили...

— Что, спекся?

— Спекся.

— И на меня навел?

— На тебя не наводил. Ни на кого не наводил. У них и так все есть. Полный пакет. Со всеми адресами и регалиями. И ты есть. Я только согласился, чтобы на меня сослались.

— Ну я и говорю — навел, гнида.

— Да я же тебе толкую...

— Хрен им, а не деньги.

— Зря ты так. Они ребята серьезные. Дундука завалили.

— Когда?!

— Позавчера вечером. Нашпиговали свинцом, как утку дробью. Смотреть жутко.

— Откуда ты знаешь, что они?

— Говорят, что они.

— Сказать можно все, что угодно...

— Нет, они. Я тебе точно говорю — они. Я тоже вначале не верил.

— И что?

— И то! Сам скоро узнаешь! Когда тебя сожрут. С потрохами.

— Не сожрут. Подавятся. Я здесь как в крепости. У меня тут все схвачено!

— Ну смотри. Я предупредил...

ГЛАВА 4

Президент распорядился вызвать Посредника, который отвечал за связь с Конторой. Она вообще-то называлась не Конторой. А совсем иначе. И совершенно непредсказуемо. То ли ЖЭКом номер 17, то ли лабораторией высокоточных метрических измерений, то ли НИИ квазитрофических поляризированных субстанций. Или еще как. Название не суть важно. Важно назначение.

Назначением Конторы было помогать первым руководителям страны в затруднительных ситуациях, в которых все прочие законопослушные ведомства были бессильны. Потому что вынуждены были оглядываться на Конституцию и другие регламентирующие их деятельность законы, на прокуроров, журналистов, общественное и международное мнение и прочее.

Контора единственная могла себе позволить роскошь не оглядываться ни на кого. Потому что официально ее не было. Была постоянно распадающаяся и в нужное время и в нужном месте соединяющаяся в единое разящее целое химера. Воображаемая, всегда проскакивающая между пальцев субстанция, состоящая из десятков мгновенно возникающих и распадающихся мелких хозяйственного назначения конторок. Организация, не привязанная ни к недвижимости, ни к расходной графе бюджета, ни к конкретным людям, ни к занимаемым ими должностям.

Контора была. И ее не было.

Именно такой она была задумана много десятилетий тому назад. Чтобы управляться с гигантской Советской империей. С ее постоянно бунтующими и выходящими из-под контроля окраинами. С отдельными, недоступными МВД, КГБ и Прокуратуре высокопоставленными личностями. С которыми тем не менее надо было кому-то разбираться. И при необходимости расправляться.

Контора была сродни масонским ложам. Всепроникающая и одновременно невидимая. И именно поэтому она единственная не раскрыла своих секретов в вихре не в меру разболтавшейся гласности. И не перестроилась в угоду и по образу и подобию новых правителей в горниле перестройки.

Бюрократическая революция Контору пощадила, потому что она не оставляла никаких бумаг. И никаких живых свидетелей. Таковы были жесткие, но необходимые и раз и навсегда узаконенные правила игры. Желающий сохранить целое должен уметь жертвовать частностями...

Президент знал Контору по очередному шифрономеру. Обновлявшемуся раз в несколько лет или недель. Его, вместе с ядерным чемоданчиком, передавал ему предшественник. Последние семь цифр обычно совпадали с телефонным номером общегородской АТС. Набрав данный номер, можно было услышать, что «Вы ошиблись телефоном» или «Протри глаза, когда набираешь цифры!». Это означало, что вызов принят и не позднее чем через несколько часов должен будет прибыть Посредник. О чем следует предупредить охрану. С Посредником можно разговаривать только Президенту.

Посредник прибывал обычно под видом спецкурьера с целью вручить какой-то важный документ лично. Или в руки Доверенного, тоже не последнего в иерархии государства лица, которому единственному позволялось знать то, что знал Президент. Иногда Посредник прибывал совершенно в непредсказуемом обличье. Но прибывал всегда. И всегда не позднее нескольких часов после вызова.

— Здравствуйте. Я вас слушаю, — обращался он к Президенту или Доверенному лицу без обычных в таких случаях полуподобострастных приветствий. Потому что приходил испрашивать дела, а не должностей и денег.

— Нам необходимо провести расследование по вопросу утечки с территории страны атомного оружия, — определял задачу Доверенное лицо. — Как минимум — ответить на вопрос: имели место такие факты или нет. Как максимум — указать виновных. И передать Прокуратуре доказательства их вины для последующего судебного разбирательства.

— Мы не можем вести официальное следствие. А потому не можем ничего передать Прокуратуре.

— А что вы можете?

— Можем раскрыть каналы утечки. И ликвидировать их.

— А виновные?

— Если вы дадите соответствующие указания, можем наказать виновных.

— Как так наказать?

— Как они того заслуживают.

Доверенное лицо поежился. Он не привык к подобным откровенным, где все называется своими именами, разговорам. Он привык к подобным, которые и есть политика, делам. Но обязательно прикрывающимся благообразно-витиеватыми фразами о благе народа, прогресса и цивилизации.

— Нет. Ничего такого не требуется. Надо найти и

ликвидировать предпосылки расползания ядерного оружия. Не более того. Что вам для этого требуется?

— Информационная поддержка, в том числе по объектам возможной утечки.

— То есть?

— Места дислокации и складирования ядерного боезапаса.

— Но это совершенно секретная информация. Даже Президент не в полной мере владеет всеми подробностями.

— Мы не требуем точных координат местоположения ядерного оружия. Нам нужны районы базирования. С точностью до сотен километров. Мы не можем оберегать то, что не знаем, откуда утекает.

— Хорошо. Что еще?

— Деньги.

Доверенное лицо поморщился. Это была самая неприятная, потому что самая распространенная, ежечасно звучащая и тем набившая оскомину просьба. Все просили денег. И никто их не предлагал.

— Я не уполномочен решать вопрос о субсидиях.

— А кто уполномочен?

— Президент.

— Значит, мне надо переговорить с Президентом.

Вот так запросто — «переговорить с Президентом»! Словно он какой-нибудь начальник заштатного отдела кадров.

— Я должен решать вопросы с теми, кто их может решать, — еще раз и очень уверенно повторил Посредник.

Послать бы этого наглеца куда подальше! Но нельзя. Потому что придется отчитываться перед Хозяином, который очень озабочен решением данного вопроса.

— Хорошо. Я попробую...

Доверенное лицо потянулся к телефону.

— Нет, — остановил его Посредник. — Без телефона. Только лично.

— Это защищенная правительственная линия!

— Тем более... Я вынужден напомнить, что речь идет об особом статусе нашей организации.

— Хорошо. Я попробую.

— И напомните, что Президент должен быть один. Без охраны. Чтобы только он, вы и я.

Через двадцать минут Посредник получил аудиенцию у Президента.

— О какой сумме идет речь? — спросил Президент.

— В зависимости от сроков операции. Чем короче сроки — тем больше потребуется средств. Мы, конечно, можем решить финансовые проблемы сами, но на это уйдет время.

— Как так сами? — не понял Президент. — Как это вы можете решить вопросы субсидирования самостоятельно, если вы бюджетная организация? Вы бюджетная организация?

— Не вполне. Но мы постоянно пользуемся услугами бюджета для решения конкретных оперативных задач.

Все-таки Президент мало понимал специфику работы организации, что работала на него. Или не очень хотел понимать, чтобы не вступать в противоречие с законом, гарантом которого он выступал на территории выбравшей его страны.

Меньше знаешь — меньше отвечаешь. За то, что узнаешь.

— Назовите необходимую сумму. Минимально необходимую.

— Пятнадцать миллионов долларов.

— Сколько?

— Если бы вы просили расследовать утечку автоматов «АКМ», мы бы запросили меньше.

— Хорошо. Укажите счет, на который следует перевести требуемую сумму.

— Их не надо никуда переводить. Деньги нужны наличными.

— А как же я, то есть государство сможет контролировать их расход?

— Никак.

— А как государство сможет убедиться в их использовании по назначению?

— По итогам операции.

Президент задумался. Запрашиваемая сумма была невелика. На выборную кампанию, на представительские расходы выбрасывалось больше. Но за те деньги он получал требуемые ему услуги. А здесь их предлагали просто отдать. Под честное слово, то есть выбросить на ветер. Потому что честное слово это самое ненадежное вложение капиталов. По крайней мере в нынешнее смутное время.

— Как из этого положения выходили мои предшественники? — спросил он.

— Так же, как вы. Давали. Или не давали. В зависимости от того, нужен был им результат или нет.

— Хорошо. Вы получите названную сумму. Но только законным порядком, то есть безналичным перечислением. И только частями. По мере поступления денег. Позвоните Управляющему делами. Завтра. Вот по этому телефону. Я распоряжусь...

— Позвоню.

И даже спасибо не сказал. За пятнадцать миллионов долларов. Хоть и частями...

Посредник ушел. О продолжении этой истории он уже догадывался. Но Управляющему на всякий случай позвонил.

— Сколько? — переспросил Управляющий. — Но у меня на сегодняшний день нет таких денег.

— Это распоряжение Президента. Можете справиться у него.

— Хорошо. Куда перевести средства?

— РСУ номер шесть в районном отделении Промстройбанка...

— В какое РСУ?!

— Номер шесть.

— Вы что, с ума спятили? Какое РСУ?! Президент страны не может переводить такие деньги в какое-то РСУ!

— Это распоряжение Президента.

— Хорошо. Но пусть ваше начальство выйдет с письмом на мое имя с обоснованием данной суммы согласно приложенной смете, рассчитанной в соответствии с нормо-расценками, утвержденными...

Посредник положил трубку.

СОДЕРЖАНИЕ

Литературно-художественное издание

Ильин Андрей Александрович

ФЕДЕРАЛЬНОЕ ДЕЛО

Издано в авторской редакции
Ответственный редактор *С. Рубис*
Художественный редактор *А. Стариков*
Технический редактор *Н. Носова*
Компьютерная верстка *В. Азизбаев*
Корректор *И. Ларина*

В оформлении переплета использован рисунок
художника *С. Атрошенко*

ЗАО «Издательство «ЭКСМО-Пресс». Изд. лиц. № 065377 от 22.08.97.
125190, Москва, Ленинградский проспект, д. 80, корп. 16, подъезд 3.
Интернет/Home page — www.eksmo.ru
Электронная почта (E-mail) — info@ eksmo.ru

По вопросам размещения рекламы в книгах издательства «ЭКСМО»
обращаться в рекламное агентство «ЭКСМО». Тел. 234-38-00

Книга — почтой: Книжный клуб «ЭКСМО»
101000, Москва, а/я 333. E-mail: bookclub@ eksmo.ru

Оптовая торговля:
109472, Москва, ул. Академика Скрябина, д. 21, этаж 2
Тел./факс: (095) 378-84-74, 378-82-61, 745-89-16
E-mail: reception@eksmo-sale.ru

Мелкооптовая торговля:
117192, Москва, Мичуринский пр-т, д. 12/1
Тел./факс: (095) 932-74-71

ООО «Медиа группа «ЛОГОС». 103051, Москва, Цветной бульвар, 30, стр. 2
Единая справочная служба: (095) 974-21-31. E-mail: mgl@logosgroup.ru
contact@logosgroup.ru

ООО «КИФ «ДАКС». Губернская книжная ярмарка.
М. о. г. Люберцы, ул. Волковская, 67.
т. 554-51-51 доб. 126, 554-30-02 доб. 126.

Книжный магазин издательства «ЭКСМО»
Москва, ул. Маршала Бирюзова, 17 (рядом с м. «Октябрьское Поле»)

Сеть магазинов «Книжный Клуб СНАРК» представляет
самый широкий ассортимент книг издательства «ЭКСМО».
Информация в Санкт-Петербурге по тел. 050.

Всегда в ассортименте новинки издательства «ЭКСМО-Пресс»:
ТД «Библио-Глобус», ТД «Москва», ТД «Молодая гвардия»,
«Московский дом книги», «Дом книги на ВДНХ»

ТОО «Дом книги в Медведково». Тел.: 476-16-90
Москва, Заревый пр-д, д. 12 (рядом с м. «Медведково»)

ООО «Фирма «Книинком». Тел.: 177-19-86
Москва, Волгоградский пр-т, д. 78/1 (рядом с м. «Кузьминки»)

ООО «ПРЕСБУРГ», «Магазин на Ладожской». Тел.: 267-03-01(02)

Подписано в печать с готовых диапозитивов 14.05.2002.
Формат 84×108 $^1/_{32}$. Гарнитура «Таймс». Печать офсетная.
Бум. газ. Усл. печ. л. 23,52. Уч.-изд. л. 19,3.
Тираж 15 100 экз. Заказ 6202

Отпечатано в полном соответствии
с качеством предоставленных диапозитивов
в ОАО «Можайский полиграфический комбинат».
143200, г. Можайск, ул. Мира, 93